ট্রেকার্স

ট্রেকার্স

বাণী বসু

আনন্দ

প্রথম সংস্করণ জানুয়ারি ২০০৯

ISBN 978-81-7756-774-8

আনন্দ পাবলিশার্স প্রাইভেট লিমিটেডের পক্ষে ৪৫ বেনিয়াটোলা লেন কলকাতা ৭০০ ০০৯ থেকে সুবীরকুমার মিত্র কর্তৃক প্রকাশিত এবং বসু মুদ্রণ ১৯এ সিকদার বাগান স্ট্রিট, কলকাতা ৭০০ ০০৯ থেকে মুদ্রিত।

লেখক বন্ধু
দিব্যেন্দু পালিতকে

কাগজের প্রথম পাতার প্রথম খবরটা দেখে ধ্রুবজ্যোতি মজুমদার চমকালেন। ধৈর্য ধরে পড়লেন খবরটা। সাধারণত এতটা মন তিনি আজকাল কোনও খবরে দিচ্ছেন না। কথাটা ক'দিন ধরেই মনে হচ্ছিল, আবারও হল। নাটক হচ্ছে চারদিকে মঞ্চে-মঞ্চান্তরে এবং রাস্তায়-রাস্তায়, বাড়িতে-বাড়িতে, জীবনে-জীবনে। মঞ্চের নাটকগুলো আমরা ধরতে পারি, কেননা সেখানে স্থান কাল পাত্র সবই সংক্ষিপ্ত হয়ে এসেছে। নাট্যকার ইচ্ছে হলে তাকে প্রতীকী ব্যঞ্জনা দিচ্ছেন, জিনিসটা ভাবাচ্ছে। আয়োনেস্কো, ব্রেখ্‌ট, এদিকে হ্যারল্ড পিন্টার, দারিয়ো ফো, মাইকেল মধুসূদন, দীনবন্ধু মিত্র থেকে এখনকার বাদল সরকার, মোহিত চট্টোপাধ্যায়, মনোজ মিত্র...

কথাটা হচ্ছে, প্রতিদিনকার জীবনে ছোট-ছোট যে-নকশাগুলো ঘটে, সংসারে যেসব প্রহসন এবং জীবনে সত্যিকার নাটক ঘটে, সেগুলোকে আমরা নাট্য বলে দেখি না। সবই কিন্তু মেলোড্রামা নয়। নিচুস্বরের ঘন গাঢ় নাটকগুলো একেবারেই ধরা পড়ে না বোধে। কিন্তু কখনও-কখনও এমন জিনিসও ঘটে, যেন মনে হয় পুরোটা কেউ স্ক্রিপ্ট লিখে তৈরি করেছে। কোথায় কেমন দৃশ্যপট হবে, কীভাবে আলো পড়বে, কে-কে থাকবে কেন্দ্রে, কারা আশপাশে, জীবনভর্তি এক্সট্রার দল, সমস্ত কেউ সাজিয়ে রেখেছিল। পাখিপড়া করে পড়িয়েছে প্রত্যেককে। মডুলেশন, ঢোঁক গেলা, কায়িক অভিনয়, হাতের ভঙ্গি, দাঁড়ানোর ভঙ্গি, আলোর দিকে অর্ধেক ফেরা, প্রবেশ-প্রস্থান একেবারে ইঞ্চি মেপে। মঞ্চের নাটকের সঙ্গে তফাত? এ তো কুড়ি-ফুটি স্টেজ নয়, এর হিসেব হবে মাইলেজে। কালকেও গুটিয়ে ছোট করে আনা যাবে না, আর মূল নাটকের মূল কুশীলবের চলাফেরার ধন্দে উৎক্ষিপ্ত মানুষজনকে না ধরলে, এ নাটকের চরিত্রলিপি সম্পূর্ণ হয় না। শুধু ক্রাউড বা ১ নং ভদ্রলোক, ২ নং ভদ্রলোক বলে শেষ করা যাবে না এ তালিকা। আলোকসম্পাতে তিনি দেখতে পাচ্ছেন মেঘ-রোদের খেলা, প্রবল

বর্ষণ, ঝিরিঝিরি বৃষ্টি, প্যাচপেচে গরম, আদুরে রোদ। ঝমঝম, রিমিঝিমি বাজতে থাকবে আবহসংগীতে। আসল পাখিদের ডাকাডাকি চলবে নিরন্তর ক্বঃক্বঃ, কুবকুবকুব, আগুমবাগুম, রেডিয়োর টুকরো স্বর, কোনও জানলাপথে উপচে পড়া টিভির উচ্চারণ, ঘষঘষ গাড়ির আওয়াজ, ঢং ঢং ট্রামের, কুকুরের কেঁউকেঁউ, ঘেউঘেউ কী নেই! সব আছে এবং যথাযথ প্রয়োগে আছে। সংগীত পরিচালক যেখানে প্রকৃতি, সেখানে নৈঃশব্দ ও হট্টগোল, পক্ষবিধূননের সুদূর শব্দ, পিছলে পড়ার সড়াৎ, কোনও কিছুর জন্যই আলাদা ভাবাভাবির প্রয়োজন হয় না। আর আসল যে অভিনেতা-অভিনেত্রী? তারা আসল, তাই তাদের চলন-বলন স্বতঃস্ফূর্ত, উচ্চারণের দোষ থেকে, ভুলভাল কথা, আকস্মিক নীরবতা সবই সেখানে মানিয়ে যায়। কোনও ভিন্ন মানুষের খোলসে ঢুকতে হচ্ছে না তো! কোনও পরিচালকের নির্দেশও পালন করতে হচ্ছে না। যা কিছু মোটিভেশন্ সবই নিজস্ব বোধবুদ্ধি, উপলব্ধি, উদ্দেশ্য থেকে উঠে আসছে।

কে পরিচালক এই নাট্যের? অ-দৃষ্ট, যাকে এখনও দেখতে পাচ্ছি না? কোনও ব্যক্তি সে নয়। এক অমোঘ কার্যকারণের শৃঙ্খল, গেঁথে যাচ্ছে আপন মনে পুঁতির মালা। আহা, যদি ইনটুইশনের ভাষাতেও স্ক্রিপ্টটা পড়া যেত!

সংযুক্তা কফির ট্রে হাতে এসে গেলেন, "কী ব্যাপার? কাগজ হাতে এমন বোমভোলা হয়ে বসে আছ কেন?"

উত্তরে ধ্রুব কাগজটা এগিয়ে দিলেন।

সংযুক্তা একটু পড়েই বললেন, "ঠিক যেন নাটক না? ইশ্‌শ্‌।"

ধ্রুব হাসলেন, "কখনও-কখনও নাটক দেখেও আমরা বলি ঠিক যেন জীবন, না?"

অবসরে এখনও অভ্যস্ত হতে পারেনি মগজ। তাই-ই হয়তো দুপুরবেলা পাশের বাড়ির এফএম থেকে ভেসে আসা গান আর হাতের বই 'গ্রে হাউন্ডস ইন ব্রাসেল্‌স' নিয়ে যেটুকু ঢুল এসেছিল, তার মধ্যেই ধ্রুব দেখলেন পায়রার বুকের মতো ছেয়ে রঙের এতদিনের জীবনটাকে দলা পাকিয়ে পকেটে পুরে লম্বা জিন্‌স এক তরুণ লাফ দিল শেয়ালদা স্টেশনের দু'নম্বর প্ল্যাটফর্মে। মাছি না গলা ভিড়টাকে কায়দা করতে তার তেমন কোনও অসুবিধে হল না। কেননা, সে ছ'ফুট দুই। ছাতি ৪২ ইঞ্চি। কাঁধ দুটো নৌকার পাটাতনের মতো। কাঁধে ব্যাকপ্যাক। হাতের সুটকেসটাকে খেলনার মতো অনায়াসে দুলিয়ে সে

দুলকি চালে ঢুকে পড়ল। কাঁধ দিয়ে একটু চাপ দিতেই ভিড়ের চোখ ভয়ে, রাগে, ওপর দিকে চায়। সে গ্রাহ্যও করে না। ''আহা দাদা, আপনারা এখনও অনেক পিছিয়ে। বয়সে এগিয়ে তো? স্যরি, আপনারা আফিস কাছারি যাবেন তো? তা আমারও একটা যাবার জায়গা আছে। একাধিক।'' অস্ফুটে তিনি জিজ্ঞেস করলেন, "কে?"

ছেলেটির ঠোঁটের কোণ হাসিতে বেঁকে গেল। বলল, "আমি যুবক, মানে ইয়ংম্যান।"

"কী বললে, কী ম্যান?"

"ওই দিকে দেখুন," ছোকরাটি আঙুল দেখাল।

একটি বেশ সম্পন্ন-দর্শন ঘরের ভেতর টেবিলে বই খোলা, গালে-হাত একটি উদাস মুখকে দেখতে পেলেন ধ্রুব। গদিআঁটা কাঠের চেয়ারে বসে আছে। আপাতদৃষ্টিতে পড়াশোনা করছে, কিন্তু দৃষ্টি যেন কোথায় ভেসে চলে গিয়েছে। পরনে একটা ঝ্যালঝেলে শর্টস আর ততোধিক ঝ্যালঝেলে টপ। তার সমস্ত শরীরটা এই ঝোল্লার ভিতরে অদৃশ্য। ফুটে আছে খালি পা দু'টি আর মুখ। বেশ পা। লম্বা, নির্লোম, তবে খুব একটা অ্যাথলেটিক নয়। মুখটি বেশ ফুটফুটে। অল্প বয়সিদের সবাইকেই ধ্রুব আজকাল ফুটফুটে দেখেন অবশ্য। সংযুক্তা এখনও চাকরিতে আছেন, কিন্তু তাঁরও ওই দশা। অল্প বয়সের মেয়ে দেখলেই বলেন, "বাঃ, কী চমৎকার।"

কাজেই সত্যটা ঘষে যাচিয়ে নেওয়ার জন্য কোনও কষ্টিপাথর ধ্রুবর ধারে কাছে নেই। "তা এমন মেয়ে, এমন ঘরটি তোমার, চোখ দুটি অমন বিষাদ-কাজল কেন মা?"

"সমস্ত সম্পন্ন-সুখের হৃদয়ে থাকে এক কাঙাল। যে অনেক কিছু পেলেও, একটা জরুরি কিছু, সমস্ত মন-প্রাণ দিয়ে চাওয়া কিছু একটা পায়নি।" মেয়েটি বলে উঠল আস্তে আস্তে, "একলা রাতের অন্ধকারে সে হাহাকার করে ঘোরে। আমি আজকাল তার কান্না শুনতে পাচ্ছি। আগে জানতুম না, সুখের গর্ভে কোথাও এমন তলতলে কান্না আছে। সেটা দুঃখের তরল রূপ। 'সফ্ট কোর' সেই চকোলেটগুলোর মতো। মামা সুইজারল্যান্ড থেকে এনে দিয়েছিল। গোল-গোল বল, ওপরটা শক্ত। ভাঙতেই মুখটা তরল মাদক স্বাদে ভরে যায়। মামা বলেছিল, 'বেশি খাসনি, নেশা হয়ে যাবে।' এই সুখের গর্ভে, দুঃখের কান্নারও বোধহয় একটা নেশা আছে, জানেন। জীবনটা যদি একটা নিরেট

চকোলেটই হত আদ্যন্ত? প্রিয়ম বলে, দুর্দান্ত হত তা হলে। প্রিয়ম জানে না, মাঝখানের ওই তরলটুকু না থাকলে নেশা জানা হত না, ঘোর জানা হত না, হাহাকার জানা হত না এবং তা হলে কিছুই জানা হত না।"

"কার লেখা থেকে পড়ছ বাবা?"

অবাক চোখে তাকিয়ে মেয়েটি বলল, "কারও লেখা তো নয়। আমি মানে দিয়া, আমি তো ভাবছিলুম।"

"ওইটুকু মেয়ে, তোমার এত কীসের দুঃখ? কিছু মনে কোরো না, প্রেম-ট্রেম?"

মেয়েটি হাসল, "আপনি খুব খু-উব পুরনো, না? প্রেম হলে তো হয়েই গেল।"

প্রেম হলে তো হয়েই গেল, মানে কী কথাটার? আর অমন হাসি? হাসির ভিতর দিয়ে যেন হাজার কথা বলে গেল। অথচ কিছুই বোঝা গেল না। তিনি কি সত্যিই খুব বুড়ো হয়ে গেলেন? মেয়েটি অবশ্য খুব ভদ্রতা করে বলল। পুরনো প্রেমের কথা বললে, পুরনো হতে হবে কেন রে বাবা? প্রেম তো চিরনতুন বলেই তাঁর ধারণা।

এই সমস্ত সাত-পাঁচ ভাবতে ভাবতেই তাঁর চটকাটা ভেঙে গেল। পাশের টেবিলে আজকের কাগজটা ভাঁজ করা। চোখে-মুখে জল দিয়ে তিনি আয়নার দিকে তাকালেন। বডি ফিট একেবারে। কেউ বলতে পারবে না তিনি কুঁড়েমিকে প্রশ্রয় দিয়েছেন। কিন্তু মুখে তো তাঁর অভিজ্ঞতার চিহ্ন থাকবেই। সংযুক্তা আজকাল মাথার চুলে লালচে রং দিচ্ছে। তিনি কিছু দেন না, তাঁর মাথা কাঁচা-পাকা। তেমন কোনও রেখা পড়েনি, কপালে দুই ভুরুর মাধখানে একটি লম্বা তিলকের মতো রেখা ছাড়া। কিন্তু তিনি যে পুরনো, সেটা বুঝতে অসুবিধে হয় না। ওই দিয়া, উজ্জ্বল, এরা আশ্চর্যভাবে মানুষের প্রাচীনতাকে শনাক্ত করতে পারে।

হঠাৎ তাঁর খেয়াল হল এই দুটো নাম দিয়া, উজ্জ্বল তিনি কোথা থেকে পেলেন? কাগজ, খবরের কাগজের লিড নিউজেই নাম দুটো পেয়েছিলেন। আশ্চর্য তো! কাগজটা তিনি আবার খুললেন। খুঁটিয়ে খুঁটিয়ে পড়লেন। রূপরাজ, আরিয়ান। বাব্বাঃ এসব হাই-ফাই নাম এরা কোত্থেকে পায়? শুকতারা, বাবাই। এই ছ'টা নামই তা হলে প্রধান কুশীলব।

কোত্থেকে আসছিল ইয়ংম্যান উজ্জ্বল? শেয়ালদা স্টেশনে নামল। আচ্ছা,

ও তো বগুলা থেকে এল। বাসস্ট্যান্ডে মাছি থিকথিকে ভিড়। হ্যান্ডেলটা ও দূর থেকেই ধরে ফেলেছে। ব্যাকপ্যাক, গুটিকতক মুড়ো ছেঁচড়ে আপনিই জায়গা করে নেয়, তাকেও জায়গা করে দেয়। সুটকেস হাতে নিয়ে সে এক হ্যাঁচকায় শূন্যে উঠে যায়। তলায় পিলপিল করছে মুখ। হঠাৎ একটা মুখ চেনা-চেনা লাগে। পেছনের লম্বা সিটটার ওপর সে বডি ফেলে দেয়। সুটকেসটা রেখে জায়গাটা রিজার্ভ করে, তারপর চেনা মুখের তল্লাশে যায়। অন্ধের মতো হাত চালিয়ে দেয় মুখের, কাঁধের, চাঙড়ে। হাতে এসে যায় একটা কাঁধ। তার পিছনে পিঠ, দুই কাঁধের তলায় শক্ত লোহার মতো হাতটা দিয়ে সে চাগিয়ে তোলে, "যা চট করে লেডিজ সিটে জায়গা নে।"

"ভাগ্যিস তুই ছিলি।"

"বলছিস?"

"তা না তো কী। আমার সাধ্য ছিল এই ভিড় ভেদ করে বাসে ওঠা? তিনটে ছেড়েছি অলরেডি।"

"কোথায় চললি?"

"কোথায় আবার, কলেজে। তুই?"

"দু'বার ছেঁচড়ে এবার ভাগ্যে শিকে ছিঁড়েছে। যাচ্ছি শিবপুর।"

"কংগ্রাচুলেশন্স।"

সোমবারের রোদ একেবারে ঝক্‌কাস। যেন এরিনায় দাঁড়িয়ে বক্সার। চকচকে মাস্‌ল থেকে যেন তেল গড়িয়ে পড়ছে। হলুদ রঙের ট্রাঙ্কটা বাঘছালের মতো এঁটে আছে। হাতে লাল রঙের গ্লাভ্‌স। স্পিরিটটা ধাঁ করে ভেতরে ঢুকে যায়। তার জায়গা একেবারে পেছনের লম্বা সিটে, ব্যাকপ্যাকটা কোলে, সুটকেস নীচে, দু' পায়ের ফাঁকে। পিছলে যাচ্ছে পিলপিলে রাস্তা। বাসের পিছন-চাকার গজরানি ঠিক তার নীচে। পিছন ফুঁড়ে শালা শিরদাঁড়া বেয়ে সোজা ব্রহ্মতালুতে পৌঁছে যাবে। চাপের নাম বাবাজীবন। তোরা দিবি না, আমিও না নিয়ে ছাড়ব না। ঠিক মেরে দিয়েছি, "ম্যাঁয় নওজওয়ান হুঁ। সমঝ লে তুরন্ত। যো চাহুঙ্গা ওহি কবজেমে লাউঙ্গা।"

ঠিক সামনে এক ঘাড়-নড়নড়ে বুড়ো দাঁড়িয়ে। কেষ্টনগরের পুতুলের শোকেসে মানাত ভাল। মেলা-ফেলায় ঢেলে বিক্কিরি হয়। পাশের ছেলেটি উঠে দাঁড়াল, "বসুন সার।"

"না, না, ঠিকাছি ঠিকাছি।"

"আমি জিষ্ণু সার, জিষ্ণু মণ্ডল। চিনতে পারছেন না?"

"ও ছাত্র! একেবারে আত্মনেপদী। তবে তো রাইট আছে।" নড়বড়ে বসে পড়ল।

"জিষ্ণু মণ্ডল, কোন্ ইয়ার?"

ছেলেটা ঝুঁকে পড়ে বলল, "মিলেনিয়াম ব্যাচ বলতেন তো আমাদের, ভুলে গেলেন?"

"বর্ষে বর্ষে দলে দলে, বুঝলে না? দুঃখ পেয়ো না, মুখখানা প্লেস করতে পারছি। মাধ্যমিকের ছেলে, চার বছরে দাড়ি গোঁফ গজিয়ে এমন হয়ে যায় না। তা বাবা, আমি যদি তোমার মাস্টারমশাই না হতুম, কী করতে?"

"তা হলেও উঠে দাঁড়াতুম সার! একথা আবার জিজ্ঞেস করছেন?"

"না দেখো, বাসে লেডিজ সিট আছে ঠিক আছে। গুঁতোগুঁতির মধ্যে লেডিজদের না দাঁড়ানোই ভাল। প্রতিবন্ধীদের সিট আছে, বাচ্চাদের সিটও দেখি, আহা পিঠে এক একটা পাপের বোঝা নিয়ে টলছে বাচ্চাগুলো। একটু ব্যবস্থা না করলে হয়? কিন্তু এই অ্যামনেস্টির ডেমোক্র্যাসিতে বুড়োদের কথা কেউ ভাবেনি কেন বলো তো?"

"ঠিক বলেছেন সার। কেন করে না, কে জানে?"

"আমি জানি জিষ্ণু। এই জন্যে করে না যে, এ ব্যাটার খোল থেকে ওয়ার্কিং ইয়ার যতটা পাওয়ার, নিংড়ে পাওয়া হয়ে গিয়েছে। এখন এ ব্যাটা ভুষি মাল। হয়তো বা পেনশনও খাচ্ছে। দে ব্যাটার লাইফ ডিফিকাল্ট করে। বসতে দিসনি, খেতে দিসনি, ওষুধ-বিষুধ আক্রা করে রাখ, যত তাড়াতাড়ি ট্যাঁসে," বলতে-বলতে হাসলেন ভদ্রলোক।

"আপনি সেই এক রকমই রয়ে গেলেন সার," জিষ্ণু বলল। "ইয়ংম্যানদের উপর আস্থা রাখছে সরকার। এটুকু তারাই করবে। গুড সেন্স।"

"গুড সেন্স ইয়ংম্যানদের? তুমি হাসালে জিষ্ণু। আমরা বাসে উঠলে লাস্টে উঠি। ততক্ষণে সিট সব অকুপায়েড। সামনে গিয়ে দাঁড়ালে ইয়ংম্যানরা ভীষণ ব্যস্ত হয়ে কানে একটা গয়না পরে ফেলে, মোবাইল। এত টক-টাইম কোত্থেকে পায় বলো তো আজকের ব্রেকনেক কমপিটিশনের যুগে? আর এক টাইপ আছে, হঠাৎ বড় প্রকৃতি প্রেমিক হয়ে ওঠে। পাশ দিয়ে জীবন বয়ে চলেছে কিনা!"

তাকেই টার্গেট করছে নাকি কেষ্টনগর? সে নড়েচড়ে বসে। টাইট হয়ে

গিয়েছে জায়গাটা। কিন্তু উঠে দাঁড়ালেও তার ব্যাকপ্যাক আর সুটকেশ তো উঠে দাঁড়াবে না। তা ছাড়া, মাথাখানাও ছাদে ঠেকবে। স্পন্ডিলোসিস বাধাবার ইচ্ছে তার নেই। এই দৈর্ঘ্য, প্রস্থ, তালতাল বাইসেপস, ট্রাইসেপস, অ্যাব্‌স, শক্তি, সাহস এসব এ যাত্রায় স্যাক্রিফাইসের জন্য নয় দাদু। আমি 'গৌতম বুদ্ধু' কিংবা 'মোহনদাস বকরম চাঁদ' কিংবা আপামর বাঙালির 'বোকাজি' নই। এগুলো যুদ্ধজয়ের জন্য, ক্লিন ভিকট্রি একটা। কোথায়? কখন? জানি না। যখনই হোক, যেখানেই হোক, ইন দ্য মিনটাইম ক্ষুদিরাম স্ট্যাচুতে থাকুন।

সামনে গাদাগাদি ভিড়। বাবাইটা বসতে পেল কি না কে জানে! তখন তো ফাঁকা লেডিজ সিটের দিকেই ওকে ড্রপ করেছিল। সুযোগটা যদি না নিতে পেরে থাকে, তো নাচার। আরে, ওই তো বাবাই যাচ্ছে। নেমে গিয়েছে কলেজ স্ট্রিটের মোড়ে। এখন দোপাট্টা বাগিয়ে হাঁটছে দেখো, খুশি খুশি লাগে। স্যাক্রিফাইস নয়, কিন্তু টুক করে কাউকে হেল্‌প করে দিতে পারলে হেভি লাগে।

কিছুদিন আগে পর্যন্তও সে ছিল অ্যাংরি ইয়ংম্যান। অ্যাংরি এবং হাংরি। শালা লিস্টটা প্রত্যেকবার তিন মানুষ উপরে উঠে থ্যাপাং গেড়ে বসে যায়, কেন রে বাবা? পিতৃদেব বলেছিলেন, যেমন বিএসসি-টা করে যাচ্ছিস করে যা। ঠিক একটা কিছু হয়ে যাবে। 'হওয়াচ্ছি,' সে বলেছিল মনে মনে। দিন-রাত হাতড়ে অবশেষে থ্যাঙ্কস টু অদ্রি, পাকড়াও হল হিতেন সার। অনেক-অনেক দূর, মাল্লু নেবেও বিস্তর, কিন্তু টুইশান দেবে এ ওয়ান। দশটার মধ্যে ছ'টা চোখ বুজে এসে যাবে। উপকার করতে হলে অদ্রির করব। কেননা, সে উপকার করেছে। করব বাবাইয়েরও, কেননা সে পাশের রানাঘাটের মেয়ে। আমারই মতো, তার উপর মেয়ে। এর মধ্যে ঘাড় নড়নড়ে বুড়োফুড়ো আসে না।

চিৎপুরে নেমে গেল, বাঁচা গেল। পাশে যেন আস্ত একখানা শজারুর কাঁটা বসে ছিল। সেই জিষ্ণু না বিষ্ণু, বসে গেল তক্ষুনি। সে থাই দুটো চেপে বসে অগত্যা। সোমবারের রোদ্দুর জানলা গলিয়ে উঠে এসেছে হাতে কোলে কাঠবেড়ালির মতো। ভালবাসার চোখে সে চেয়ে থাকে হাত-ভর্তি রোদ্দুরের দিকে। মনে-মনে বলে, তুই উজ্জ্বল আমার মতো, নওজোয়ান আমার মতো। তফাতের মধ্যে, তুই আজকের মধ্যেই আস্তে আস্তে বুড়ো হয়ে, ফিকে হয়ে মরে যাবি। আমি কিন্তু বেঁচে থাকব। জোশ নিয়ে বিন্দাস বাঁচব। যেদিন মরবার,

মরব ঠিকই। মানুষ নশ্বর জীব। কিন্তু অমন ঘাড় নড়নড়ে বুড়ো হওয়ার আগে শালা আমি টাটা সেন্টারের ছাদ থেকে গোটা পৃথিবীটাকে বগলদাবা করে ঝাঁপ দেব।

ব্রিজে উঠছে বাসটা একটা ঝাঁকি দিয়ে। এপারে গঙ্গা, ওপারে গঙ্গা। মেজাজটা কাটা ঘুড়ির মতো সাঁ-সাঁ করে উড়ে গেল। আহ! পাশ থেকে জিষ্ণু বলল, "এই হাওয়াটার জন্যেই লম্বা জার্নি, গাদাগাদি ভিড় সব মাইনাস হয়ে যায়।"

"কবি-টবি নাকি?"

"কবি ছাড়া আর কারও গঙ্গার হাওয়া নিয়ে কথা বলার রাইট নেই বলছেন?"

হাঃ হাঃ, সে এবার গলা ছেড়ে হাসে। বলে, "ও মস্তানরা তো সেই রকমই ক্লেম করে। হাওয়া, ফুল, পাখি, প্রেম, বিদ্রোহ সব ওদের একার।"

"আমি জিষ্ণু। মেকানিক্যাল, সেকেন্ড ইয়ার।"

"আরে একই দিকে যাচ্ছি, আমি উজ্জ্বল। সবে ঢুকছি। এখনও হস্টেলের দেওয়ালের রং জানি না," হাত বাড়িয়ে দিল জিষ্ণু। ঝাঁকানি দিল সে আচ্ছাসে। অবাক হয়ে তাকাল ছেলেটা, "ব্যায়াম করো?"

"তবে?"

তার উজ্জ্বল দাঁতের সারিতে জুলাইয়ের রোদ পিছলে গেল। বাস এসে দাঁড়াল। ফল গিজগিজ, পেচ্ছাপের গন্ধ'অলা, মাথায় গামছা, কাঁধে গামছা টার্মিনাসে।

॥ ২ ॥

অনেকক্ষণ থেকে বেলটা বেজে যাচ্ছে। কী হল বিলুর? ধ্রুবজ্যোতি উঠে গিয়ে খুলে দিলেন। সংযুক্তা গলদঘর্ম। বলল, "একটা ট্যাক্সি নিলাম, যা ভিড়। বিলুটা কোথায় গেল?"

"কী জানি, ঢুকে তো পড়ো আগে।"

"আগে একটু চান করে আসি, বুঝলে? বিলুকে বলো একটু যদি উপ্‌মা করতে পারে। চা-টা আমি বেরোলে... জানো, ওই দিয়া মেয়েটা না আমাদের কলেজের।"

"তুমি চিনতে না?"

"হুঁ, ওরা বলতে মনে পড়ল, স্যাড। মেয়েটার মা-বাবা বিচ্ছিন্ন, মা-র কাছে থাকে। তিনি তো বিশাল কাজ করেন, ম্যানেজেরিয়াল জব।" বলতে-বলতে সংযুক্তা চলে গেলেন। ধ্রুবজ্যোতি বিলুর খোঁজে গেলেন। ঘুমিয়ে পড়েছিল। উঠে বসল, "আগে ডাকোনি কেন বাবা?"

"দরকার হয়নি, ঘুমোচ্ছিলি খুব।"

উচ্চমাধ্যমিক দিয়েছে মেয়েটা। রেজাল্ট বেরোবার সময় হয়ে এল। দু'-তিনটি মেয়েকে ওঁরা আশ্রয় দেন। লেখাপড়া শেখান। যত্নে থাকে, যত্ন করতেও শেখে। বিলুর মর্নিং স্কুল, মিলুর ডে। সে-ও এখুনি এসে যাবে। এদের মধ্যে সবচেয়ে বড় ছিল শীলু। সে ট্রেনিং নিয়ে কম্পিউটার শিখে এখন কলসেন্টারে কাজ করে। একঘরের ফ্ল্যাট নিয়ে থাকে ওর অফিসের কাছাকাছি সল্ট লেকে। এখন বিলু কী করতে পারে দেখা যাক!

বিকেলে আজ একাই হন্টনে বেরোলেন ধ্রুবজ্যোতি। পায়ে স্নিকার্স, শর্টস, সাদা টি শার্ট। শরৎ ব্যানার্জি রোড থেকে বেরিয়ে সাদার্ন অ্যাভিনিউ পার হয়ে লেক। ত্রিপাঠী দম্পতি জোরে হাঁটছেন। মনু দীক্ষিত ওঁকে দেখে দাঁড়িয়ে পড়লেন, "এক চক্কর হেঁটে আসুন, একটা কথা বলব দাদা," তিনি স্পিড দিলেন।

দিয়ার বিষাদের কারণ তা হলে এই, ব্রোকেন হোম? যেন এক ফ্যাশন হয়েছে আজকাল। ডিভোর্স না করতে পারলে আর মডার্ন থাকা যাচ্ছে না। অত্যাচার, নির্যাতন, দুশ্চরিত্রতা, এসবের কথা আলাদা। কিন্তু শিক্ষিত মধ্যবিত্ত, উচ্চবিত্ত মানুষ, বিয়ে করেছে, সন্তান হয়েছে, কোনওমতেই মানিয়ে থাকতে পারবে না—এ তিনি বিশ্বাস করেন না। এ সব এক ধরণের আঁতলামো।

"মা যেদিন প্রথম বলল, দিয়া, আমি আর তোর বাবা একসঙ্গে আর থাকব না। তোকে ঠিক করতে হবে তুই কার সঙ্গে থাকবি, সত্যি বলছি জেঠু, আমি একেবারে যাকে বলে অ-বাক হয়ে যাই। একদম বাকরোধ। কেননা এরকম কিছু ঘটতে চলেছে, আমি ঘুণাক্ষরেও কল্পনা করতে পারিনি। একটা এইটুকুনি ফ্যামিলিতে মা আর বাবার মধ্যে কী চলছে, তাদের বছর চোদ্দোর একমাত্র সন্তানের বোঝার কথা। কিন্তু অন গড জেঠু আমি বুঝতে পারিনি। মা-বাবা দু'জনেই বড় পোস্টে কাজ করে, অনেক দায়িত্ব। আরও ছোটবেলায় আমার দিদাই ছিল, মলিনাদি ছিল, ছিল আমার নিজস্ব ঘর। এখনও রয়েছে

আমার ক্লাব, খেলাধুলো, বন্ধুবান্ধবের বিরাট দল। কোনও জিনিসের অভাব কী আমি তো কোনওদিনই বুঝিনি। আমি জানতামই বাবা অর্ধেক দিনই অনেক রাত করে বাড়ি আসবে, মা তার চেয়ে আগে। তবুও রোববার ছাড়া আমাদের একসঙ্গে খাওয়ার কোনও ব্যাপারই ছিল না। আমি তো ঘুমিয়েই পড়তাম, রাতে বাবা আসার আগে। আমি তো জানতামই, বাবা-মা সকালে দু'জনে দুটো গাড়ি নিয়ে বেরিয়ে যাবে। বাবার তখন খেয়ালই থাকবে না, আমি কোথায় কী করছি। ল্যাপটপ খুলে বসে ব্রেকফাস্ট খাবে, খেতে-খেতে অন্যমনস্ক ভাবে হুঁ হাঁ করে মা-র কথার, আমার কথার জবাব দেবে। মা বরং বলবে, দিউ, আমার সঙ্গেই খেয়ে নে। ডায়েরি হারাস না, টাস্কগুলো ঠিকঠাক টুকে আনিস। বড় হয়ে যাওয়ার পর বলত, আই ট্রাস্ট ইউ দিয়া। সব সময়ে মনে রাখবি। যে-স্বাধীনতা দিয়েছি বা দিতে বাধ্য হয়েছি, প্রুভ দ্যাট ইউ ডিজার্ভ ইট। কাগজ পড়িস তো? চারদিকে কত বিপদ, কত যে ফাঁদ। খুব বুঝে-সুজে চলিস। গাড়িটা ব্যবহার করিস না কেন? নিজের গাড়ি একটা সেফটি মেজার। বাবা রবিবারে গল্প করত। ছোটবেলার ছেলেমানুষি গল্প, বড়বেলায় অ্যামবিশনের গল্প। আমাকে কেম্ব্রিজে পাঠাবে, না হার্ভার্ডে। আমি এই করব, তাই করব। খবরদার, আই টি লাইনে আসিস না। লাইফ বলে আর কিছু থাকবে না। এর মধ্যে বাবা-মা'র যে দূরত্ব, সেটা পেশাগত কারণে অনৈচ্ছিক দূরত্ব। ভিতরে-ভিতরে সত্যিকারের দূরত্ব তৈরি হচ্ছিল, বুঝিনি তো একবারও। এত হাঁদা আমি? তোকে বোধহয় আগে থেকেই প্রস্তুত করা উচিত ছিল আমাদের, আমার বাকরোধ দেখে মায়ের প্রতিক্রিয়া। মা বলল, আসলে আমিও তো, আমরাও তো, প্রস্তুত ছিলাম না।

দপ করে মাথার মধ্যে প্রশ্নটা লাফিয়ে উঠল, হোয়াট ওয়েন্ট রং, তৃতীয় ব্যক্তি? নিশ্চয়ই তৃতীয় ব্যক্তি। কার, মায়ের? বাবার? দু'জনেরই? চোখের মধ্যে প্রশ্নটা রেখে আমি সোজা মায়ের চোখের দিকে চাই, কথার পিঠে কথা থাকলে উত্তর দিতে সুবিধে হয়। আমার কোনও কথা ছিল না, তাই মায়ের অসুবিধে হচ্ছিল।

বলল, আসলে কোনও দিনই আমাদের মধ্যে ঠিক যাকে বলে, মানে... ছিল না।

কী যে ছিল না, মা পরিষ্কার করে বলতে পারল না। হঠাৎ কেমন ঝাঁপিয়ে পড়ে বলে উঠল, দিউ, মনে করিসনি আমরা তোকে ভালবাসি না। আমরা

দু'জনে শুধু তোর ব্যাপারেই খুব কাছাকাছি, খুব। ওইজন্যেই... এবার আমায় বলতে হল, আমি তো এখনও আছি। আমার প্রশ্নটাও স্পষ্ট নয়, তবু একজন মায়ের বা বাবার বোঝা উচিত।

ভুল বুঝিসনি। তুই আমাদের আছিস, থাকবি চিরকাল। কিন্তু আমরা পরস্পরের সঙ্গে আর থাকতে পারছি না।

কেন ?

বলা খুব শক্ত।

তুমি বা বাবা কি আবার আর একজনকে ?

না না। আমি তো নই-ই। ডোন্ট মেক আ মিসটেক দিয়া। অন্য কাউকে, কোনও পুরুষকে বিয়ে-টিয়ে করা আমার পক্ষে অসম্ভব। তোর বাবারও আপাতত তেমন কোনও ইচ্ছে আছে বলে জানি না।

কতক্ষণ তোমরা বাড়ি থাকো মা ? আমার জন্য মাত্র এইটুকু সময়ও একসঙ্গে থাকতে পারবে না ? আমার জন্য ? আমার জন্য ?

তখন মা এসে আমায় জড়িয়ে ধরল। আমার চোখের গরম জল মায়ের গায়ের উপর, খোলা হাতের উপর পড়তে লাগল। সেইজন্যেই তো ছিলাম, এখনও থাকতে চাই। কিন্তু তোর বাবাই আর থাকতে চাইছে না।

অথচ বাবার আর কেউ নেই! এটা তুমি আমায় বিশ্বাস করতে বলছ ?

যতদূর জানি কেউ নেই। যদি থাকেও, আই জাস্ট ডোন্ট কেয়ার দিয়া, আমার কাছে ওর আর কোনও ইম্পর্ট্যান্স নেই। কেন বুঝতে হলে, তোকে বড় হতে হবে।

আমাকে তোমরা কেউই চাও না। আমি আসলে তোমাদের কাছে একটা ভার।

ভুল, একদম ভুল। আমরা দু'জনেই তোকে চাই। একমাত্র তোর মধ্যে দিয়েই আমরা স্বাভাবিক পৃথিবীতে বাঁচি, দিয়া।

তা হলে বললে কেন, আমি যার কাছে ইচ্ছে থাকতে পারি ?

কী করব বল, সেটাই যে আইন। তোকে ঠিক করতে হবে।

মা, কোনও ছেলে-মেয়ে এটা ঠিক করতে পারে, তুমিই বলো ?

একটু চুপ করে রইল মা। তারপর বলল, তবে তোকে সরাসরি বলছি, তুই কোর্টে বলিস মায়ের কাছে থাকবি। তুই মেয়ে দিয়া, বাবার কাছে থাকলে তোর খুব অসুবিধে হবে। জেঠু, তুমি কিছু বুঝলে ?"

ধ্রুবজ্যোতি চমকে উঠলেন। আনমনে বললেন, "নাঃ।"

দিয়া বলল, "রাতে বাবার সঙ্গে যা হল সে আরও দুর্বোধ্য নাটক। বাবা টাইটা খুলতে খুলতে বলল, দিয়া, তোর মায়ের কাছ থেকে সব শুনেছিস তো?

শুনেছি। কিন্তু বুঝিওনি, মানতেও পারছি না। বাবা, দিদাই আর দাদা কি তোমাকে ফেলে চলে গিয়েছিল কেউ?

তা তো গিয়েছিলই। তোর দাদাই তো আমার চব্বিশ বছর বয়সে চলে গেলেন।

মৃত্যুর উপর কার হাত?

কিন্তু তোকে তো আমি ফেলে যাচ্ছি না, তুই তো অবশ্য আমার সঙ্গে যাচ্ছিস। বাড়ি নয়, বিশাল ফ্ল্যাট একখানা। কোনও কিছু ভাবতে হবে না, সব ইন-বিল্ট।

মা-ও, ওখানে মা-ও থাকবে? ইন-বিল্ট?

কী মুশকিল! এখন তো তুই বড় হয়ে গিয়েছিস, মায়ের আর দরকার কী?

মা-বাবা বুঝি দরকারের জিনিস? যেমন দুধের বোতল? যেমন ওয়াকার?

ওহ দিয়া, তুই তো খুব ইন্টেলিজেন্টলি কথা বলতে শিখেছিস। তুই আমার কাছে থাকবি, আমরা দু'জনে কত মজা করব।

বাজে কথা বোলো না বাবা, মজা করার সময় তোমাদের কারওই নেই। বাবা প্লিজ, তোমরা এক বাড়িতে আমাকে নিয়ে থাকো। কতটুকু সময় তোমাদের দেখা হয়! না হয় তোমার একটা ঘর, মায়ের একটা ঘর... আমার জন্যে। শুধু আমার জন্যে, লক্ষ্মী বাবা।

বাবা খুব গম্ভীর মুখে বলল, তাই তো ছিলাম, এখনও রাজি আছি। কিন্তু তোর মা-ই আর থাকতে চাইছে না।

এক মুহূর্তে থমকে গিয়েছিলাম আমি। কে সত্যি বলছে, কে মিথ্যে বলছে? আমি ছুটে মা'র কাছে যাই, মা, মা, বাবা আমার জন্য এক বাড়িতে থাকতে রাজি হয়েছে।

মা প্লেট মুছতে-মুঁছতে ঠান্ডা গলায় বলল, বাবা মিথ্যে কথা বলছে। জিজ্ঞেস কর, সেক্টর ফাইভের কাছে বাবার ফ্ল্যাট কেনা, সাজানো স-ব হয়ে গিয়েছে। ও পারলে এখুনি চলে যায়।

মাকে টানতে টানতে বাবার ঘরে নিয়ে আসি আমি। তোমরা বলো, আমার জন্যে বাবা-মা হয়ে তোমরা এক বাড়িতে থাকবে। বলো, প্লিজ বলো। তোমাদের তো আর কেউ নেই, কেন তোমরা থাকতে পারছ না? আমি জানি না, যদি বলবার মতো কিছু থাকে তো বলো। আমি বুঝব, বোঝবার চেষ্টা করব, কথা দিচ্ছি।

বাবা-মা দু'জনেই শূন্যের দিকে চেয়ে রইল। তখন আমি মায়ের হাত ছেড়ে দিলাম। বাবার হাত ছেড়ে দিলাম। আমার ঘরে চলে এলাম। শুয়ে পড়লাম। কিন্তু কাঁদতে পারলাম না। কান্নাটা আটকাতে থাকল চকোলেটের মধ্যে লিকিওরের মতো। সারা জীবন এই কান্নাটা আমার মধ্যে টলটল করবে বুঝে গেলাম।"

মনু দীক্ষিতের সঙ্গে ধ্রুবজ্যোতির প্রায় ঠোকাঠুকি হয়ে গেল।

"সমানে আপনাকে থামতে বলছি, শুনতে পাচ্ছিলেন না? কী এত ভাবছিলেন?"

মনুর মাথায় বয়কাট চুল, পাক ধরেছে। কান দুটো কুলোর মতো চিতিয়ে থাকে। চোখ দুটো অস্বাভাবিক বড়। ঠোঁট দুটি আশ্চর্য সুন্দর। ছোট্ট নাক, এমন কিছু মোটা নয়। সুগার হয়েছে, ডাক্তার বলেছেন হাঁটতে।

ধ্রুব বললেন, "কিছুই ভাবিনি। কী ব্যাপার বলো।"

"আজকাল লেকে হাঁটা নুইস্যান্স হয়ে যাচ্ছে। আপনারা কিছু করুন।"

"কীরকম?"

"আশপাশে তাকান, তা হলেই বুঝতে পারবেন। প্রকাশ্যে এইরকম নেকিং, কিসিং আগে দেখেছেন? এদের তো 'লভ' সম্পর্কে কোনও পবিত্রতাবোধও নেই। দিস ইজ স্যাক্রিলিজ্যাস!"

ধ্রুব বললেন, "পাখি বা কুকুর, ছাগল এরা কি তোমাকে, আমাকে তোয়াক্কা করে মিস দীক্ষিত?"

"ওরা ওই স্তরে নেমে গিয়েছেন বলছেন?"

ধ্রুব মৃদু হেসে বললেন, "না। ওরাই আমাদের আর ওদের মতো 'মানুষ' বলে মনে করছে না। পশুপাখির সামনে আর মানুষের লজ্জা কী? দে থিঙ্ক, উই এজেড পিপল আর আ ডিফরেন্ট স্পিসিজ।"

মনু চোখ আরও বড় বড় করে বললেন, "ধ্রুবদা, হাউ ক্যান ইউ বি সো ক্রুয়েল, সো শকিং?"

"শকিং আমি হলাম মনু? যা সত্যি, তাই বললাম। দেখে শুনে এটাই আমার মনে হচ্ছে। স্যরি, ইফ আই হ্যাভ হার্ট ইউ।"

"বাবা-মা বা আত্মীয়-স্বজন হলে কিন্তু কেলেঙ্কারি হবে," সুজিত বোস কখন পাশে এসে দাঁড়িয়েছেন। "এরা সব আমাদের ছেলেমেয়ে নয়, বুঝলে মনু? আমাদের ছেলেমেয়েরা অন্য কোনও সেফ ভেনু খুঁজে নিচ্ছে।"

"তবু ভাল," বলে মনু আর দাঁড়ালেন না। জোর কদমে হাঁটতে হাঁটতে চলে গেলেন।

সুজিত বোস বললেন, "আসলে মনু চাইছে, আমাদের অ্যাসোসিয়েশন কিছু করে। এখন ধ্রুব বলো, এ নিয়ে কোনও মিটিংফিটিং করা যায় কি না।"

ধ্রুবজ্যোতি বললেন, "ভাবুন আপনারা, আমি আছি।"

তিনি তাড়াতাড়ি পা চালালেন, কেননা ছেলেটি চাপা রাগে গজরাতে গজরাতে বলছে, "বাড়ি ইকোয়ালস টু জাহান্নম, পাড়া মানে নরকে ছয় ঋতু, কলেজ ইজ অনন্ত বোরডম, বন্ধু-বান্ধব আহাম্মক। হাতে রইল যন্তর।"

ক্রুদ্ধ চোখে তাঁর দিকে চাইল, "কাল থেকে বলে রেখেছি দশটায় বেরোব। এখন মাই জেঠিমা দ্য গ্রেট বলছেন, 'এই তো কলির সন্ধে, সবে জলখাবারের পাট চুকল। রোববারের বাজার, ভাতে জল দিয়েছি। একটু সবুর কর।' হোয়াট দ্য হেল ডু দে ডু ফ্রম মর্নিং টিল নাইট? দিবারাত্র রান্নাঘরে ঘুসঘুস করছে। নো রেজাল্ট? নো প্রোডাক্ট?"

ওদিক থেকে মন্তব্য এল, "অত ইংরেজি বলছিস কেন? বলছি তো, একটু দেরি হবে। ধর, মিনিট কুড়ি, যাবি কোথায়?"

"বুন্দেলখণ্ড।"

বাপস। ফায়ার হয়ে আছে। এখনকার সব ইয়ংম্যানই কি এইরকম? অ্যাংরি এবং হাংরি? তবে এ ছেলেটি সেরকম বক্সার টাইপ চেহারার নয়। ন্যাদনেদেও নয় তাই বলে। একটা স্ট্রাকচার আছে, তারুণ্যের কমনীয়তার তলায় একটা ইস্পাতের আস্তর। ঠোঁট দুটো চেপে বেরিয়ে যাচ্ছে। পেছনে বোধহয় ওর জেঠিমা ডাকছেন, "ও কী রে। চললি কেন? মিনিট কুড়ি অপেক্ষা করতে পারিস না? কী এমন কাজ তোর?"

ছেলেটি ততক্ষণে বাসস্টপে। একটা 'টু'তে উঠে পড়েছে। ভিড়ভাড়,

জ্যামট্যাম ঠেলে বাসটা ঘণ্টা দেড়েকের মধ্যে বালিগঞ্জ স্টেশনে ঢুকে যাবে। ক'টা লালবাতি খাবে, সেই যা ভাবনা। হিতেন সারকে আজ ধরতেই হবে। কোথাও একটা পাও-ভাজিটাজি মেরে দেব। চার ঘণ্টার মতো নিশ্চিন্ত। খাওয়া-ফাওয়া ব্যাপারগুলো নিয়ে এরা এমন একটা করে না, যেন খেতেই এসেছে পৃথিবীতে। চব্বিশ ঘণ্টা দেখো, আশপাশে মানুষ গাঁউ গাঁউ করে গিলছে। গিলে যাচ্ছে। ডালপুরি, তেলেভাজা, ধোসা, চাউমিন, বিরিয়ানি গিলেই যাচ্ছে। কোনও নির্দিষ্ট টাইম নেই। অল টাইম ইজ গবলিং টাইম। আর যাই করো। যে-দেশি পদই পাতে দাও, ফুড়ুৎ হয়ে যাচ্ছে দেখতে না দেখতে। দা গ্রেট ইন্ডিয়ান ইটিং সার্কাস। মেডিক্যালের স্টপ থেকে আরিয়ান উঠল, "হাই রূপ্‌স।"

"হাই আরি!"

"চললি কোথায়, ক্লাস নেই?"

চোখ নাচাল আরিয়ান। মেডিক্যালটা মেরে দিয়েছে গত বছর, ক্যালি আছে। প্রথম বছরটা মিস করল কেন, কে জানে! আসলে সবটাই সেই আননোন এক্স ফ্যাক্টর। বিশাল একটা জটিল ছক কাটা রয়েছে প্রত্যেকের জীবনে। ছকটা অন্যদের জীবন। ভূ-গোলক তার অক্ষাংশ, দ্রাঘিমা, তার অতীত, ভবিষ্যৎ, এই সমস্ত নিয়ে কাটাকুটি খেলতে-খেলতে চলেছে। কোথায় কেন কী হল না, আর কোথায় হঠাৎ কী হয়ে গেল, তা সেই ছকই জানে। কোনওটারই আপাতদৃষ্টিতে কোনও কার্যকারণ নেই। একটা পয়েন্টে যদি একশোটা গাড়ি ক্রস করে এক মুহূর্তে, কোনটা প্রথম যাবে, কোনটা কোনটার সঙ্গে ধাক্কা লাগাবে, কোনটার পেছনে পুলিশ লাগবে, তুমি বলতে পারবে? এ সেইরকম।

"কী রে আরি! এখন তো তোর অ্যানাটমি পড়ার কথা।"

আবার চোখ নাচাল আরিয়ান। নিচু গলায় বলল, "ট্যাটু ক্লাসে যাচ্ছি।"

"মিন্‌স?"

"রীতিমতো অ্যাপয়েন্টমেন্ট করতে হয় ইয়ার।"

"হঠাৎ ট্যাটু!"

"ইন-থিং!"

"তুই আবার কবে থেকে ইন-আউট করতে লেগেছিস?"

"আপকামিং ক্লাস, চড়চড় করে মই বেয়ে উঠছে ইয়ার। শুদ্‌দু ডান হাতের

ফোরআর্মে একখানা ড্রাগন। যখনই হাত তুলব, নজরে পড়বে। আর দেখতে হবে না। দাম চড়ে যাবে এক লাফে।"

"ফান্টু!"

"ওল্ড ভ্যালুজ নিয়ে থেকে যা মেছোবাজারে," আরিয়ান ভিড় ঠেলে সামনের দিকে এগিয়ে যায়।

এইটা শুনলে তার ফাটাফাটি রাগ হয়ে যায়, ধ্রুব জানেন। এই সাউথের ছেলেগুলো উত্তর কলকাতা মানেই মেছোবাজার বুঝে চলেছে। কোথায় থাকিস? মেছোবাজারে। কোথায় যাচ্ছিস? মেছোবাজারে। সংযুক্তা গল্প করেছিলেন, "জানো লোরেটোতে পড়তে গিয়েছি, একটা মেয়েকে বেশ ভাল লাগল। জিজ্ঞেস করি, কোথায় থাকো, না বালিগঞ্জ প্লেস।"

আমি বললাম, "ও বালিগঞ্জ?"

মেয়েটা সঙ্গে সঙ্গে বলল কী জানো, "তা কি মেছোবাজারে থাকব?" বলতে বলতে সংযুক্তা হেসেছিল।

"তুমি তো বাবা সেই বালিগঞ্জের মক্কেল, অমনি আপস্টার্ট নাকি? আমি তো প্রথমে না-ই করে দিয়েছিলাম।"

রূপরাজ ছেলেটি বলল, "আমার নিজের যে নর্থ পছন্দ, তা মোটেই নয়। কিন্তু গোয়াবাগানের ছেলে অত সহজে কিল খেয়ে, কিল হজম করার পাত্র আমি নই। তুই যা গেছোবাজারে," চেঁচিয়ে বলি। আশপাশের দু'-চারজন মিচকি হাসে। "আরে বাবা, এই নর্থ ক্যালকাটাই আসল কলকাতা। এখানেই রেনেশাঁস। রবীন্দ্রনাথ থেকে সত্যেন বোস। কী সাহিত্য, কী বিজ্ঞান, এখানকারই কোণ-কানাচ থেকে বেরিয়েছে, তবে না দাঁড়িয়ে আছিস! নইলে কোথায় দাঁড়াতিস দাঁড়কাক? চললেন ট্যাটু করতে, নাকি ইন-থিং! পত্রপত্রিকা, বোকা বাক্স যা খাওয়াচ্ছে, খেয়ে যাচ্ছে। খা বাবা, বোকা বন। তেরি লাইফ, তেরি চয়েস।"

আমার কতকগুলো প্রিন্সিপল আছে। প্রিন্সিপল ছাড়া কোনও অ্যাডাল্ট হয় আমি মানি না। প্রথম কথা, সব লোকে যা করছে জাস্ট দলে পড়ে, আমি তা করব না। যত প্রেশার দিবি, আমার কুকার তত চড়ে যাবে। ফার্স্ট ইয়ারেও কেউ আমাকে সিগারেট খাওয়াতে পারেনি। ঘুরতে-ফিরতে ঠাট্টা, ইয়ার্কি। আমি খাইনি। ইচ্ছে হলে স্মোক করব, মেরি মর্জি। ফ্যাশন বলে, ম্যাচো বলে, ইন-থিং বলে আমার ওপরে চাপিয়ে দিতে পারবি না কেউ কিছু। এখন

খাচ্ছি, টেনশন হলে, ভাল দেখায় বলে, অনেক সময়েই সিগারেট ঝুলিয়ে রাখি ঠোঁটে।

উত্তর কলকাতা পুরনো, ঘিঞ্জি, সেকেলে। বেশ, কিন্তু এখানেই জন্মেছি, বড় হয়েছি এবং এই জায়গাটার একটা লম্বা ইতিহাস আছে। বিপ্লবও সেই ইতিহাসের অংশ। এখন এই জায়গাটাকে তাচ্ছিল্য করলে তো নিজেকেই তাচ্ছিল্য করা হয়, নিজের জন্মমাটির ইতিহাসকে তাচ্ছিল্য করতে হয়। নিজেকে তুচ্ছ করে কেউ কোনওদিন বড় হতে পারে? অন প্রিন্সিপল, আমি উত্তর কলকাতার হয়ে লড়ে যাই। আমি বলি বিবেকানন্দ। আমি বলি, পাথুরিয়াঘাটা, জোড়াসাঁকো। আমি বলি, চিতপুরের যাত্রা পাড়া, হিন্দু কলেজ, বেথুন কলেজ, এবং বলি, নকশাল। এই রে, হাজরার মোড় থেকে জ্যাঠামশাই উঠলেন, হয়ে গেল আজ! একেবারে কোণ ঘেঁষে বসে পড়ি। বই খুলে পড়তে থাকি। জ্যাঠামশাই এখানে কী করছেন, এই বুড়োগুলো কি মন্তরে চলে নাকি? হেদুয়ার জ্যাঠামশাই, হাজরায়?

জ্যাঠামশাইটি আমার নিজের নয়। নিজেরও অবশ্য আছে, বহাল তবিয়তে আছে। তবে সেটিকে আমি গোয়াবাগানের বাড়িতে জুতো পালিশ করতে দেখে এসেছি। তিনি পালিশ-বিশারদ। এবং সক্কালবেলায় বাড়ির সব্বার জুতো ঝকঝকে করে পালিশ করাই এঁর বাতিক। তবে আপাতত বাসের অন্দরে যে জ্যাঠামশাইটিকে দেখে আঁতকে উঠেছি, তিনি সর্বজনীন। সবচেয়ে মজার কথা এঁকে আমি একা নই, প্রত্যেকে পরস্পরের সঙ্গে কনসাল্ট না করে ওই একই নাম দিয়েছে। অর্থাৎ ওঁর জ্যাঠামশাইত্ব একেবারে স্বপ্রকাশ। ওই যে শুরু করে দিয়েছেন, 'আসলে কী জানেন, দি সিক্রেট অব সার্ভাইভ্যাল ইজ মেন্টাল স্ট্রেংথ। আর হাসবার ক্ষমতা। আজকাল সব লাফিং ক্লাব হয়েছে, আস্তে আস্তে ব্যাপারটা ধরতে পারছে সকলে। তবে কী জানেন, হাসিটা যখন ভেতর থেকে অটোম্যাটিক্যালি আসে, তখনই সেটা আসল হাসি। উঁ হুঁহুঁ হল না, সেভেনটিএইট। সব্বাই এই ভুলটাই করে। এখনও রেগুলার ব্যায়াম করি। ধাঁ করে ঘরের এদিক থেকে ওদিক পিছলে চলে যাব ভাই শিঙি মাছের মতো, এমন বডি ফিট। আজ্ঞে কী বললেন, থামব? অ্যাঁ, শিয়োর। থামতেই তো এসেছি। আমিও থামব, আপনিও থামবেন। কেউই চিরদিন... যাক।'

কেউ স্নাবিং দিয়েছে আর কী! প্রায়ই স্নাবিংটা খান উনি। কে আর অত ভ্যাজর ভ্যাজর শোনে! তবু জ্যাঠামশায়ের শিক্ষা হয় না।

॥ ৩ ॥

আমি রাসবিহারী মোড়ে টুক করে নেমে যাই। এখান থেকে ট্রাম নিয়ে নিই। ঘড়ঘড় ঘড়ঘড় করতে-করতে ট্রাম চলল। জ্যাঠামশাইয়েরই মতো, স্পিড নেই, বাক্য আছে। ওখার্ডের কাছটা কী নোংরা, বাপ রে! কাগজকুড়ুনিদের বস্তি মনে হচ্ছে। বস্তা বস্তা আবর্জনা জড়ো করে রেখেছে একদিকে। তার থেকে কিছু খুঁজে চলেছে তিন-চারটে বাচ্চা। দু'জন মেয়েলোক। একটা লোক বিড়ি ধরাল। ও বাবা, আবার তোলা উনুনে রান্না বসেছে। দেখতে-দেখতে ট্রাম-জ্যাঠা খুরখুর করে এগিয়ে গিয়েছে। এ দৃশ্য আমাদের নর্থে নেই, বুঝলি আরিয়ান! কোটি টাকার হাসপাতাল, ঠাকুরদেবতার মঠ, দু'পাশে বড় বড় দোকান, বড়লোকের বিবিরা সিল্ক-ব্রোকেড কিনছে, তার মাঝমধ্যিখানে কাগজ কুড়ুনির বস্তি ইন ফুল সুইং। এরই কাছাকাছি কোথায় যেন থাকিস? দেশপ্রিয় পার্কের কাছেই বলেছিলি তো! রাস্তার নামটা ঠিকঠাক মনে পড়ছে না। তবু এ কথা সত্যি, রাসবিহারী ধরে একটু এগোলেই মনটা বেশ ফুরফুরে হয়ে যায়। সামহাউ প্রবলেমগুলো কেমন বাষ্পীয় হয়ে যায়। যেন চাকরি-বাকরির ভাবনা আবার কী জিনিস? ও তো হবেই, জাস্ট আ ম্যাটার অব টাইম। মিছিল নেই, চাক্কা জ্যাম নেই, রাস্তায় পড়ে থাকা লাশ নেই, দু'ধারে কালোয়ারদের দোকান নেই, ইচ্ছে হলেই কিছুমিছু খেয়ে নেওয়া যায়। এটুকু স্বীকার করতেই হবে।

গড়িয়াহাটে নেমে পড়ি। রোল-ফোল কিছু খেয়ে নিতে হবে। দু'পাশে হাজার রকম পসরা সাজানো। চিকমিক- ঝিকমিক করছে। ভিড় ঠেলে এইসব চিকিরমিকিরের মধ্যে দিয়ে যেতে বেশ লাগে। মনে হয়, চারপাশে একটা উৎসব চলেছে। যে-যার মতো করে এই উৎসবে অংশ নিয়েছে। কেউ রোল ভেজে যাচ্ছে, দ্যাখ-না-দ্যাখ এক টিপি পেঁয়াজ কেটে ফেলছে, কেউ-কেউ 'আসুন দিদি, আসল পপলিনের পেটিকোট' হাঁকছে, 'কী রে ঠকাবি না তো?' একজন জিজ্ঞেস করল। যেন ও বলেকয়ে ঠকাবে। ফুল কিনছে একজন, 'উঁহু, নীলে চোবানো রজনীগন্ধা নেব না। গ্ল্যাডিওলি কত করে?' একজন আমার পা মাড়িয়ে গেল, 'সরি দাদা, লেগে গেল।' দুটো রোল বেশ ফুর্তির মাথায় পেট্টায় করলুম। তারপর হন্টন।

বালিগঞ্জ স্টেশন রোড, এই আর এক মাল। কী ঘিঞ্জি, কী ঘিঞ্জি!

তেলিপাড়াকে হার মানায়। এখানে একটা গেস্ট হাউজ় আছে। নামে গেস্ট হাউজ়, আসলে ভাড়াবাড়ি। একখানা ঘর নিয়ে তুমি থেকে যেতে পারো। এখানে নাকি নামী লেখকরা থেকেছেন, উঠতি অভিনেতারাও। রীতিমতো পশ গেস্ট হাউস।

নীচে একজন থ্যাপাস-থ্যাপাস করে কাপড় কাচছে। আমি পাশের সিঁড়ি দিয়ে উঠে গেলাম। ডান দিকে হিতেন সারের ঘর। হিতেন দেশাই গুজরাতি। শুনেছি সুদ্দু এই কোচিং করেই কলকাতায় বাড়ি-গাড়ি বানিয়ে ফেলেছেন। এই খাস্তা-গজা জায়গাটায় বোধহয় শুধু কোচিং করেন। দশ-বারোজন ছেলেমেয়ে অলরেডি বসে আছে। রিনাকে চিনলুম। বলল, "হাই!" ওদিকে ও ছেলেটা কে, ফ্যান্টাস্টিক চেহারা তো! বিজ্ঞাপনের পাতাটাতা থেকে উঠে এসেছে মনে হচ্ছে। এমনভাবে দাঁড়িয়ে আছে যেন ও-ই হিরো, হিতেন দেশাই ইজ নো বডি। আরিয়ান, তোর বাজার গেল রে!

দিয়ার পাশে গিয়ে বসি। ওর ভাল নাম প্রজ্ঞাপারমিতা। কিন্তু আমরা ডাক নাম ধরেই ডাকি। মুখখানা প্রতিদিনের মতো দুঃখু-দুঃখু করে রেখেছে। কীসের যে অত দুঃখ বুঝি না বাবা। দামি-দামি জামাকাপড় পরিস, গাড়ি সব সময়ে তোর তাঁবে, মা ঘ্যাম কাজ করে, হাতখরচা দেয় বাবা, ঝমঝম করছে ব্যাগ। মা-বাবা একসঙ্গে নেই তো কী? থাকলেই তো ঝগড়া। রাত্তিরে কেন মুড়ো ঘন্ট করেছ? জানো না, আমার কাঁটা লাগে? লাগ ধুমাধুম লেগে গেল। দিদির নাতির অন্নপ্রাশন, রুপোর সেটটা আনতে সে-ই ভুলে গেলে? নারদ-নারদ। এর গলা 'নি'-তে চড়েছে তো ও গলা চড়ায় 'সা'। কত অ্যাডভান্টেজ তোর, চেহারাখানাও পেয়েছিস জব্বর। ভগা না দিলে কে দেয় বল! এক ঘড়া তোর গঙ্গাজল, এক আধ ফোঁটা চোনা থাকবে না? ওতে কিস্যু হয় না।

"মলাটটা পালটা," আমি নিচু গলায় বলি।

"শাট-আপ!" জবাব আসে।

হিতেন সার সাদা চুলের কেশরের উপর দিয়ে সাদা হাতটা চালিয়ে বললেন, "রূপরাজ, তোমার খাতাটা এসে নিয়ে যাও। মেন্ড দ্য ক্রস্‌ড ওয়ানস।" খাতাটা নিয়ে আমি পাশের ঘরে চলে যাই। এখানে ক'টা টেবিল আর মোল্ডেড প্লাস্টিকের চেয়ার আছে। মার্জিনাল নোটস রয়েছে, পয়েন্টস দিয়ে দিয়েছেন, আধঘণ্টাটাক লেগে গেল। উনি খাতাটা নিয়ে চোখ বুলিয়ে

নিলেন, বড় বড় রাইট চিহ্ন দিলেন। তারপর একগোছা জেরক্স বাড়িয়ে ধরলেন। ব্যাস, আমার কাজ শেষ। উঠে পড়লুম। বাই দিয়া, বাই রিনা। বেরিয়ে দেখি, সেই মডেলও নামছে।

আমি বললুম, "আমি রূপ, মাসকম। তুমি?"

"উজ্জ্বল, এবার বেঙ্গল এঞ্জিনিয়ারিং-এ ঢুকলাম।"

"এঞ্জিনিয়ারিং-এ যাচ্ছ কেন? মডেলিং-এ যাও। বস্তা বস্তা টাকা কামাবে, তারপর ফিল্ম।"

"বডিটার কথা বলছ? ফালতু কাজের জন্যে বানাইনি। সো ইউ বিলিভ ইন বস্তা-বস্তা টাকা কামানো? আমার বডিটা তোমায় দিয়ে দিচ্ছি, যাও কামাও। তোমার কলমটা আমায় দিয়ো, অ্যান্ড ইয়োর ইম্যাজিনেশন।"

"সে-সব মাল আবার কোথায় পাব?"

"হিতেন সার বলছিলেন, আছে। মানে তোমার।"

আমি হেসে ফেলি। মনটা হঠাৎ খুব হালকা হয়ে যায়। বলি, "টাকা কামানো তো অবশ্যই, কিন্তু আসল হচ্ছে মিনিংফুল কিছু করা।"

"দাগ রেখে যাওয়া বলছ, বিবেকানন্দ বলেছিলেন না?"

"ওরে বাবা, দাগ রেখে যাওয়া-টাওয়া আমার কম্মো নয়। ভাল লাগে, এমন কিছু করতে ইচ্ছে করে।"

"আমি আবার যা ভাল লাগে না, জেদ করে তাই করছি।"

"কেন?"

"তাড়াতাড়ি ইন্ডিপেন্ডেন্ট হয়ে যাব।"

ভাল লেগে যায় ছেলেটাকে। একটা কফিখানায় গিয়ে বসি।

॥ ৪ ॥

বারান্দায় কাগজ ছোড়ার বম্বেটে আওয়াজটা পাওয়া গেল। চোখটা একবার খুলেই আবার বুজে ফেললেন ধ্রুবজ্যোতি। সংযুক্তা বললেন, "ওঠো না, একদিন না হয় চা-টা দিলে।"

"দেব বলছ?" ধ্রুব আড়মোড়া ভেঙে উঠে পড়লেন। বিলুটা দেশে গিয়ে হয়েছে মুশকিল। মিলুর পরীক্ষা এসে গিয়েছে, সে ছাতে গিয়ে ঘুরে ঘুরে

পড়া তৈরি করে। দরজাটা খুলতে না খুলতেই দেখলেন, মিলু তিরের মতো সাঁ করে রান্নাঘরে ঢুকে গেল। তিনি নিশ্চিন্তে মুখ-টুখ ধুয়ে, গরম চা হাতে বারান্দায় এসে কাগজের পাকানো লাঠিটি খুলে ধরলেন। ধরেই একটু ঝুঁকে পড়লেন তিনি। চা-টা চলকে পড়ল ডিশে। শুকতারা বলে একটি মেয়েকে কনট্যাক্ট করেছে পুলিশ। সে নাকি আরিয়ানের প্রেমিকা।

মেয়েটি পুলিশকে বলেছে, "প্রেমিক? বশ্ অ্যান্ড ননসেন্স? ডেট বলতে প্রেমিকা বোঝায় না ফর ইয়োর কাইন্ড ইনফরমেশন। ডেটিং একটা খেলা। এর মধ্যে কোনও সিরিয়াস ব্যাপারই নেই। আজ যদি আরিয়ান নামে কারও সঙ্গে বেরোই, পরশু হয়তো বেরোব জগদীশের সঙ্গে। তার দু'দিন পরে জাস্ট মিতালি। একে কি ওয়েস্টার্ন সেন্সে ডেটিং বলে? এখানে পড়াশোনা করতে হলে রীতিমতো খাটাখাটনি করতে হয়। অত শস্তা নয়। ডেট হুঁঃ! হ্যাঁ, নিশ্চয় আরিয়ানকে আমি চিনতাম। তো কী? বলুন কী বলব?"

আরিয়ান অ্যাকাডেমিক্যালি মধ্যমানের ছেলে ছিল শুকতারার কথা অনুযায়ী। ভীষণ আমেরিকা-হ্যাংলা। ও খুব হাল্‌কা ধরনের ছেলে ছিল, কোনও কিছুকেই সিরিয়াসলি নিতে শেখেনি। মতিস্থিরও ছিল না। স্পোর্টসম্যান ছিল ভাল। কিন্তু সেটাকে নিয়েও কিছু ভাবেনি। কেন যে নিরুদ্দেশ হল, দেখুন হয়তো মুম্বই গিয়ে 'খান-টান' কিছু হওয়ার চেষ্টা করছে। শুকতারা আরও বলেছে, সে সিরিয়াসলি ডাক্তারি পড়ছে। থানায় গিয়ে নষ্ট করার মতো সময় তার নেই। যখনই প্রয়োজন হবে, তাকে পাওয়া যাবে। অসুবিধে কী? প্রেসের ধারণা, মেয়েটি আরও কিছু জানে। পুলিশ কী ভাবছে, বলছে না।

আরিয়ান, রূপরাজ, বাবাই, দিয়া/প্রজ্ঞাপারমিতা, উজ্জ্বল পাঁচটি ছেলেমেয়ে উইক-এন্ডে দিঘা বেড়াতে যাচ্ছে বলে বেরিয়ে গিয়েছিল ২৫ ফেব্রুয়ারি। কেউ ফেরেনি। কোনও মুক্তিপণের ফোনটোন আসেনি। দিঘায় এদের ট্রেস করা যায়নি। পাঁচজনের ছবি দিয়ে খবর বেরিয়েছে কাগজে, দূরদর্শনের চ্যানেলে-চ্যানেলে। সেখানে আবার একাধিক ছবি নানা অ্যাঙ্গল থেকে। সবচেয়ে আশ্চর্যের কথা, এরা কেউই কাদের সঙ্গে যাচ্ছে তা নিয়ে বাড়িতে সত্যি কথা বলেনি।

"শুকতারা, তুমিও কিছু সত্য গোপন করে গিয়েছ। আরিয়ান ছাড়াও অন্যদের তুমি চিনতে, চিনতে না?"

শুকতারা দাঁতে নখ কাটতে-কাটতে উদ্ধত গলায় বলল, "সো হোয়াট?"

“বললে না তো সে কথা?”

“পুলিশ আর প্রেস এই দুই পি’র খপ্পরে সাধ করে পড়তে যাব কেন? বুদ্ধু পেয়েছেন নাকি আমাকে?”

“দিয়াকে চিনতে? ও তো তোমার খুব বন্ধু ছিল।”

“খুব কি না জানি না, বন্ধু ছিল।”

“রূপরাজ?”

“চিনতুম।”

“তুমি উজ্জ্বল, বাবাই এদেরও চিনতে?”

“চিনতুম।”

“বিভিন্ন কলেজের, বিভিন্ন ব্যাকগ্রাউন্ডের ছেলে-মেয়েগুলোকে চিনলে কোথায়?”

“কী আশ্চর্য! আমাদের কোনও কমন ফ্রেন্ডের বাড়িতে দেখা হতে পারে না?”

“শোনো, ঠিক করে বলো তো, কোনও জয়েন্ট ছিল? ক্লাবটাব গোছের?”

শুকতারা বলল, “আপনি বড্ড বাজে বকছেন। ন্যাচারালি থাকবেই, সো হোয়াট?”

মেয়েটি হাই হিলের খটাখট শব্দ তুলে চলে গেল। পরনে গোল-গলা টি শার্ট, ব্লু জিনস, কোমরে কেমন একটা শেকল মতো, আধুনিক যুগের চন্দ্রহার বোধহয়। গলাতেও লম্বা একটা শেকলে একটি রুদ্রাক্ষ, তার তলায় স্টিলের ওঁ। খুব ঝাঁকড়াচুল মেয়েটির। মাঝে মাঝেই তার সাদা পালিশ করা লম্বা-লম্বা আঙুলগুলো চুলের মধ্যে ঢুকে যায়। ওটাই তার মুদ্রাদোষ। কিংবা চুলটাকে বশে রাখবার কায়দা।

শুকতারা নিজের ঘরে ঢুকে দরজা বন্ধ করে দিল, জামাকাপড় বদলে নিল। মুখে চোখে জলের ঝাপটা। হাউজ়কোটের মধ্যে ঢুকে পড়ল। কী করছে ওরা? এবার ফিরে এলেই তো পারে! সব জিনিসের একটা সীমা আছে। ফোন করতে পারবে না, টাওয়ারই নেই। থাকলেও বিপজ্জনক। অথচ নিজের মধ্যে একটা দুশ্চিন্তার গুড়গুড় টের পাচ্ছে সে। তারও থাকার কথা ছিল, ঘটনাচক্রে অন্যরকম হল।

দরজায় টোকা পড়ল। হয় বাপি, নয় মা। আর কে হবে? দরজা খুলে

শুকতারা দেখল, দু'জনেই দাঁড়িয়ে আছে।

"কী ব্যাপার, তোকে থানায় ডেকে পাঠিয়েছিল কেন?" মা বলল।

"বুঝতেই তো পারছ, বন্ধুদের ব্যাপারে জিজ্ঞেস করতে।"

"এতদিন ডাকেনি, এখন ডাকল কেন?" বাপি।

"সব কমন ফ্রেন্ডদের নক করছে আর কী!"

"তুমি সত্যি কিছু জানো না?" মা।

"কী আশ্চর্য। কী করে জানব, আই অ্যাম ভেরি মাচ ওয়ারিড লাইক এভরিবডি এলস।"

বাপি খুব সন্দেহের দৃষ্টিতে তাকিয়ে বলল, "আমার কিন্তু তোকে একটুও ওয়ারিড মনে হচ্ছে না টুসি। দিব্যি খাচ্ছ-দাচ্ছ, সাজগোজ করে বেরিয়ে যাচ্ছ।"

"ঠিক আছে, এবার থেকে আর দিব্যি খাব-দাব না। তা হলে খুশি হবে তো?"

মা বলল, "টুসি তুমি অ্যাডাল্ট, তোমার কাছ থেকে দায়িত্বশীল ব্যবহার কি আশা করতে পারি না আমরা?"

"মা, আমি দায়িত্বজ্ঞানহীনের মতো কিছু করিনি। করেছে দিয়া, আরিয়ান, উজ্জ্বল ওরা। আমাকে ব্লেম করছ কেন? বেশ তো।"

"ঠিক আছে, দরজা বন্ধ কোরো না," মা চলে গেল।

বাপি কিন্তু ঢুকে এল।

"ওহ্ টুসি, তোর মা না প্যারানয়েড হয়ে যাচ্ছে তোকে নিয়ে।"

শুকতারা ঠান্ডা গলায় বলল, "স্বাভাবিক।"

"আচ্ছা, দিয়া মেয়েটা কেমন রে?"

"কেন, তুমি অ্যাডপ্ট করবে?" শুকতারা মুচকি হাসল।

"না, যেটুকু দেখেছি ওকে খুব শান্ত, নিরীহ, ঘরোয়া মেয়ে বলেই তো মনে হয়। হঠাৎ এরকম একটা নিরুদ্দেশের ঘটনায় ওর জড়িয়ে পড়াটা খুব অস্বাভাবিক লাগছে। আর ওই আরিয়ান? ওর সঙ্গেও তো তোর খুব ভাব ছিল।"

"একসঙ্গে পড়ি, ভাব তো থাকবেই। দেখো বাবা, তুমি পুলিশগিরি কোরো না। খুব হাস্যকর হচ্ছে ব্যাপারটা। বন্ধু মানেই তার সমস্ত হিডন লেয়ার জানব, এমন কোনও কথা আছে?"

"হিডন লেয়ার?"

"হ্যাঁ, মানুষের পার্সোনালিটির মধ্যে কতগুলো স্তর আছে আমরা জানি?"

বাপি বলল, "এনিওয়ে আমরা তোমাকে স্বাধীনতা দিয়েছি, তুমি তার যোগ্য বলে নিজেকে প্রমাণ করো। এমন কিছু কোরো না, যাতে তুমি বা আমরা বিপদে পড়ি। কিছু গোপন করা যদি বন্ধুত্বের শর্ত হয়, তা হলে টুসি, সে-শর্ত ভাঙবার সময় এসেছে। দশ দিন বোধহয় হয়ে গেল, তোমার বন্ধুরা নিরুদ্দেশ। যদি কিছু জানো, যদি কোনও পয়েন্ট, কোনও ক্লু দিতে পারো, দিয়ে দাও পুলিশকে। ওদের বাবা-মায়েদের কথা চিন্তা করো।" বাপি তার দিকে কিছুক্ষণ তাকিয়ে রইল। বলল, "কিছুই তো বলছ না।"

শুকতারা বলল, "কিছু বলবার নেই বাপি। ওদের মধ্যে কেউ-কেউ আমার পরিচিত হতে পারে। কিন্তু ওদের সব কিছু আমি জানি না। আমার সত্যিই ভাবনা হচ্ছে।"

॥ ৫ ॥

১০ মার্চ খবর বেরোল আবার। একটি তরুণকে অযোধ্যা পাহাড়ের উপর একটা ঝোরার ধারে, ঝোপে মৃত পাওয়া গিয়েছে। ডান হাতের ড্র্যাগন উল্কি দেখে শনাক্ত করা সহজ হয়েছে। মাথাটা ভেঙে গুঁড়িয়ে গিয়েছে। জামাকাপড় কাদামাখা, ছেঁড়াখোঁড়া। মতিলাল নেহরু রোডের মিত্র পরিবারে স্তব্ধতা নেমেছে। বাবা-মা উভয়েই ডাক্তার। ছেলেও ডাক্তার হচ্ছিল। আত্মীয়স্বজনরা সাধারণত ওঁদের পান না। ডাক্তার মিসেস প্রীতি মিত্র ব্যস্ত গাইনি। তাঁর স্বামী ডাক্তার অভ্র মিত্র অর্থোপেডিক ডাক্তার, বিরাট পসার। অ্যাপয়েন্টমেন্ট না করে ওঁদের পাওয়ার কোনও সম্ভাবনাই নেই। আরিয়ানের মামা-মামিরা চারজন এসেছেন ফোন করে। ডাক্তার মিত্র পায়চারি করে বেড়াচ্ছেন। চুল উসকোখুসকো, নাইট ড্রেস ছাড়েননি। প্রীতি বিছানায় শোওয়া, একদম চুপ। বড়মামা, প্রীতিরও বড়। বললেন, "তোমরা কি একেবারে শিয়োর যে... আমার তো বিশ্বাস হচ্ছে না এখনও।"

প্রীতি বললেন, "ডান হাতের ওই ড্র্যাগন উল্কি আর কার হবে দাদা?

ছেলেটা আমাদের একেবারে বসিয়ে দিয়ে গেল।”

হঠাৎ ডাক্তার মিত্র পায়চারি থামিয়ে বলে উঠলেন, “তা কেন? আমাদের জীবন তো ওকে একেবারে বাদ দিয়েই চলছিল প্রীতি, তাই চলবে। অসুবিধে কী?”

তিনি প্রীতির প্র্যাকটিসের বিরুদ্ধে ছিলেন। প্রীতি স্বামীর দিকে তাকালেন না। দাদাকে বললেন, “ওর চার বছর বয়স পর্যন্ত প্র্যাকটিস করিনি দাদা। তারপরে ও স্কুলে গেল, দুপুরে ক্রেশ-এ যেতে ও খুব ভালবাসত। আমিও শুরু করলাম। এত কষ্ট করে শেখা বিদ্যা কেউ প্রয়োগ না করে ফেলে রাখতে পারে, না রাখা উচিত?”

“ইন দ্যাট কেস এইসব মেনে নিতে হবে। অকুপেশানাল হ্যাজার্ড। মায়ের আনঅ্যাটেন্ডেড মৃত্যু। ছেলের হত্যা।”

ডাক্তার অভ্র মিত্রর মা ছোট ভাইদের কাছে থাকতেন। সেখানে পুরোপুরি একটি পরিবার ছিল। পুত্রবধূ মেয়েকে আনতে স্কুলে গিয়েছে। এসে দেখে, মা চলে গিয়েছেন। ডাক্তার বললেন, “হার্ট ফেলিওর।”

সেটা যে কেন প্রীতির উপর চাপালেন অভ্র ঈশ্বর জানেন। কিন্তু প্রীতি জানেন, উনি ওই রকমই। ভাল ছাত্রী ছিলেন, বিদ্যাটার উপর একটা ভালবাসা ছিল, দায়বদ্ধতা ছিল। তিনি যে প্র্যাকটিস করবেন, এ নিয়ে কোনও প্রশ্ন উঠতে পারে প্রীতি মনেই করেননি। অভ্র তাঁর সহপাঠী। নিজে ডাক্তার। অথচ কী করে যে এত বড় কথাটা ভাবতে পারল! এ তো বিদ্যাটার প্রতি, রোগীদের অর্থাৎ সমাজের প্রতি বিশ্বাসঘাতকতা। ট্যাক্সের টাকায় মেডিক্যাল কলেজ তার পরিকাঠামো, শিক্ষা, ল্যাবরেটরি, আউটডোর, এমার্জেন্সি! জনসাধারণের এত পয়সা, এত আশা খরচ করে বাড়ি বসে থাকাটা পাপ না? অভ্র কি সেটা জানে না? খুব জানে। কিন্তু তার স্বভাবই হল, কোনও অঘটন ঘটলেই জিনিসটার জন্য প্রীতির উপর দোষারোপ করা। প্রীতির দাদা-বউদি, ভাই-ভাজ মুখ চাওয়াচাওয়ি করলেন। দাদা বললেন, “এ সময়ে আর...”

অভ্র ঘর থেকে বেরিয়ে গেলেন। তিনি এখন বাথরুমে যাবেন, দরজা বন্ধ করবেন, তারপর চুল ছিঁড়বেন নিজের। আর কী করতে পারেন? মেডিক্যালে ঢুকেছে, সেকেন্ড ইয়ার, বছর বিশেক বয়স। ছোট থেকেই যথেষ্ট ইন্ডিপেন্ডেন্ট, সমর্থ ছেলে। সে যদি বলে, বন্ধুদের সঙ্গে ক'দিন এক্সকারশনে যাবে জাস্ট তিনটে দিন, আপত্তি করার কী আছে? ছেলেটা খারাপ এমন কোনও নিদর্শন

তো তাঁরা পাননি। জামাকাপড়, ফ্যাশন এসব দিকে একটু বেশি নজর ছিল। তাঁদের ওই বয়সে ছেলেরা এগুলোকে হাস্যকর মনে করত। কলেজের ছেলে রোলেক্স ঘড়ি পরছে, গলায় হার, কানে মাকড়ি, এসব তাঁরা কল্পনাও করতে পারেন না। অবশ্য তাঁর বাবা ছিলেন অধ্যাপক, মা গৃহবধূ। তাঁদের ছেলের বাবা-মা উভয়ের মিলিত আয় মাস গেলে কী অঙ্ক ধারণ করে, তা তাঁরা ছাড়া আর কেউ জানেন না। তাঁদের ছিল বড়জোর নিউ মার্কেট আর এদের মাল্টিপ্লেক্স, আইনক্স, শপিং মল, এসক্যালেটর। তফাত তো একটা হবেই। আত্মীয় স্বজনদের বাঁকা কথা, চোরা চাউনি তিনি এখনই শুনতে পাচ্ছেন, দেখতে পাচ্ছেন। শুধু এক্সপার্ট হলেই কি হয়, টাকা রোজগার করলেই কি হয়? বাবা হতে হয়, যথার্থ বাবা। কাজের ঘোরে মানুষ যদি একমাত্র সন্তানের দেখভাল করতে না পারে, তা হলে সে কাজের, সে উপার্জনের মানে কী? বেসিনের দু'দিকে দুটো হাত দিয়ে আয়নার দিকে চেয়ে রইলেন অভ্র। চুলে সাদা বেড়ে গিয়েছে প্রচুর, গাল খানিক ঝুলে পড়েছে, চোখদুটো কেমন রাগী-রাগী। ছেলেটা কি তাঁকে ভয় পেত?

প্রীতির বউদি বললেন, "কোথায় যাবে বলেছিল?"

ফ্যাঁসফেঁসে গলায় প্রীতি বললেন, "দিঘার কথা তো বলেছিল। যাবে চার বন্ধু, ওর বন্ধুদের সবাইকে তো চিনি না।"

"মানে সবাই কি ছেলে?"

"হ্যাঁ বউদি, সবাই-ই ছেলে। এখন দেখা যাচ্ছে, সবটাই মিথ্যে কথা বলেছিল।"

"আমি কিছুই বুঝতে পারছি না, দিঘা বলে পুরুলিয়া যাবার মানে কী? পুরুলিয়া বললে কি আমরা বাধা দিতাম? জিনিসটা অ্যাক্সিডেন্ট না মার্ডার..." বলতে-বলতে তিনি কেঁপে উঠলেন।

ছোট ভাই বলল, "না দিদি। আমার মনে হয়, জিনিসটা একটা অ্যাক্সিডেন্ট। হয়তো কোনও অ্যাডভেঞ্চার, আর তাই-ই আসল কথাটা বলেনি। ও তো খেলাধুলো করত খুব।"

"হ্যাঁ, ও তো অস্ট্রেলিয়া গিয়ে ওয়াটার স্কিয়িং, সার্ফিং, সবই করেছে রে। অ্যাথলিট ছেলে, সে যদি কোনও অ্যাডভেঞ্চারেই যেতে চায়, আমরা বাধা দেব এ কথা সে ভাবল কেন?"

"তোরা কি খুব আতুপুতু করতিস? খুব আদর দিতিস?"

প্রীতি বললেন, "আতুপুতু করবার আমাদের সময় কই? আদর, শাসন এসব অতিরিক্ত মাত্রায় করতে হলেও সময় চাই। শনিবারটা আমি অফ নিতাম। রাতে আমার সঙ্গে খেত, রোববারে বাবার অফ বাবার সঙ্গে খেত। এ ছাড়া যে যখন চেম্বার ছেড়ে বা অপারেশন থাকলে সেসব শেষ করে আসতে পারত। ও ঠিকঠাকই মানুষ হচ্ছিল বলে আমাদের ধারণা। দাদা, আমি কিছু ভাবতে পারছি না। এখন কী করব! আমি আইডেন্টিফাই করতে যেতে পারব না বলে দিয়েছি। অভ্র খুব সম্ভব একটু পরেই যাবে। পুলিশের গাড়ি আসবে। তোমরা চাইলে কেউ সঙ্গে যেতে পারো।"

প্রীতির ছোট ভাই সঙ্গে সঙ্গে রাজি হয়ে গেলেন। এরা ধনী এবং ব্যস্ত লোক। কখনও কারও সাহায্য চায় না। করেও না সেভাবে। তবে ডাক্তার বলে কিছু না কিছু পরামর্শ, চিকিৎসা, চেনাশোনার সুবিধে পাওয়া যায়ই। এটা মস্ত সাহায্য। কেননা আজকালকার দিনে কোনও ডাক্তার, আত্মীয়-বন্ধুর মধ্যে না থাকলে বাঁচার আশা কম। অনেকেই ধনেপ্রাণে মারা যান।

বিকেলবেলা হন্টনে গিয়ে চারদিকে এই আলোচনাই শুনলেন ধ্রুবজ্যোতি। ইয়ং জেনারেশন কী হল, কী হয়ে দাঁড়াচ্ছে? বাড়িতে না বলে অজ্ঞাত স্থানে পাঁচটি ছেলেমেয়ে চলে যায় কীসের টানে? বাড়ির প্রতি, বাবা-মা'র প্রতি কি কোনও দায়িত্ব থাকতে নেই? নিজেদের তৈরি সম্পূর্ণ ব্যক্তিগত এবং অলীক একটা জগতে বাস করে এরা। ইতিমধ্যেই খবরে নাকি বলেছে, ছেলেটি খুন হয়েছে কিনা পরিষ্কার বলা যাচ্ছে না। কেননা, সে ঝোরার খরস্রোতে বোল্ডারে-বোল্ডারে ঠোকাঠুকি খেতে-খেতে ভেসে এসেছে, এটা খুব স্পষ্ট। থ্যাঁতলানো, ডিকম্পোজড় লাশ একটা। জামা-কাপড় নেই। কিন্তু কাদা, শ্যাওলামাখা শর্টস আটকে আছে। খালি আধখানা ড্র্যাগন-উল্কি ছাড়া শনাক্তকরণের আর কোনও উপায় নেই। ধ্রুব শুধু মন দিয়ে হেঁটে গেলেন, কারও সঙ্গে কোনও আলোচনায় গেলেন না। মনটা ভাল লাগছে না। একেবারেই ভাল লাগছে না।

বাড়ি থেকে পালানোর রোগ চিরকাল আছে। আগেকার দিনে বাড়িতে অমানুষিক প্রহার খেয়ে ছেলেরা পালিয়ে যেত, পড়াশোনার চাপ ভাল লাগত না বলে পালিয়ে যেত। অ্যাডভেঞ্চারের, অ-চিরাচরিতের নেশা ছিল, ছিল দেশে দেশে ভ্রমণ করা। তারপর সিনেমায় নামবার জন্য পালাবার ঝোঁক হল। অ্যাডাল্ট মানুষ, বিবাহিত ছেলে-মেয়ের বাবা, অনেক সময়ে বিবাগী হয়ে

যেত। অমুক সন্ন্যাসী হয়ে গিয়েছে, এরকম তো যখন-তখন শোনা যেত। আর প্রেমে পড়ে পালানোও বরাবরই ছিল। সেই পথ ধরে বেচাকেনা যা এখন ভয়াবহ আকার ধারণ করেছে, তা-ও ছিল।

কিন্তু এরা কেরিয়ার বোঝে, বিলাস-ঐশ্বর্য-ভোগ এই সমস্ত নিয়ে মাথা ঘামায়। স্মার্টও খুব। তা হলে, এরা কোথায় গেল? কেন গেল? কার পাল্লায় পড়ল? ঐশ্বর্য, স্বার্থপরতা, স্মার্টনেস এসবও এদের বাঁচাতে পারল না?

বাড়িতে এসে আরও একটা ধাক্কা খেলেন ধ্রুবজ্যোতি। সংযুক্তা মুখ ভারী করে বসে রয়েছে।

চা-টা খাওয়া হল। মিলুই এনে দিয়ে গেল। সেই একই বারান্দা, সেখানে একই টেবিল, এলানো বেতের চেয়ারে একই কলমকারির কুশন। তবু সব কিছুর উপর একটা ভারী কুয়াশা ঝুলে রয়েছে। মিলুর মধ্যে যেন একটা অস্বস্তি, সংযুক্তা কেমন নির্বাক এবং বিমুখ। কোনও কথাই হল না পুরো চা-পর্ব জুড়ে। কথা বলার সময় এটা নয়, তিনি ষষ্ঠ ইন্দ্রিয় দিয়ে বুঝে গেলেন। অন্ধকার যখন রীতিমতো ভারী হয়ে নেমে আসছে, গোল আলোটা জ্বেলে দিলেন ধ্রুব। সংযুক্তা বললেন, "বিলু আর ফিরবে না। বিয়ে করছে।"

"মানে?"

"মানে যা শুনলে তাই।"

"হচ্ছে, না করছে? জোর করে ওর বাড়ির লোকে দিয়ে দিচ্ছে? সেক্ষেত্রে আমাদের হস্তক্ষেপ করতে হবে।"

"বাড়ির লোক বলতে ওর কে আছে, কী যে বলো!"

"টাকা-পয়সা নিয়ে একখানা মেয়েকে ঝেড়ে দিতে তো এই জাতীয় মাসি-পিসিই লাগে।"

"না, উনি নিজেই করেছেন।"

"ডিটেলস?"

"ওদের ওখানে মনোহারী দোকান আছে। খুব নাকি বিক্রি। বয়স ত্রিশ-পঁয়ত্রিশ। কিন্তু একেবারেই ছোকরা দেখতে।"

"ও-ই লিখেছে নাকি এগুলো, ছোকরা-টোকরা?"

"না,ওটা আমার টিপ্পনী। ও লিখেছে, অত বড় বলে মনে হয় না।"

"ওর কত হল?"

"আঠারো হয়ে গিয়েছে।"

"তবে আর কী!" ধ্রুবজ্যোতি হাত উলটালেন। সংযুক্তা উঠে গেলেন একেবারে নিঃশব্দে। ওঁর বেশি লেগেছে। মেয়েদের আবেগ-আসক্তি বেশি তো! তিনি যেটা করেন একটা প্রজেক্টের মতো করে করেন হয়তো। তিনটি মেয়ে আপাতত। তিনটি প্রজেক্ট। শীলু বিপিও, একেবারে স্বনির্ভর হয়ে গিয়েছে। বিলুটার অঙ্কে খুব মাথা। দেখা যাক, যদি অ্যাকাউন্টেন্সি নিয়ে কিছু করতে পারে। মিলুর গল্প-কবিতায় খুব ঝোঁক, রাশি রাশি পড়ে। লাইব্রেরিতে ভর্তি করে দিয়েছেন, খুব পড়ে। দেখা যাক, ও কোনদিকে যায়। তিনি এভাবে ভাবেন। সংযুক্তা ভাবেন, মিলুটা ছটফটে, খুব চঞ্চল স্বভাবের, বিলুটা বরং ধীর স্থির, ভেবে চিন্তে কাজ করে। তবে ওদের কারওই শীলুর মতো প্র্যাকটিক্যাল সেন্স নেই, ওরকম সটান, স্মার্টও ওরা নয়। ওদের গাইড্যান্স লাগবে আরও বেশি। নিজের ছেলেমেয়ে নেই বলে সন্তানস্নেহ তো খানিকটা পড়বেই!

তাঁর খুব হতাশ লাগে। এদের কারও-ই মা-বাপ নেই, গলগ্রহ ছিল সংসারে। তাঁরা নিয়ে এসে যত্ন করে বড় করছেন, লেখাপড়া শেখাচ্ছেন, ভাল-মন্দ চিনতে শেখাচ্ছেন। কিন্তু বয়োধর্ম যাবে কোথায়? আঠারো বছর বয়স কী দুঃসহ! কারুর বিদ্রোহ জাগে, হাতে রিভলভার দেশের শত্রুর দিকে তাক করার জন্যে হাত নিশপিশ করে। কারও শরীর জাগে, সিঁদুর, বাসর, ফুলশয্যা, সারা জীবনের অধীনতা, শুধু এইটুকু পাওয়ার জন্যে। তারপর একের পর এক সন্তান আসতে থাকবে। শরীর ভাঙতে থাকবে। নাঃ, হাজার চেষ্টা করেও বোধহয় কারও জন্য কিছু করা যায় না।

॥ ৬ ॥

'ভ্যালেনটাইনস ডে', বাবাই একটা বিদেশি চকোলেটের বাক্স পেয়েছে সুন্দর করে প্যাক করা। উপরে একটা লাল ভেলভেটের গোলাপফুল আটকানো। আসলের সঙ্গে তফাত করা যায় না। এক কথায় অপূর্ব। কে পাঠাল? বাবাই রানাঘাটের মেয়ে ছিল এক সময়ে। মফসস্‌লি। কিন্তু মাধ্যমিকের পর দুর্দান্ত রেজাল্ট করে সেই যে কলকাতামুখো হল, হস্টেলে-হস্টেলে কেটে গেল তিন বছর। চার বছরের মাথায় আর তাকে মফসস্‌লের বলে চেনা যায় না। গোলপার্কের কাছে একটা প্রাইভেট হস্টেলে থাকে সে। বাবাইয়ের চেহারা

পাতলা, নরম। কিন্তু সে তার শহরে বেশ ভাল স্প্রিন্টার বলে নাম করেছিল। খেলাধুলায় অল্পবিস্তর ক্ষমতা অনেকেরই থাকে। কিন্তু সেটা খুব উচ্চস্তরের না হলে চট করে কেউ খেলাটা চালিয়ে যেতে উৎসাহ বোধ করে না। যদি অন্য কোনও উপায় না থাকত, তা হলে হয়তো বাবাই খেলা নিয়ে পড়ে থাকত। কিন্তু সে খুব ভাল রেজাল্ট করল। উচ্চাশার মোড় ঘুরে গেল তারও, তার পরিবারেরও। তার দিদির অনেক দিন বিয়ে হয়ে গিয়েছে। বাবা-মা'র একটু বেশি বয়সের সন্তান সে। তাকে নিয়ে বাবা-মায়ের কিছু স্বপ্ন আছে। তা ছাড়া সে কিছু চায় বললে, সেটা যুক্তিসংগত হলে, বাবা-মা না করতে পারেন না। সুতরাং সে কলকাতায় এসে গেল। প্রেসিডেন্সিতে ভর্তি হল। বাবাই খুব চটপটে, বুদ্ধিমতী, সবই। কিন্তু তবু তার বন্ধু-বান্ধবেরা বুঝতে পারে, বাবাইয়ের মধ্যে মফসস্‌ল এখনও বেঁচে আছে। সে লো-ওয়েস্ট জিন্‌স্ পরবে না, মিনিস্কার্ট পরবে না, ভুরু প্লাক করবে না, বেশি রাত করে আড্ডা, আমোদ-প্রমোদেও তার আপত্তি আছে। এগুলোকেই তার বন্ধুরা মফসস্‌লি মানসিকতা বলে চিহ্নিত করেছে। যদিও শহরেও এরকম মেয়ে হাজারে হাজারে আছে। এইগুলোই যদি সে খুব জোরের সঙ্গে করতে পারত, তা হলে লোকে বলত মেয়েটার ব্যক্তিত্ব আছে। কিন্তু সে বলে, না বাবা না, আমার দরকার নেই। না বাবা না, অত রাত পর্যন্ত বাইরে থাকলে আমায় হস্টেলে ঢুকতে দেবে না। এ ছাড়াও বাবাইয়ের মধ্যে একটা সরলতা আছে, সে চট করে মানুষকে বিশ্বাসও করে ফেলে। ওভাবে বিশ্বাস করতে নেই জেনেও। এটা স্বভাব। মাঝে মাঝেই তাই প্র্যাকটিক্যাল জোকের শিকার হয় বাবাই। বন্ধুরা তুমুল হাসে। বাবাই মুখে বলে, "যাক, তোদের একটা হাসির সুযোগ তো দিলাম, ধন্যবাদ দে আমায়।" কিন্তু নিভৃতে জিভ কাটে। আর কখনও সে এরকম বোকামি করবে না, প্রতিজ্ঞা করে নিজের কাছে।

আজ এই 'ভ্যালেনটাইন' পেয়ে সে প্রথমেই চকোলেটের মোড়কের মধ্যে বালি, নুড়ি ইত্যাদি খুঁজতে লাগল। খুব সাবধানে একটা চাখল তারপর। দারুণ তো? হাত দিয়ে সবগুলো ঘেঁটে মিশিয়ে দিয়ে চোখ বুজে আর একটা তুলল। এটা আবার অন্য রকম। বাদামে ভরা, চমৎকার। মিষ্টিস্বাদের সঙ্গে বাদামের নিউট্র্যাল স্বাদ মিশে অনন্য। তার রুমমেট শ্রেয়া এই সময়ে ঘরে ঢুকে দেখে, বাবাই চোখ বুজিয়ে হাঁ করে একটা তেকোনা চকোলেট তুলছে। একটু-একটু করে মুখের দিকে নিয়ে যাচ্ছে, সামনে একটা বাক্স খোলা। ডালার গোলাপ

ফুলটাও তার চোখে পড়ল। শ্রেয়া আসানসোলের মেয়ে। একটা বিপিও-তে চাকরি করছে। খুব বেশি সময় পায় না। সে বেরোবে বলে তৈরি হয়ে ঘরে ঢুকে এই দৃশ্য দেখে বাবাইয়ের বিছানার কাছে হাঁটু গেড়ে বসে শব্দ করে একটা চকোলেটের মোড়ক খুলতে থাকল। মুখে দুষ্টু হাসি। বাবাই চোখ মেলে অপ্রস্তুত। শ্রেয়া বলল, "কী রে, স্বর্গীয় আনন্দ উপভোগ করছিস মনে হচ্ছে? একলা খাবি?"

"না রে শ্রেয়াদি। কেউ জোক করেছে কিনা পরীক্ষা করছিলাম। র‍্যানডম একটা বেছে নিয়ে মুখে পুরছি। এই নে, খা না।" শ্রেয়া অবাক হয়ে বলল, "ভ্যালেনটাইন পাঠিয়েছে কেউ, কে? জোক করবে কেন, তুই কি জামাই? জামাইদের লোকে ঠকায় বলে জানি।"

কাঁচুমাচু মুখ করে বাবাই বলল, "কার্ডে কোনও নাম নেই। কে আবার আমাকে ভ্যালেনটাইন-ফাইন পাঠাতে যাবে? আমি এসবের মধ্যে নেই সবাই জানে।"

"আরে বাবা কোনও নাছোড় রোমিও পাঠিয়েছে। মালদার পার্টি। অন্তরাল থেকে শরক্ষেপ করছে। কাউকে মনে করতে পারছিস?"

"না বাবা। অনেকের সঙ্গেই তো মিশি, স্রেফ বন্ধুত্বের বেসিস।"

"যাক, সিরিয়াসলি নেওয়ার কিছু নেই। তুই যদি উইলিং না হোস, কেউ থোড়ি তোকে ফোর্স করছে?"

তার থুতনিটা নেড়ে দিয়ে মা-মাসির কায়দায় শ্রেয়া বলল,"যা চার্মিং তুই, পিছনে লাইন লেগে যেতেই পারে। একদম পাত্তা দিস না। জাস্ট চারদিকে নজর ফেলে রাখবি, আর মন দিয়ে নিজের কেরিয়ার করবি। পৃথিবীটা হাতের মুঠোয় এসে যাবে বুঝলি তো? প্রেম-ফ্রেম বিয়ে-ফিয়ে আপাতত সিনেই নেই।"

শ্রেয়াদি বেরিয়ে গেল। এইসব ভ্যালেনটাইন-ফাইন অত্যন্ত অর্থহীন, বাজে, খেলো ব্যাপার বাবাইয়ের কাছে। কিন্তু সে দেখেছে, তার বন্ধুদের অনেকেই ব্যাপারটা খুব উপভোগ করে। সে যদি ব্যাপারটার হাস্যকরতা নিয়ে বেশি কথা বলে, শুনতে হয় 'সেই গাঁইয়াই রয়ে গেলি, জীবনটাকে চেটে-চেটে খেতে শেখ।' কোনও ছেলে বন্ধুর সঙ্গে একা একা সিনেমা যাওয়া, খেতে যাওয়া, এসব পর্যন্ত করেনি সে। এরা ব্যাপারটাকে ডেটিং বলে। জাস্ট ফান। ওদের কথাই হচ্ছে জাস্ট ফান। এত তাড়াতাড়ি কেউ থোড়ি জীবনসঙ্গী ঠিক করতে যাচ্ছে, জাস্ট ফান।

বাবাইকে বাবা-মা একটা মোবাইল দিয়েছেন। সে উজ্জ্বলকে ফোন করল। উজ্জ্বলকে সে খেলাধুলোর সূত্রে অনেক ছোট থেকে চেনে, "এই উজ্জ্বল, তুই কি আমায় ভ্যালেনটাইন পাঠিয়েছিস?"

"কী পাঠিয়েছি, ভ্যালেনটাইন? আমি? তোকে? বাবাই তোর মাথাটা দেখা।"

"না রে। কে একজন নাম-টাম না দিয়ে পাঠিয়েছে। আমাকে আর কে পাঠাবে ওসব বল।"

"তাই সব ব্যাটাকে ছেড়ে এই বেঁড়ে ব্যাটাকে ধরলি?"

"জাস্ট জিজ্ঞেস করছি, রাগ করছিস কেন বাবা? তোকে না বললে কাকে বলব?"

"বলেছিস ভাল করেছিস, আমি খেয়াল রাখব।"

আসলে এ কথাটা আর কাউকে বললে সে নির্ঘাত ঠাট্টা খাবে। হজম করাই বুদ্ধিমানের কাজ। বাবাই তৈরি হয়ে কলেজ চলে গেল। কলেজে খুব হইচই। শাশ্বত খুব উত্তেজিত। বলল,"ব্যাপারটা কী বল তো! ওয়েস্টার্ন ওয়ার্ল্ড ইকনমিওয়াইজ স্যাচুরেশন পয়েন্টে চলে গিয়েছে। সব বিজনেস এখন সাবকন্টিনেন্টে। আর ব্রিটিশরাজের অভিজ্ঞতা থেকে এরা জানে যে, এই সাবকন্টিনেন্ট হল বুদ্ধির ঢেঁকি। বর্ন কাক ইন ময়ূরপুচ্ছ। যা খাওয়াবে, তাই খাবে। ভ্যালেনটাইনটি খাওয়াল, ভাল ব্যাবসা হচ্ছে। গভর্নমেন্টকে কেমিক্যাল হাব খাইয়েছে, নিউক্লিয়ার পাওয়ার খাইয়েছে, মাইক্রোলেভেলও খাওয়াচ্ছে। জিন্‌স, ব্যাগি, হটপ্যান্ট, নাইটক্লাব, ড্রাগ, বাচ্চা আর মেয়ে পাচার, কিডনি চুরি, স-ব ওই শালারাই খাইয়েছে।"

"হ্যাঁ, নিজেদের আর কোনও দোষ নেই। সব ভাজা মাছ উলটে খেতে জানে না, বাচ্চা কিনা!"

"দোষ নেই তো বলছি না। প্রথমেই তো বলে দিয়েছি, বর্ন কাক ইন ময়ূরপুচ্ছ।"

"আফটার অল একটা হার্মলেস ফান, এ নিয়ে এত তুলকালাম করার কী আছে?"

ঈপ্সা বলল, "কী রে বাবাই, তোর কী মত?"

"আমি এর মধ্যে কোনও মজা খুঁজে পাই না। কীরকম ফরেন-ফরেন লাগে।"

"ফরেন মানে?"

"ধর, কেউ আমাকে একটা মেল পাঠিয়েছে ক্যালিফর্নিয়া থেকে। আমি কে, কী, কিচ্ছু না জেনে। কিংবা আইসল্যান্ড থেকে। ও মেলটার কোনও মানে আছে আমার কাছে?"

ঈপ্সা বলল, "ইট ডিপেন্ডস। আইসল্যান্ড থেকে কেউ তোর সঙ্গে ভাব করতে চাইছে, ইটস থ্রিলিং না? আমি হলে মেলটার জবাব দেব। আমি কে, কী, সে কে কী এগুলো ক্রমশ প্রকাশ্য। তখন যদি দেখা যায়, আমার সঙ্গে মিলছে না, বন্ধ করে দেব। অত চিন্তার কী আছে? সব কিছুকেই অত ফাইনাল ডিসিশনমার্কা ছাপ্পা দিতে হবে কেন?"

বাবাই বলল, "তুই কোনও ভ্যালেনটাইন পেয়েছিস?"

"লট্‌স," ঈপ্সা বলল। "আমার বন্ধুরা সব এক একটা করে পাঠিয়েছে। জাস্ট কার্ডস। দিয়াকে চিনিস তো? দিয়া একটা দারুণ কার্ড পাঠিয়েছে। অশ্বিন বলে একটা বন্ধু আছে সে পাঠিয়েছে, আরও অনেক। আরে আমার পিসি হয় সম্পর্কে আমার থেকে কয়েক মাসের ছোট তিন্নি, ও-ও তো একটা পাঠিয়েছে। আরও আছে। ছাড় তো, বদারেশন। আমিও গুচ্ছের কিনে রেখেছিলুম। কয়েকজনেরটা পেয়ে আবার রিটার্ন কার্ড পাঠাতে হল। যত্ত হুজুগ। তুই ক'টা পেয়েছিস?"

বাবাই হঠাৎ খুব স্মার্ট হয়ে গেল, বলল, "লট্‌স।"

"তাই, কে-কে দিল?"

"ব্লাইন্ড।"

"মানে?"

"যেমন ব্লাইন্ড ডেট।"

"বলিস কী রে!" ঈপ্সা উত্তেজিত হয়ে চেঁচিয়ে উঠল, "তা হলে তো সিরিয়াস রে।"

"তুইও যেমন, ঠাট্টা ধরতে পারিস না?"

ঈপ্সা সন্দিগ্ধ দৃষ্টিতে তার দিকে তাকিয়ে রইল। বাবাই রহস্যময় একটা হাসি দিল। যাক, সে ঈপ্সাকে ভড়কে দিতে পেরেছে। হঠাৎ তার মনে হল, অনায়াসে মিথ্যে কথা বলতে পারাটাই স্মার্টনেসের সবচেয়ে বড় লক্ষণ। ভাল ছাত্রীর মতো পয়েন্টটা সে বুঝে নিল এবং মনে-মনে হাসতে লাগল। আর তাকে কেউ হারাতে পারবে না।

ছুটির সময় ঈপ্সা বলল, "আয় না রে, আমাদের আড্ডায়! আজ উইক ডে বলে শনিবার ফেলেছি। তোর কিচ্ছু ক্ষতি হবে না। উইক-এন্ডে একটু হল্লা করতে না পারলে টিকব? বেশি সাধাসাধি করতে পারব না কিন্তু।"

"কোথায়, তোদের আড্ডাটা?"

"এক একবার এক একজনের বাড়িতে হয়।"

"চাঁদা আছে তো?"

"তা তো আছেই। তুই প্রথম গেলে আমার ইনাভাইটি হিসেবে যাবি।"

"কারা আসে?"

"অনেকে, যে যে-দিন পারে। পোস্ট ভ্যালেনটাইন আড্ডা ভালই জমায়েত হবে।"

"ঠিক আছে যাচ্ছি একদিন। দেখি, কেমন লাগে।"

"আমি তোকে নিয়ে যাব," ইপ্সা বলল, "তোর হস্টেল থেকে তুলে নেব।"

॥ ৭ ॥

মিলু নাকি জানত, বিলুর ব্যাপারটা। নিয়মিত চিঠিপত্র দিত মিলুকে, সংযুক্তা খবরটা দিলেন ধ্রুবকে। এখন সংযুক্তা অনেকটা স্বাভাবিক হয়ে গিয়েছেন। মেয়েরা ভেঙেও পড়ে তাড়াতাড়ি, সামলেও নেয় তাড়াতাড়ি। কিন্তু যত দিন যাচ্ছে ধ্রুব মুষড়ে যাচ্ছেন, প্রজেক্ট ফেল করেছে। ক্লায়েন্ট ছিছিক্কার করছে। কে ক্লায়েন্ট তাঁর? তিনি নিজেই নিজের ক্লায়েন্ট। ব্যর্থতা মেনে নেওয়া খুব শক্ত, বলা সোজা ইগোতে লাগছে। আজকাল এই কতকগুলো কথা হয়েছে। এগুলো মাঝে মাঝে অতি সরলীকরণ হয়ে যায়। তিনি আন্তরিকভাবে নিজের সামর্থ্যের মধ্যে কয়েকজনকে স্বাবলম্বী এবং মানুষ করতে চাইছিলেন। যে-সমাজ তাঁকে এত দিয়েছে, এইভাবে তাকে কিছু ফেরত দেওয়া। অনেক এনজিও যেমন একটা স্পনসর করা বলে ব্যাপার রেখেছে। অনেকেই অনেক বাচ্চাকে স্পনসর করে। তিনিও তাই করেছিলেন। তবে দায়টাও নিয়েছিলেন। ছেলেমানুষদের একটা নিজস্ব গোপন জগৎ থাকে, বোঝা যাচ্ছে। সেটার

ঠিকানা তারা কাউকে দেয় না, অভিভাবক শ্রেণিকে তো একেবারেই নয়। আর যৌবন এমনই সময়, যখন ঠিক-ভুলের সংকেতটা ঠিক করে এনডোক্রিন গ্ল্যানডস। ভয় কম, কৌতূহল বেশি, জেদ বেশি। সত্যিকারের বাবা-মা'র প্রতিই দায়বদ্ধতা বা বাধ্যতা যখন থাকে না, এই উজ্জ্বল-আরিয়ান-দিয়াদের যেমন, তখন তাঁদের পালিত মেয়েগুলির তো আরওই থাকবে না। আর সত্যি কথা বলতে তো ওদের পুরোপুরি মেয়ের স্টেটাসও দেননি তাঁরা। ওরা সুখে-সম্মানে থাকা কাজের লোকই ছিল। যদি দু-তিন বছর বয়স থেকে ওদের বড় করার সুযোগ পেতেন, হয়তো মেয়ে করে নিতে পারতেন। কিন্তু ওদের তাঁরা পেয়েছেন কাউকে দশ, কাউকে বারো এমন অবস্থায়। তখন মুখের ভাষা, অভ্যাস, সংস্কার তৈরি হয়ে গিয়েছে। সেখানে কাটাকুটি করার প্রয়োজন ছিল। কোলে-পিঠে করেননি তো কোনওদিন। হয়তো বিশ্বস্ততার ভাগে তাই কম পড়ে গিয়েছে। ধ্রুবজ্যোতির হঠাৎ কেমন রাগ হয়ে গেল। তিনি মিলুকে ডেকে পাঠালেন, "মিলু, মিলু!" বেশ জোরে চেঁচিয়ে ডাকলেন। উত্তাপটা যাতে টের পাওয়া যায়।

"কী বাবা, চা খাবে?" মিলু প্রায় ছুটতে-ছুটতে এল।

"শোন মিলু, আমাদের চা-কফি খাওয়াবার জন্যে তুই বা তোরা এখানে নেই। তোদের আমরা মানুষ, মানে মানুষ করতে চাই বুঝলি? তোরও যদি বিলুর মতো কোনও মতলব থাকে, তা হলে বলে দে। আমরা আর পণ্ডশ্রম করব না।"

মিলু একেবারে হকচকিয়ে গিয়েছে, চোখে ভয়। ঠোঁট দুটো একটু-একটু কাঁপছে। শেষে বলল, "তাড়িয়ে দেবে বাবা?"

সংযুক্তাও হকচকিয়ে গিয়েছিলেন। এখন বললেন, "তাড়িয়ে দেওয়া-টেওয়া আবার কী কথা? ছি, মিলু ওসব আজেবাজে কথা ভাবিসনি। তুই কী করছিলি এখন?"

মিলু আস্তে-আস্তে বলল, "গান শুনছিলুম।"

"তো যা, গান শুনতে যা।"

মিলু চলে গেলে সংযুক্তা ভুরু কুঁচকে বললেন, "কী ব্যাপার, 'ছি'-টা কিন্তু আমি তোমাকে বললুম। তুমি হঠাৎ এরকম, ও কী ভাবল বলো তো?"

"বিলু ভেবেছিল আমরা কী ভাবব? একবার জানাবার প্রয়োজন পর্যন্ত বোধ করেনি। এদের আমি গদ্দার বলি, গদ্দার।"

"ঠিক আছে। দোষটা করেছে বিলু, তুমি সেটা মিলুর ওপর ঝাড়লে কেন? ও একটা আলাদা মানুষ।"

"খবরটা গোপন রাখার বেলা ওর বিশ্বস্ততাটা তো বিলুর দিকেই গেল। বাবা-মা বলে আমাদের প্রতি ওর কোনও দায় নেই?"

সংযুক্তা একটু চুপ করে রইলেন। তারপরে বললেন,"ক্লাসের একটা ছাত্র দুষ্টুমি করলে অন্য কেউ যদি সেটা মাস্টারমশাইয়ের কাছে বলে দেয়, তা হলে কিন্তু লাগানে ছেলেটাকে সবাই একবাক্যে ছি-ছি করবে, গদ্দার বলবে। ওরা চট করে বন্ধুদের বিরুদ্ধে কিছু বলে না। তুমি কি চাও তোমার মানুষ করা একটি মেয়ে এরকম গদ্দারি শেখে?"

"কনফিউশন অব ভ্যালুজ," গোঁ গোঁ করে বললেন ধ্রুব।

কিন্তু হঠাৎ মিলুর মুখটা মনে পড়ে গেল তাঁর। ঠোঁট দুটো থরথর করে কাঁপছে, চোখে ভয়, তাঁর মনে পড়ে গেল মিলুকে কোথা থেকে পেয়েছিলেন তাঁরা। কী ভয়ংকর পরিস্থিতি! ও খুব ভয় পেয়েছে। কাজটা তাঁর ঠিক হয়নি, একেবারেই না। কিন্তু ছোড়া তির আর বলে ফেলা কথা তো ফিরিয়ে নেওয়া যায় না!

সংযুক্তা উঠে গেলেন। এই ঘর পেরিয়ে খাওয়ার ঘর। তার ওদিকে রান্নাঘর, রান্নাঘরের মুখোমুখি মিলুর ঘর। গান চলছে এফ-এম-এ, অনেকদিন পর প্রতিমা বন্দ্যোপাধ্যায় শুনলেন, 'ধূলির পরে প্রণামখানি দিনু রেখে...' একটু ইতস্তত করে মুখ বাড়ালেন। মিলু উপুড় হয়ে পড়ে আছে, পিঠটা ফুলে ফুলে উঠছে। চলে আসছিলেন, হঠাৎ তাঁর বুকটা কেমন হুহু করে উঠল। অল্প বয়সে তিনিই কি বকুনি খাননি? এমন বকুনি যাকে অপমান বলে মনে হয়েছে! কিন্তু সে সময়ে দিদি ছিল, বাবা বকলে মা ছিল শক অ্যাবজর্বার। মা বকলে, বাবা। মিলুর কেউ নেই, একেবারে অনাথ। তিনি ভেতরে গিয়ে ওর পাশে বসলেন, সন্তর্পণে পিঠে হাত রাখলেন। হঠাৎ তাঁর মনে হল, ব্রথেল থেকে উদ্ধার হওয়া, এই পাচার হয়ে যাওয়া বাংলাদেশি মেয়েটিকে তিনি কোনওদিন স্পর্শ করেননি। আশ্রয় দিয়েছেন, ভরসা দিয়েছেন, স্নেহও যে না দিয়েছেন তা নয়। কিন্তু কী যেন একটা দেননি, দিলে অনেক আগেই ওকে ছুঁতেন। কেন ছোঁননি, ব্রথেল বলে? পাচার বলে? ছি! কিছুক্ষণ আগে স্বামীকে যেটা বলেছিলেন, এখন দ্বিগুণ ধিক্কারে তিনি সেটা নিজেকে বললেন।

"মিলু ও মিলু! কাঁদিসনি রে। বাবা আসলে বিলুর ব্যাপারে বড্ড কষ্ট পেয়েছে তো! বকুনিটা আসলে বিলুকেই, তোকে নয়।"

চোখ মুছে মিলু উঠে বসল। ধরা গলায় বলল, "মা, একটু কফি খাবে?"

"দূর পাগল! আবারও বলছি মিলু চা-কফি করে দেওয়ার লোক দরকার হলে একজন কাউকে রেখে দেব। তোর পরীক্ষা, তোকে ডাকাডাকি করব কেন?"

"একটা কথা বলব মা, রাগ করবে না?"

"না না, রাগ করবার প্রশ্নই উঠছে না। একশোবার বলবি, বলিস না কেন সেটাই তো আমার প্রশ্ন।"

"আচ্ছা মা, বিলু যা করেছে ভালই তো করেছে। তোমাদের জানায়নি, বাধা দেবে বলে। কিন্তু খারাপটা কী? একটা আশ্রয় তো দরকার। সেটা যদি জীবনে এমন সকাল-সকাল পাওয়া যায়, স্বীকার করে নিতে ক্ষতি কী?"

"কিন্তু ধর, যদি লোকটি খারাপ হয় বা হয়ে যায়? তা ছাড়া বয়সে কত বড়। বিলুরই কী বা বয়স! কত ভাল মাথা ছিল অঙ্কে, নিজের পায়ে না দাঁড়িয়ে বিয়ে-টিয়ে করা খুব রিস্কি মিলু।"

"মা, বিলু কিন্তু খুব বুদ্ধি ধরে। বেচারামদা এতদিন বিয়ে করেনি কেন বলো তো? দোকানটাকে গুছিয়ে নিচ্ছিল। এখন খুব সলিড। বিলু তো এখনই বেচাদার অ্যাকাউন্টস সব দেখছে। অঙ্কটা যদি নিজের ব্যাবসার কাজে লাগানো যায়, সেটাও কি কাজে লাগা নয় মা?"

সংযুক্তা খুব দুর্বল গলায় বললেন, "আরও অনেক শেখবার সুযোগ ছিল।"

একটু পরে মিলু বলল, "বিলু তোমাদের সঙ্গে দেখা করতে ঠি-ক আসবে মা, ভেবো না।"

বলবেন না বলবেন না করে সংযুক্তা বলেই ফেললেন, "তোরও কি মনের কথা তাই মিলু, সকাল-সকাল আশ্রয়?"

মিলু কেমন শিউরে উঠল, হঠাৎ ভেঙে পড়ে বলল, "মা, আমাকে তাড়িয়ে দিয়ো না। আমি কাউকে বিশ্বাস করতে পারি না। আমি তোমাদের সব কাজ করে দেব, যা বলবে শুনব, দেখো।"

সংযুক্তা ওর মাথায় হাত রেখে অনেকক্ষণ বসে রইলেন। তারপরে বললেন, "তোর-আমার মধ্যে এই কথা হয়ে রইল মিলু। তাড়িয়ে দেওয়ার কথা কোনওদিন মুখে উচ্চারণ করবি না, আমাদের সব কাজ করার কথাও তুলবি না। গৃহস্থ সংসারে মেয়েদের যেটুকু করা উচিত, সেটুকুই তোদের

৪৩

করতে বলি। কিন্তু তোর যদি কোনওদিন অন্য কিছু করতে ইচ্ছে হয়, কোনও বিষয় নিয়ে পড়তে ইচ্ছে হয়, যদি কোনও ট্রেনিং নিতে ইচ্ছে করে অবশ্যই বলবি।"

॥ ৮ ॥

শুকতারা আর আরিয়ান এল একসঙ্গে। আরিয়ান চুলগুলোকে স্পাইক করে এসেছে। শুকতারার কোমর অবধি চুল কুচি-কুচি পার্ম করা। সাদা রঙের একটা কীরকম ঝিকমিকে টপ, জিন্‌স। স্টিলেটো বোধহয় সাড়ে তিন ইঞ্চি হবে। বাপ্‌স। একেই লম্বা, আরও লম্বা দেখাচ্ছে। বিরাট-বিরাট চোখ, কাজল, আইশ্যাডো এসব দিয়ে আরও বড় করেছে। ব্যস, আর কিচ্ছু না। বাবাইয়ের শুকতারার এই ড্রেস-আপ করার ধরনটা রাক্কুসি-রাক্কুসি লাগে। চেপে যায় অবশ্য সে। ঈপ্সা যখন বলে, "শুকতারার সেন্স অব ফ্যাশন অ্যান্ড গ্ল্যামার একেবারে টপ ক্লাস," সে দুর্বলভাবে মাথা নাড়ে শুধু। রূপরাজ রিনার সঙ্গে ঢুকল। রূপরাজ এক্কেবারে যেভাবে কলেজে আসে, সেইভাবে চলে এসেছে। বাঘছালের মতো টপ, কালো জিন্‌স আর স্পাইক চুল আরিয়ানের পাশে দাঁড়ালে লোকে আরিয়ানকে ফিল্ম স্টার বলবেই। রিনা উপরে একটা চোলি জাতীয় জিনিস পরেছে। তার হাতায়, কনুইয়ের কাছে ঝালর, পেটটা সম্পূর্ণ খোলা। তলায় ফ্লেয়ার্স। চুলগুলোকে টপ নট করে রেখেছে।

বাবাই বলল, "কী রে ঈপ্সা, তোদের কি জোড়ায়-জোড়ায় আসা নিয়ম নাকি?"

"জোড়া, তবে বয়-গার্ল হতেই হবে, এমন কোনও মানে নেই। তুই-আমি এলাম কীভাবে?"

"এটা কাদের বাড়ি বললি না তো? বাড়ি বলে মনেই হচ্ছে না!"

"কার বাড়ি ডিসক্লোজ করা বারণ, জাস্ট এনজয় ইয়োরসেলফ।"

এই সময় একা-একা দিয়াকে আসতে দেখে চমকে গেল বাবাই। চারপাশে অনেক অজানা মুখ। একটি ছেলে ড্রিঙ্ক সার্ভ করছিল।

"আমি না," বাবাই বলল।

"সফট নাও," একটা আইসক্রিম সোডা ওর জন্যে এনে দিল ছেলেটি।

বাবাই শুধু দিয়াকেই দেখছিল। দিয়াকে কীরকম অদ্ভুত অন্যরকম দেখাচ্ছিল। চোখদুটো চকচক করছে। ঠোঁট, গাল সবই চকচক করছে। একটা অদ্ভুত সুন্দর গন্ধ মেখেছে। এসেই একটা ড্রিঙ্ক নিয়ে ঘরের এক কোণে চলে গেল। জানলার পাটিতে ভর দিয়ে একটা ফিশ ফিঙ্গার তুলে নিল, তারপর সিপ করতে লাগল। যেন ও একলাই থাকতে চায়, কাউকে ওর দরকার নেই। দিয়া খুব সুন্দর এবং খুব দেমাকিও। বাবাইয়ের অন্তত এমনই ধারণা। খুব ধনী ঘরের মেয়ে হলে এরকম অনেক কিছুই খুব-খুব হয়ে থাকে। সবাই কিন্তু দিয়াকে এতটা 'খুব' দেখে না। ঈপ্সাই বলে, "দিয়া একটুও সেক্সি নয়। ওর কোনও ড্রেস-সেন্সও নেই। ওর ওই ডিপ্রেশন-বিলাস নিয়েই থাকে। অবসেশন একটা। মা-বাবা আর কারও ডিভোর্স করে না। তোর তো বাবা তবু মায়ের অনেক টাকা, মায়ের সঙ্গে থাকতে পাচ্ছিস। বাবার সঙ্গেও খুব ভাল সম্পর্ক। আসল দুঃখ, আসল ব্রোকেন হোম কী জিনিস ও জানে? শান্তনুকে দেখ, মা ছেড়ে চলে গিয়েছে, বাবার সঙ্গে থাকে। দশ বছর বয়স থেকে মা একেবারে সাগর পার। বাবা ছাড়া বাড়িতে শুধু ঠাকুমা। ভদ্রমহিলা দিবারাত্র বউমাকে শাপ-শাপান্ত করছেন এখনও। বাবা খুব চুপচাপ। শান্তনু তিনটে টুইশনি করে পড়ে। লেখাপড়ায় যে দারুণ কিছু, তাও নয়। ওর জগৎটা কী তুই বল। তবু দেখ, শান্তনু ইজ ফুল অব জোক্‌স। কী হাসে ছেলেটা।"

এইসব কথা শুনে বাবাইয়ের কেমন গা শিরশির করে। বিবাহ-বিচ্ছেদ! মা দশ বছর বয়সে চলে গিয়েছে এসব কী জিনিস? তার বাবা রানাঘাটে হাসপাতালের ডাক্তার। মা বাইরে কিছু করেন না। কিন্তু বাড়ির মধ্যে সর্বেসর্বা। সেই বাবা-মাকে ছেড়ে চলে আসতে তার যে কী হয়েছিল প্রথম-প্রথম। এখন অনেকটা সয়ে গিয়েছে। প্রতিদিন একবার করে বাবা-মা'র সঙ্গে কথা না বললে তার ঘুম হয় না।

"বাবাই রাস্তা দেখে চলিস তো, কলকাতায় গাড়ি ভীষণ বেড়ে গেছে?" মা।

"অতদূর হস্টেল নিলি কেন, কতটা সময় নষ্ট হয়! তা ছাড়া ট্র্যাফিকও তো..." বাবা।

"পড়াশোনায় কোনও অসুবিধে হলে বলিস, যদি টিউটর লাগে।" মা।

"লাইব্রেরি-ওয়র্ক করবি..." বাবা।

"কেমন আছিস, আবার গলাব্যথা হয়নি তো?" মা।

"গার্গল কর, ভেপার নে, সব ঠিক হয়ে যাবে।" বাবা।

এ ছাড়াও কত কথা হয়। পড়াশোনার বিষয়ে, বন্ধুদের বিষয়ে। সে যখন ইলেভেনে তখনই বাবা বলেছিল, "ভাল করতে পারলে তুই প্রেসিডেন্সিতে ভর্তি হয়ে যাবি। একা-একা থাকতে হবে, কিন্তু হস্টেলে থাকার অভিজ্ঞতাটা খুব ভাল। জীবনে কাজে আসে।"

যখন আসা ঠিক হয়ে গেল মা বলেছিল, "ফট করে যেন আবার কারও সঙ্গে ভাবটাব করে ফেলিসনি। বিয়ে-থা সবই হবে, তোর পছন্দমতোই হবে, কিন্তু এখন থেকে ওসব ভাবিসনি।"

বাবা বলেছিল, "শুনেছি এখন ছাত্ররা ভীষণ নেশা করে, সাবধানে থাকিস।"

মা-বাবা যে কী করে ভাবল সে ফট করে প্রেম করবে বা নেশা করবে! আসলে ভয় পায়। জানে না বাবাই নিজেই কতটা রক্ষণশীল, কত সাবধান।

এবার একটা কমলালেবুর জুস নিয়েছে সে। টুকটাক কত কী আসছে, পুঁচকে-পুঁচকে শিঙাড়া, সসেজ ভাজা, চিকেন লিভার। গান বাজছে মোহময়। স্প্যানিশ গিটার হাতে একটি ছেলে উঠে দাঁড়াল, কোনও ইংরেজি গান গাইছে। তাল দিচ্ছে দিয়া। হাতের ড্রিঙ্কটা রেখে হঠাৎ নাচতে শুরু করে দিল। এইসব নাচের মাথামুন্ডু বোঝে না বাবাই। টিভিতে দেখেছে। সিনেমাতে তো আকছার। কিন্তু দিয়ার নাচটা ওর দারুণ লাগছে। 'কাম অন বাবাই, কাম অন, ঈপ্‌স,' কারা যেন বলল। ঈপ্সা তাকে একটা টান দিয়ে চলে গেল, "আয় না!" বাবাইয়ের হঠাৎ মনে হল, সবাই তো নাচছে। শুধু তালে তাল রাখা। ওরকম দিয়ার মতো শিক্ষিত নাচ কি সবাই নাচছে নাকি? ও যদি একদিকে এভাবে দাঁড়িয়ে থাকে, খুব বোকা-বোকা দেখাবে। সুতরাং ঈপ্সার টানের পরই সে হঠাৎ তার ছোট্টতে শেখা কত্থকের একটা চক্রদার করে ভিড়ের মধ্যে ঢুকে গেল।

"দ্যাটস লাইক আ গুড গার্ল।"

"দ্যাটস দ্য স্পিরিট!"

"ফ্যানটাস্টিক!"

চারপাশে তাকে, ঈপ্সাকে, দিয়াকে ঘিরে নাচতে-নাচতে এইসব মন্তব্য। আলো ক্ষণে-ক্ষণে রং বদলাচ্ছে। 'ইউ আর লুকিং ইয়োর বেস্ট টু ডে' কে কাকে বলল। কেমন আবছা হয়ে আসছে কেন ঘরটা? বাব্বাঃ, আলো নিয়ে

এত কারিকুরি কারও বাড়িতে থাকে! ঘোলাটে-ঘোলাটে লাগছে, মাথাটা কি একটু ঘুরে গেল? কে তাকে সাপোর্ট দিল? হুহ্ করে একটা আওয়াজ, আলো নিভে গেল। সে অজ্ঞান নয়, শিয়োর আলোটাই নিভেছে। ভাগ্যিস তাকে ধরেছিল ছেলেটা। এ মা তাকে জড়িয়ে ধরে নিয়ে যাচ্ছে, এ মা, চুমু খাচ্ছে যে! বাবাই বাধা দিতে পারছে না। শরীরটা কেমন আলগা-আলগা লাগছে, তার বুকের ওপর হুমড়ি খেয়ে পড়ে ধরা-ধরা গলায় কেউ বলছে, "আই লভ ইউ বেবি। পার্ট ইয়োর লেগস ফর মি।" অজ্ঞান হয়ে যেতে-যেতে বাবাইয়ের একটা তীব্র যন্ত্রণা হল যোনিস্থানে। তাকে কেউ বা কারা দুরমুশ করছে একেবারে।

বারোটা প্রায় বাজল। উজ্জ্বল একটা মস্ত আড়মোড়া ভাঙল, মোবাইল অফ করল। টেবল-ল্যাম্প নেভাল। উঠে দাঁড়িয়ে শরীরটাকে একটু ছাড়িয়ে নিল। তারপর সোজা বিছানা এবং সঙ্গে-সঙ্গে ঘুমে জুড়ে গেল চোখের পাতা।

অ্যালার্মে ঘুম ভাঙল তখন সাড়ে পাঁচটা। উঠে পড়ে মোবাইলটা অন করে দিল সে। এবং সঙ্গে-সঙ্গে তীক্ষ্ণ স্বরে বেজে উঠল সেটা।

ও প্রান্ত থেকে কান্নামিশ্রিত একটা বিস্রস্ত, বিকৃত সুর শোনা গেল, "উজ্জ্বল, উজ্জ্বল বলছিস? শিগগিরই আয়, এক্ষুনি।" এ তো বাবাই বলছে, বাবাইয়ের নম্বর।

"কোথায় যাব? গোলপার্ক, কী ব্যাপার?"

"বাইশ নম্বর গ্রাহাম'স প্লেস, টালিগঞ্জ।"

"সে আবার কোথায়? আমি তো চিনিই না, ইংল্যান্ড-আমেরিকায়?"

"বললাম তো টালিগঞ্জে, ইন্দ্রপুরী স্টুডিয়োর কাছে। তুই একটা ট্যাক্সি নিয়ে যত শিগগির পারিস চলে আয়। এমার্জেন্সি।"

বাবাই একটা দোতলা ঘ্যাম দেখতে বাড়ির সামনে দাঁড়িয়ে আছে। ওর সালোয়ার কামিজটা কীরকম যেন হাঁড়ির থেকে বের করে পরা। পিঠের কাছটা ফুলে উঠেছে। শুকনো রক্তের দাগ। একটা কী রকম ভাঙাচোরা বাবাই।

"শেষ পর্যন্ত এলি?"

"কী ব্যাপার তোর, ভোরবেলা কোথায় পড়লি?"

"খুব বিপদে পড়েছি", বাবাইয়ের গলাটা কাঁপছে। সে বলল, "আয় দেখবি আয়।"

সে ভেতরে ঢুকল। কাঠের ওপর কার্পেট পাতা সিঁড়ি দিয়ে ওরা উপরে উঠল। বাবাই উঠছে যেন তার খুব কষ্ট হচ্ছে। ডানদিকে একটা বিরাট হলঘর। ঘরময় বোতল, সিগারেটের টুকরো, খাবারের টুকরো, থার্মোকলের প্লেট, বেশ কিছু একটা ওয়েস্ট বক্সে ফেলা। কিন্তু তার থেকে উপচে পড়েছে অনেক কিছু। ঘরটার মধ্যে দিয়ে আর একটা ঘরে ঢুকল ওরা ডানদিকে। উজ্জ্বল দেখল একটা মেয়ে মুখ ফিরিয়ে পড়ে রয়েছে, মৃতের মতো।

"আমি ওকে কিছুতেই জাগাতে পারছি না।"

উজ্জ্বল নিচু হয়ে মেয়েটির নাড়িতে হাত রাখল। হাত স্বাভাবিক গরম। চারদিকে মদের গন্ধ।

উজ্জ্বল হাতদুটো ঝেড়ে বলল, "শি ইজ জাস্ট আউট, প্রচুর মাল সাঁটিয়েছে। কী ব্যাপার, দু'জনে কামড়াকামড়ি করছিলি নাকি? এ মেয়েটারও তো দেখছি একই দশা। এর তো জিন্‌স্ ছিঁড়ে গিয়েছে দেখছি। এ হে হে রক্ত-ফক্ত শুকিয়ে রয়েছে।"

কিছুক্ষণ মেয়েটার দিকে তাকিয়ে উজ্জ্বল হঠাৎ ঘুরে দাঁড়াল, "বাবাই, তোর এসব গুণ তো আমার জানা ছিল না, ব্যাপার কী? এখানে তো কাল একটা মোচ্ছব হয়েছে মনে হচ্ছে।" বাবাইয়ের চোখ দিয়ে জল উপচোচ্ছে। সে কোনওমতে বলল, "আমার সফ্‌ট ড্রিঙ্কের সঙ্গে কেউ কিছু মিশিয়ে দিয়েছিল। কাল, মাত্র কালই আসতে রাজি হয়েছিলুম," তার গলার স্বর বিকৃত হয়ে গেল।

"মক্কেলটি কে?"

"মক্কেল কেউ না, আমি বান্ধবীর সঙ্গে..."

"ওই মেয়েটা?"

"না, অন্য একজন। ও-ও ভিকটিম বুঝতে পারছিস না?"

"ভিক্...বাবাই, এ তো পুলিশ কেস দেখছি।" উজ্জ্বল হঠাৎ সমস্তটা বুঝতে পারে।

"প্লিজ উজ্জ্বল র‍্যাশ কিছু করিসনি।"

উজ্জ্বল বলল, "বাথরুম কোথায়?"

"ওই যে।"

উজ্জ্বল দ্রুত ঢুকে যায়। জল নিয়ে আসে মগে করে, তারপর নির্মমভাবে মেয়েটির চোখেমুখে জল ছেটাতে থাকে। একটু পরে মেয়েটি মাথা ঝাড়ে,

তারপর আবার পাশ ফিরে শুতে গিয়ে, হঠাৎ খুব দুর্বলভাবে উঠে বসে। চোখ দুটো বড়-বড় হয়ে যায়।

বাবাই বলে, "তুই ঠিক আছিস তো দিয়া?"

"বা-বা-ই! আমি, তুই...এখানে...এ কি আমার জামাকাপড় এরকম ছিঁড়ল কে?" উঠে দাঁড়াতে গিয়ে প্রবল যন্ত্রণায়, তলপেট চেপে বসে পড়ল সে।

"কিছু মনে করতে পারছিস?"

"আমরা ভ্যালেন্টাইন পার্টিতে এসেছিলাম..."

"আমাদের ড্রিঙ্কের সঙ্গে কিছু মেশানো হয়েছিল। দিয়া, উই হ্যাভ বিন রেপ্ড।"

দিয়া মুখটা দু'হাত দিয়ে ঢেকে বসে রইল।

বাবাই বলল, "আমি আর দাঁড়াতে পারছি না উজ্জ্বল। কিছু একটা কর, এরকম চেহারায় বাইরে বেরতেও পারছি না।"

"আমি পুলিশকে কল দিচ্ছি।"

"হে, হু আর ইউ, স্টপ ইট!" দিয়া বলে উঠল।

বাবাই বলল, "ও উজ্জ্বল, আমার বন্ধু। শিবপুরে পড়ছে, ও কাল ছিল না।"

দিয়া বলল, "আমার ফোনটা, ফোনটা কই?"

"কাকে ফোন করতে চাও?" উজ্জ্বল গম্ভীর গলায় বলল।

"আমার ড্রাইভারকে, বাড়ি নিয়ে যাবে।"

"এর একটা হেস্তনেস্ত না হওয়া অবধি তোমাকে বাড়ি যেতে দিচ্ছি না। এ জায়গাটা কাদের, কারা ইনভলভড, তুমি নিশ্চয় জানো? বলো, না হলে আমি পুলিশে..."

"স্টপ ইট। আগে বাড়ি যাই। বাবাই-ও আমার সঙ্গে যাবে, তোমাকেও আসতে হবে।"

"উই নিড আ ডক্টর ফার্স্ট।"

দিয়ার ফোন পাওয়া গেল না। সে উজ্জ্বলের ফোন থেকে একটা ফোন করল, "জয়দেবদা আমি দিয়া বলছি, কাল যেখানে পৌঁছে দিয়েছিলে হ্যাঁ...চট করে চলে এস।"

সে একটু ভেবে আর একটা ফোন করল, "আঙ্কল, আমি দিয়া বলছি। আমি খুব অসুস্থ, মা-ও কলকাতায় নেই। আপনি একবার আসবেন? ধরুন

ঘণ্টাখানেক পরে? হ্যাঁ চেম্বার পর্যন্ত অপেক্ষা করতে পারব না।"

যখন হলটা পার হচ্ছে, চারপাশে ছড়ানো আবর্জনার মধ্যে একটা ব্যাগ পড়ে থাকতে দেখল উজ্জ্বল। চিকচিকে রুপোলি ব্যাগ।

"ওইটা কি তোমার, দেখো তো।"

"ইয়েস, ওই তো," দিয়া বলে উঠল। খুলে দেখল। বলল, "সব আছে।"

দিয়ার বাড়িতেই থেকে যেতে হল বাবাইকেও। দু'জনেই খুব অসুস্থ। দিয়ার প্রচণ্ড জ্বর এসেছে। বাবাই ব্যথায় যন্ত্রণায় কাতরাচ্ছে। ডাক্তার বললেন, "মেয়েটি এখানে থাক বুঝলে। কী নাম তোমার, উজ্জ্বল না? আমার দেখে যেতে সুবিধা হবে। এখন চোখে-চোখে রাখা দরকার।"

ঘর থেকে বেরিয়ে উজ্জ্বল বলল, "এফআইআর করি একটা?"

ডাক্তার চিন্তিত মুখে বললেন, "বাবাই মেয়েটি তো ওয়াশ করে নিয়েছেই। দু'জনের ক্ষেত্রেই লোকটিকে ওভাবে ধরবার উপায় নেই। এখন শুধু-শুধু টানাপোড়েন, পাবলিসিটি, ট্রমা তো একটা হয়েছেই। দিয়া তো এমনিতেই মেলাংকলিয়ায় ভোগে। খুব সাবধানে ওয়াচ রাখতে হবে। মা ইংল্যান্ডে, তাকে আমি একটা ফোন করে দিতে পারি। কিন্তু ভদ্রমহিলা আসতেও পারবেন না, অনর্থক ছটফট করবেন।"

"বাবা নেই ওর?"

"আছে, আবার নেইও। তুমি বোধহয় কিছুই জানো না। তোমার চেহারাটি বেশ, ভরসা হয়। দিয়ার মা-বাবা ডিভোর্সড। কেউ একজন থাকলে ভাল হত, অ্যাপার্ট ফ্রম দা ইউজুয়াল কাজের লোকস। তুমি?"

"আমি শিবপুরে বি ই কলেজ।"

"ঠিক আছে আমি একজন নার্সের ব্যবস্থা করছি। ডোন্ট ওয়ারি ইয়ংম্যান। তবু তুমি যদি একটু খেয়াল রাখো এদের, ভাল হয়। হোয়ট আ শকিং থিং টু হ্যাপন। ড্রিঙ্কের মধ্যে ওষুধ দিয়ে অজ্ঞান করে, যতই ভাবছি ততই মনে হচ্ছে, ইট উইল বি ক্রিমিন্যাল নট টু গো টু দা পোলিস।"

"আমারও তাই মত। এ তো রীতিমতো ক্রাইম!"

ডাক্তার বললেন, "এইসব জয়েন্ট হয়েছে আজকাল, নাইট ক্লাব-টাব। ইয়ং পিপ্‌ল কোন পথে যাচ্ছে? জুভেনাইল ক্রাইম কী রেটে বেড়ে যাচ্ছে! কিন্তু উজ্জ্বল, আমাদের ফার্স্ট কনসার্ন এই দুটি মেয়ের মেন্টাল হেল্‌থ।"

নার্স এসে গেলেন এগারোটা নাগাদ। তারপরে উজ্জ্বল বেরোতে পারল।

সে আবার চলে গেল গ্রাহাম'স প্লেসের সেই বাড়ির সামনে। এখন সেখানে কিছু লোক ঘোরাফেরা করছে। ড্রামে করে আবর্জনা নিয়ে আসছে ওপর থেকে অর্থাৎ পরিষ্কার হচ্ছে। সে একটু এগিয়ে গেল। যে লোকটিকে সুপারভাইজার মনে হচ্ছিল তাকে বলল, "এ বাড়িটা কার?"

"কুলকার্নিদের। বিক্রি হবে না। এটা ওঁরা ভাড়া দেন, গেস্ট হাউজ় হিসেবে ব্যবহার করেন।"

"গতকাল কে ভাড়া নিয়েছিল?"

"তা তো জানি না। আমাদের কাজ বাড়ি পরিষ্কার করা, করছি। আপনি কে, অত কথা জিজ্ঞেস করছেন?"

সে গম্ভীর গলায় বলল, "আমারও তো ভাড়া নেওয়ার দরকার থাকতে পারে।"

কুলকার্নিদের ফোন নম্বর ও ঠিকানাটা নিয়ে সে চলে এল।

বাস চলেছে হাওড়ার দিকে। উজ্জ্বল খেয়ালও করছে না কোথা দিয়ে যাচ্ছে। ভেতরটা শক্ত হয়ে উঠেছে। শক্ত এবং আগুনে পোড়ানো লোহার মতো গরম। নেমন্তন্ন করে ডেকে নিয়ে গিয়ে তাদেরই বয়সের একাধিক ইয়ংম্যান দুটি মেয়েকে অসাড় করে রেপ করল? বিশ্বাসঘাতকটা তো বটেই, কী সাংঘাতিক ক্রাইম। এটাতে ছাড়া পেয়ে গেলে এরকম আরও করবে, আরও কয়েক ধাপ এগিয়ে যাবে। ইস্ বাবাইটা! একটা বুদ্ধিমতী, অ্যাথলিট মেয়ে এইভাবে ফাঁদে পড়ে গেল? ঠিক আছে বাবাই না হয় শহরের মেয়ে নয়, অনভিজ্ঞ। দিয়া? ও তো রীতিমতো আপার ক্লাস মড মেয়ে। ওর পক্ষে এরকম জালে পড়া কী করে সম্ভব হল? এবং অন্য যারা ছিল, সবাই কি এই ষড়যন্ত্রের অংশী? অন্য মেয়েগুলি, যে মেয়েটা বাবাইকে নিয়ে গিয়েছিল? জানত না, বাবাই হস্টেলে থাকে, তাকে জবাবদিহি করতে হবে? তার চেয়েও বড় কথা, সে তো বন্ধুকে সেধে ডেকে নিয়ে বিপদের মুখে ঠেলে দিল। কলেজের থার্ড ইয়ারের ছেলে-মেয়েদের পক্ষে এইসব ষড়যন্ত্র, এই সব ক্রাইম সম্ভব? হঠাৎ তার মনে পড়ে গেল, বাবাই একটা কী গিফট পেয়েছিল, ভ্যালেনটাইন না কী মডার্ন ন্যাকামি? তাকে জিজ্ঞেস করেছিল, সে পাঠিয়েছে কি না। অর্থাৎ বুঝতে পারেনি কে পাঠিয়েছে। নামটা গোপন করার দরকার কী ছিল মক্কেলের? ইয়েস, সে ডান হাত দিয়ে বাঁ হাতের তেলোতে একটা ঘুঁষি মেরে বলল, "গট ইট।"

আশপাশের লোক চমকে তাকাল।

॥ ৯ ॥

ডক্টর পঞ্চানন ঘোষাল আজ হসপিটাল যাচ্ছেন। রুগির দায়িত্ব কত কাল ফেলে রাখা যায়। স্ত্রী মুকুল রান্নাঘরের দিক থেকে এসে কেমন অবসন্নভাবে দালানে রাখা একটা বেতের চেয়ারে বসে পড়লেন। একবার তাকালেন ডাক্তার, তারপর মলিন গলায় বললেন, "ভাল থাকার চেষ্টা করো, আমি গেলাম।" আর একটু এগিয়ে গিয়ে বললেন, "পুলিশ তো খুব চেষ্টা করছে।"

"কোনও তো ফল দেখতে পাচ্ছি না, সতেরো দিন হয়ে গেল।"

"ওরা অনেক সূত্র বলেও না, চেপে রাখে। তার থেকেই বোঝা যাচ্ছে হাল ছাড়েনি।"

স্বামী বেরিয়ে গেলে মুকুল তাঁকে বললেন, "আপনি কী বুঝছেন?"

ধ্রুবজ্যোতি বললেন, "বোঝবার চেষ্টা করছি, আশা হারাবেন না। আচ্ছা মিসেস ঘোষাল, আপনার মেয়েটির ভাবনাচিন্তা, তার অ্যাটিচুড এসব নিয়ে কিছু বলতে পারেন?"

মুকুল চোখে আঁচল চেপে ধরলেন।

ধ্রুবজ্যোতি বললেন, "অবশ্যই আমি বুঝতে পারছি আপনার অবস্থা। যদি কষ্ট করে একটু বলতেন, আমার সুবিধে হত। মানে, আপনার মেয়ের ব্যাপারটারই একটা সমাধান করবার চেষ্টা করতে পারতাম।"

"আমার মেয়ে খুব প্র্যাক্টিক্যাল ছিল। আমি যতদূর জানি, ঠান্ডা মাথার মেয়ে। জীবনটাকে সহজভাবে নেয়। একটা কেরিয়ার করে নিজের পায়ে দাঁড়ানোটা ছিল ওর প্রথম লক্ষ্য। বাবা-মা'র সঙ্গে ওর সম্পর্ক খুবই ঘনিষ্ঠ।"

"কিন্তু এভাবে আপনাদের কিচ্ছু না বলে ওর কোথাও যাওয়াটা..."

"সেটাই তো আমাদের ভাবাচ্ছে, এ পর্যন্ত কখনও এরকম করেনি। হাতে সেলফোন রয়েছে, না বলার কী আছে? যা যুগ পড়েছে কেউ তুলে নিয়ে গেল কিনা..." বলতে বলতে ভদ্রমহিলা শিউরে উঠলেন।

"তা হলে আপনার ধারণা, মেয়ে আপনাদের না বলে কিছু করতে পারে না।"

"সেটা আমাদের ধারণা। আমরা তো ওর থেকে অনেকটাই বড়, আমাদের শেষ বয়সের সন্তান। জানি না, ওর এখন যে বয়স, ও কতটা বদলেছে। আমরা এটা মেনে নিতে পারছি না।"

ধ্রুবজ্যোতি ভাবলেন, শেষ যে ঘটনাটা বাবাইয়ের জীবনে ঘটেছে সেটাও সে মা-বাবাকে বলেনি। তার মানে ওর কোনও-কোনও লজ্জা বা অপমানের জায়গা আছে সেগুলো ও বাবা-মাকে জানাতে চায় না। কারণ কী? লজ্জা, ভয়? হয়তো বাবা-মা আর তার শহরে হস্টেলে থাকা অনুমোদন করবেন না। এ-ও হতে পারে বাবাই এটাকে চ্যালেঞ্জ হিসেবে নিয়েছে। নিজেই ব্যাপারটা হ্যান্ড্‌ল করতে চায়। কিন্তু একজনকে ও বলেছে, সে হল উজ্জ্বল। উজ্জ্বলের কাছে ওর লজ্জা নেই, ভরসা আছে প্রচুর।

বাবাইয়ের এসব ভাবার অবস্থা ছিল না। সে এবং দিয়া দু'জনেই শারীরিক যন্ত্রণায় কাতর ছিল। উপরন্তু দিয়ার শক ফিভার। নার্স নির্মলাদি আর রান্নার বাসুদি তাদের দেখাশোনা করছিলেন। নির্মলাদি সবটাই জানেন, কিন্তু বাসুদি অতশত জানে না। তার ধারণা, একটা জোরালো দুর্ঘটনা থেকে ভাগ্যের জোরে বেঁচে গিয়েছে তারা। দু'জনকে খাবার দিতে আসে আর বাবাইকে জিজ্ঞেস করে, "কোথায় অ্যাক্সিডেন্ট হল বাবুই?"

বাবাই কী বলবে, সে বলে, "সে অনেক দূরে। তুমি চিনবে না বাসুদি।" বাবাইকে ভীষণ পছন্দ হয়ে গিয়েছে বাসুদির। মেয়েটা দিয়ার মতো গোমড়ামুখো নয়। কথা বলে, তার রান্নার প্রশংসা করে এবং দিয়ার খুব খেয়াল রাখে। এরই মধ্যে একদিন কী করে কে জানে, দিয়া বেশি ঘুমের ওষুধ খেয়ে ফেলেছিল। সকালে ঘুম আর ভাঙেই না, ভাঙেই না। বাবাইয়ের হঠাৎ কী মনে হল নির্মলাদিকে বলল, "দেখুন তো দিদি, ট্যাবলেটগুলো সব আছে কি না।" ট্যাবলেট দেখতে গিয়েই বোঝা গেল, ছ'-সাতটা ছিল, সব খেয়ে নিয়েছে দিয়া।

নির্মলাদি বললেন, "আরও কিছুক্ষণ ঘুমোবে ও, হয়তো বিকেলের দিকে উঠবে। স্টম্যাক ওয়াশ করার দরকার হবে না। তবু একবার ডাক্তারবাবুকে জিজ্ঞেস করি।" ডক্টর সেন এসে স্টম্যাক ওয়াশ করলেন সঙ্গে-সঙ্গে। কোনও ওষুধই আর দিয়ার পাশের টেবিলে রাখা হল না। কেরোসিন, পেস্ট কিলিং সলিউশন সবই লুকিয়ে ফেলা হল।

বাবাই সেরে উঠছিল তাড়াতাড়ি। 'আমি ধর্ষিত হয়েছি, কী লজ্জা। ইস্‌স আমি সমাজের বাইরের হয়ে গেলাম', এই রকম কোনও চিন্তা বা আত্মগ্লানি তার একেবারেই হয়নি। বিশেষত অজ্ঞান অবস্থায় ঘটনাটা ঘটেছে বলে কোনও অনুভূতি নেই তার। কিন্তু কেউ তার সঙ্গে বিশ্বাসঘাতকতা করেছে,

তাকে বোকা বানিয়েছে এবং সে বা তারা তারই কাছাকাছি বয়সের ছেলে, এই ধাক্কাটা সে কাটিয়ে উঠতে পারছিল না। সে স্বভাবে রাগী নয়, কিন্তু তার মনে হচ্ছিল এই অপমানের উপযুক্ত জবাব যদি সে দিতে না পারে, তার নাম বাবাই নয়। স্থির সংকল্প একটা। দাউদাউ রাগ নয়।

একটু সেরে উঠতেই সে যখন হস্টেলে ফিরতে চাইল, ডক্টর সেন এবং বাসুদি উভয়েই তাকে অনুরোধ করলেন দিয়ার মা ফিরে না আসা পর্যন্ত থেকে যেতে। দিয়ার কখন কী মতি হয়, কেউই ভরসা পাচ্ছেন না।

আজই ডাক্তার দেখে গিয়েছেন। নাইট নার্স এখন কেউ থাকছে না। খাওয়াদাওয়ার পর রাতে বারান্দায় বসে দু'জন।

"তুই হঠাৎ অতগুলো বড়ি খেয়ে ফেললি কী করে?" বাবাই আস্তে-আস্তে জিজ্ঞেস করল।

দিয়া বলল, "আরও থাকলে আরও খেতাম।"

"আত্মহত্যা কোনও সমাধান নয় দিয়া।"

"সমাধান নয়? আস্তে-আস্তে অস্তিত্ব বিলোপ হয়ে যাবে, বাঁচা যাবে।"

"আমি শুনেছি, অস্তিত্ব বিলোপ হয় না। অতৃপ্ত আধখানা অস্তিত্ব আরও ভয়ানক কষ্ট পায়।"

"কে বলল, বিজ্ঞান তো নয়?"

"বিজ্ঞান তো এখনও কোনও সিদ্ধান্তে আসতে পারেনি। সেক্ষেত্রে চিরকাল যাঁরা আত্মা আর পুনর্জন্মের কথা বলে এসেছেন, তাঁদের অবিশ্বাস করি কী করে? আর তা ছাড়া তুই আত্মহত্যা করবিই বা কেন, জঘন্য একটা অপরাধের শিকার হয়েছিস তুই, তাই তোকেই শাস্তি পেতে হবে? এ তো ভারী অদ্ভুত রিজনিং!"

"কে বলল তোকে ওই কারণে আমি আত্মহত্যা করতে চেয়েছি?" দিয়া উদাস গলায় বলল।

"ওই কারণে নয়, তবে?" অকৃত্রিম বিস্ময় বাবাইয়ের গলায়।

"আমি কে বল, কে আমি? একটা একলা প্রাণ যাকে কেউ ভালবাসেনি। বাবা না, মা না। বন্ধু বলে কিছু নেই, সবাই আমায় ভুল বোঝে। তা ছাড়া সত্যিই বলছি সবাই এত শ্যালো যে, আমার মিশতে ভাল লাগে না। তারপরে দেখ কেউ অর্থাৎ কোনও যুবক যদি আমাকে ভালবাসত, সে আমার সঙ্গে আলাপ করে আস্তে-আস্তে একটা অন্তরঙ্গতায় পৌঁছোতে চাইত। তা কেউ

করল না। দিয়াটা একটা ফালতু, একটা ক্র্যাঙ্ক, ওর শরীরটাকে নিয়ে একটু মজা করা যাক, বোকা বানানো যাক, এই তো সেদিনের ঘটনার সাইকোলজি। তুই-ই বল, আই অ্যাম এক্সপেন্ডেবল। তাই আমাকে ড্রিঙ্কের সঙ্গে ঘুমের ট্যাবলেট খাইয়ে ছিঁড়েফুঁড়ে অপমান করা যায়, আর চূড়ান্ত অবহেলায় একটা ভুতুড়ে বাড়িতে এঁটোকাঁটার মাঝখানে ফেলে রেখে চলে যাওয়া যায়! নো বডি কেয়ার্স ফর মি।”

বাবাই আস্তে-আস্তে বলল, “আমাকেও তো তাই-ই করেছে।”

“সেটাই তো আমার আশ্চর্য লাগছে,” দিয়া বলল, “ইউ আর লাভ্ড বাই সো মেনি পিপল। তোর বাবা-মা, দিদি, বন্ধুরা, উজ্জ্বল, তা ছাড়া তুই একেবারেই আমার মতো লোনার নোস। যথেষ্ট সোশ্যালাইজ় করিস। সবচেয়ে বড় কথা, তোর কিন্তু খুব কনসপিকুয়াস একটা পার্সনালিটি আছে। আমি তো আগে ভাবতাম, বাপ্ রে এই মেয়েটা অ্যাথলিট, চ্যাম্পিয়ন নিজের জেলায়। তারপরে আবার ডিস্ট্রিক্ট স্কলারশিপ পেয়েছে, চলাফেরায় কী কনফিডেন্স। কাউকেই কেয়ার করে না। আমার সঙ্গে তো কোনওদিনও বন্ধুত্ব করবে না। অথচ সামহাউ আমার তোকে ভাল লাগত। তোর সঙ্গে ভাব করতে ইচ্ছে করত।”

বাবাই একটু অবাক হয়ে তাকায়। এটা যদি সত্যি কথা হয়, তা হলে সে এটা কোনওদিন আন্দাজ করতে পারেনি। সে যেটা অনুভব করে, বেশ একটা শ্রেণি-সচেতনতা, এমনকী বৈষম্য আছে ছাত্রছাত্রীদের মধ্যেও। মফস্‌সলের ছাত্রী বলে একটা ঠোঁট বাঁকানো আছে। ভাগ্যে সে ইংলিশ মিডিয়মে পড়েছে, তা নয়তো সেখানেও একটা ঠোঁট বাঁকানো খেত। এরপর টাকাপয়সার প্রশ্ন। সে হ্যারিসন রোডের যাচ্ছেতাই হস্টেলে না থেকে গোলপার্কের পাঁচমিশালি কিন্তু অনেক ভাল বন্দোবস্তের হস্টেলে থাকছে। তার বাবা ডাক্তার, সুতরাং সে মফস্‌সল হলেও উচ্চ-ঘেঁষে মধ্যবিত্ত অন্তত। এরপর আছে কী সূত্রে টাকা! সে আবার আর একটা ক্লাস। মফস্‌সলি ডাক্তার না হয়ে সে যদি আইটি প্রফেশনাল বা বিজনেসম্যানের মেয়ে হত, আর একটু উপরের স্তরে উঠতে পারত। দিয়া সেই স্তরের। দিয়াকে বরাবর একটু নাক উঁচু মনে হয়েছে তার। চারপাশে কাউকে যেন লক্ষই করে না। হাওয়া দিয়ে হাঁটছে। এখন দেখা যাচ্ছে, দিয়া সেরকম নয়। এবং দিয়া তাকে যা ভেবেছে, সে-ও মোটেই তা নয়। অদ্ভুত তো! ফার্স্ট ইম্প্রেশন নিয়ে এত যে বড়-বড় কথা, মিলল না তা

হলে। সে দিয়ার ভুল ভাঙাবার চেষ্টা করল না। নিজের ইম্প্রেশনের কথাও বলল না। বলল, "দিয়া, আই লভ ইউ।"

বেশ কিছুক্ষণ নীরবতা। তারপর দিয়া বলল, "আই ডোন্ট বিলিভ ইউ, সরি বাবাই।"

"কেন?"

"নিশ্চয় ডাক্তার আঙ্কল তোকে এরকম বলতে শিখিয়ে দিয়েছেন।"

"একথা তোর মনে হচ্ছে কেন, আশ্চর্য তো! ডাক্তার আঙ্কল শিখিয়ে দেবেন তোকে 'লাভ ইউ' বলতে, আর অত বড় কথাটা যেটা কাউকে কখনও বলিনি, সেটা আমি তোকে বলে ফেলব?"

"কেন উজ্জ্বল, উজ্জ্বলকেও বলিসনি?"

"উজ্জ্বল? তুই ভুল করেছিস দিয়া। উজ্জ্বল আমার বয়-ফ্রেন্ড নয়, ও আমার বন্ধু। আমরা দু'জনেই এক অঞ্চলের। দু'জনেই খেলাধুলো করতাম। সেই থেকে একটা জানাশোনা হয়ে গিয়েছে। এখানে যখন বিপদে পড়লাম, ওর কথাই আমার সর্বাগ্রে মনে পড়ল। কেননা ও আমার অনেক আগের, আমার বাড়ির চেনা, যে কাছাকাছি আছে।"

"তা বেশ তো...বয়ফ্রেন্ড হতেই বা ক্ষতি কী?"

"ক্ষতি কিছু নেই, কিন্তু নয়। একেবারেই না। কতকটা পিঠোপিঠি ভাইবোনের মতো আমরা।"

"পিঠোপিঠি ভাইবোন! কী অদ্ভুত ফ্রেজটা। কতদিন পর ব্যবহার হতে শুনলাম। ইস্‌স আমার যদি একটা পিঠোপিঠি থাকত, ভাইবোন যা হোক! থাকত, থাকত! কিন্তু আমার মা-বাবা তাকে নষ্ট করে ফেলেছে," দম আটকান গলায় সে বলল, "ভাবতে পারিস বাবাই, ফাইভ মান্থ্স গন, মাই মাদার ওয়াজ ফোর্সড টু অ্যাবর্ট হিম।

"হিম? লোকে তো মেল ভ্রূণ অ্যাবর্ট করে না।"

"দে নেভার টোল্ড মি। কিন্তু আমি জানি, ওটা মেল ছিল।"

"মা-বাবা তখনও এত উপরে ওঠেনি। দারুণ কম্পিটিশন। মা তো সবে প্রোগ্রামার, বাবা বলল, 'উই ডোন্ট হ্যাভ টাইম টু রেজ অ্যানাদার চাইল্ড নাও।' আর মায়ের অ্যাপেনডিসাইটিস হয়েছিল। তখন ডাক্তারের সঙ্গে যোগসাজস করে ব্যাপারটা মায়ের অজান্তে করে ফেলেছিল বাবা।"

"ও রকম করা যায়?"

"স্বামীদের সবরকম রাইট আছে বাবাই। সেই থেকে মা ক্রমশ কোল্ড হয়ে গেল বাবার প্রতি, পুরুষ জাতটার প্রতি, আমি একটু বড় হওয়া অবধি অপেক্ষা করেছে। তারপর দু'জনে মিউচুয়াল ডিভোর্স নিয়ে নিয়েছে। মাঝখান থেকে আমাকে নিয়ে টানাটানি। দেখ, আমার ভাইটাকে আসতে দিল না বলে বা মাকে না জানিয়ে চোট্টার মতো অ্যাবরশন করাল বলে বাবার ওপর আমার রাগ হতেই পারে। কিন্তু সমস্তটাই তো ঘটেছে আমার অজ্ঞাতে। আমি তো বাবার প্রতি কোল্ড হয়ে যেতে পারি না। আমার ইচ্ছে করে দু'জনকে নিয়ে একটা নর্মাল ফ্যামিলিতে থাকতে। কিন্তু ওরা থাকতে পারবে না। বাবা আবার এখন ইংল্যান্ডে পোস্টেড কিছুদিনের জন্যে। আমাকে মোটা টাকা হাতখরচ দেয়। বোঝে না টাকা আমার আছে। আমার চাওয়ার জিনিসটা টাকা দিয়ে কেনা যায় না। মা-ও এখন কাজে ইংল্যান্ডেই গিয়েছে। দেখ, আমার বিপদের সময়ে কেউ রইল না। ওটা যদি আরও মারাত্মক কিছু হত? একটা অনাথ মেয়ের মতো আমি বেপাত্তা বা খুন হয়ে যেতাম?"

বাবাই বলল, "আমার তো বাবা-মা সবাই আছে, তা-ও আমারও একই দশা হয়ে যেতে পারত। ভাইবোন না থাকা বা বাবা-মা'র অমিলের ওপর এসব নির্ভর করে নাকি? আমি জীবনে আর এদের বিশ্বাস করতে পারব না দিয়া। ঈপ্সার সঙ্গেও আমার কিছু দরকারি কথা আছে।"

শেষের দিকে তার কথাগুলো খুব গম্ভীর, কঠোর হয়ে গেল। রাত বাড়ছে। দিয়ার শুতে যাওয়ার কোনও লক্ষণ নেই। বাবাই বলল, "দিয়া, আর নয়। এবার চল শুয়ে পড়ি।"

দিয়া হঠাৎ বলল, "একটা কথা বলব বাবাই, আমার খাটটা তো বেশ বড়, তুই আমার পাশে শো না রে, গল্প করতে করতে ঘুমোই।"

"বেশ তো," বাবাই বলল বটে কিন্তু তার একটু অস্বস্তি হচ্ছিল।

ভোর রাতে একবার বাবাইয়ের ঘুম ভেঙে গেল। সে দেখল, দিয়া শুয়ে আছে প্রায় গোল হয়ে। বুড়ো আঙুলটা মুখের মধ্যে। মাথাটা বাবাইয়ের কোলের মধ্যে ঢুকে এসেছে। নাকের পাশে শুকিয়ে যাওয়া জলের চিহ্ন। কখন কেঁদেছে দিয়া? সুখে কেঁদেছে না দুঃখে? কী ভীষণ অসহায়, করুণ মুখটা। আর সে নাকি একেই ভাবত গুমুরে!

বাকি রাতটুকু বাবাইয়ের ঘুম হল না আর। থেকে থেকেই মা-বাবার মুখ মনে পড়তে লাগল। সে মোটের উপর নিয়মিত মা-বাবাকে ফোন

করে গিয়েছে। তার ওপর দিয়ে কী গিয়েছে না গিয়েছে, বিন্দুমাত্র বুঝতে দেয়নি। কত আলাদা। সত্যিই, এই এক জায়গায় তারা পড়তে এসেছে, অথচ প্রত্যেকেই যেন একটা দ্বীপ। ফার্স্ট ইমপ্রেশন কিছু বুঝতে দেয় না। সে দিয়াকে বুঝতে পারেনি, দিয়া তাকে বুঝতে পারেনি। সে ঈপ্সাকে বুঝতে পারেনি। অথচ এই ঈপ্সাই সবচেয়ে বেশি কথা বলে তার সঙ্গে। পিএনপিসিও বাদ যায় না। তার যে ঈপ্সাকে খুব পছন্দ, তা নয়। কিন্তু সে যখন যেচে-যেচে এসে আলাপ করে, অত কথা বিশ্বাস করে বলে, তখন...অগত্যা। আর কে-কে গিয়েছিল তার চেনাজানার মধ্যে? শুকতারা, শুকতারার সঙ্গে তার আগেও অনেকবার মোলাকাত হয়েছে। ও নিজেও স্পোর্টস ভালবাসে, টেনিস খেলে। শুকতারার সঙ্গে টেনিস খেলেছে সে, ওদের বাড়ির কোর্টে। খারাপ না। কিন্তু খুব সীমাবদ্ধ আলাপ। বড্ড ধনী এবং বড্ড লাউড। আরিয়ান গিয়েছিল। আরিয়ানের সঙ্গেও শুকতারার বাড়িতে আলাপ, উজ্জ্বলও ওকে চেনে বন্ধুর মাধ্যমে। ও-ও প্রচুর লাউড। জামাকাপড় নিয়ে ব্যস্ত ছেলেমেয়েদের, বিশেষত ছেলেদের তার একটুও পছন্দ হয় না। তার নিজের এক ক্লাস সিনিয়র রয়েছে রূপরাজ আর রিনা, দু'জনেই বেশ। তা হলে বদমাশটা কে, বা কারা? আরও রাশি-রাশি ছেলে আসছিল, যাচ্ছিল। ভীষণ সব কায়দাবাজ ছেলে। কী কাপুরুষ! ছিঃ। অপমানটা সে কিছুতেই হজম করতে পারছে না। দিয়ার কী ধারণা, জিজ্ঞেস করলে হয়। ওর নিশ্চয় আরও অনেক মক্কেলের সঙ্গে জানাশোনা আছে, কিন্তু সাহস হয় না। দিয়া কেমন ভঙ্গুর ধরনের মেয়ে। যদি কোনও খারাপ প্রতিক্রিয়া হয়!

সকাল দশটা নাগাত এক প্যান্ট, শার্ট, জ্যাকেট পরা লম্বা ভদ্রমহিলা তাদের ঘরে নক করলেন, "আসতে পারি?"

দরজা খোলা, পর্দাটা শুধু টানা রয়েছে। তা-ও, বাব্বাঃ! সাদা রং, উজ্জ্বল হয়ে রয়েছে ভোরের আলোর মতো। মাথার চুল ছোট করে ছাঁটা। গোটা চেহারাটাই খুব উজ্জ্বল, যেন বিদেশি-বিদেশি। অনেকদিন বিলেত-আমেরিকায় থাকলে যেমন হয়। দিয়ার সঙ্গে খুব মিল। অথচ এফেক্টটা একেবারে আলাদা। ইনি ঘরে ঢুকলেন, যেন আত্মবিশ্বাস স্বয়ং হেঁটে-হেঁটে এল। অনেক ভার বইতে পারেন। এক্ষুনি সব ব্যবস্থা করে ফেলতে পারবেন, এইরকম একটা ভরসাও হয়। করবেন কিনা, সেটা কিন্তু এঁর মর্জির ওপর নির্ভর করছে। বাবাইয়ের সবে চান হয়েছে, সে একটা টেক্সট নিয়ে মন বসাবার চেষ্টা করছিল। দিয়া চানঘরে।

ঢুকেই উনি খানিকটা গোঁত্তা খেলেন, "তুমি? ও সরি, দিয়ার বন্ধু, না? ডক্টর সেন আমাকে বলেছেন তোমার কথা। সরি আমি ভুলে গিয়েছিলাম। কী নাম তোমার?"

"বিভাবরী। সবাই বাবাই বলে ডাকে।"

"হোয়ট আ নাইস নেম। বিভাবরী, নাইটস। শর্ট করে যে ওকে বিভা বা বিভু করা হয়নি, দ্যাটস আ গ্রেট ফেস সেভার। বাবাই ইজ় ওয়ান্ডারফুল। বাবাই, কী অ্যাক্সিডেন্ট তোমাদের হয়েছিল?"

"ডাক্তার আঙ্কল আপনাকে বলেননি?"

"না। শুধু বললেন, হি উইল বি এবল টু হ্যান্ডল ইট। বাইক চালাও তুমি, না? দু'জনেই পড়েছ তো?"

বাবাই ওঁর দিকে তাকিয়ে আস্তে-আস্তে বলল, "উই হ্যাভ বিন রেপড।"

ভদ্রমহিলা চোখ বড়-বড় করে বাবাইয়ের পাশের চেয়ারে বসে পড়লেন, কিছুক্ষণ কথা বলতে পারলেন না। তারপর বললেন, "মাই গড। এটাকে মাইনর অ্যাক্সিডেন্ট বলে চালাচ্ছিলেন ডাক্তার। হাউ ডিড ইট হ্যাপন?"

বাবাই সংক্ষেপে বলল।

"গড! দিস ইজ ক্রাইম, কেউ স্টেপ নিল না? ইউ শুড হ্যাভ গন স্ট্রেট টু দ্য পোলিস।"

"আমাদের তখন সে অবস্থা ছিল না মাসি। আমার একমাত্র চেনা বন্ধুকে ডেকে পাঠিয়েছিলাম। ও-ও তাই-ই বলছিল। কিন্তু দিয়া বা আমি কেউই চাইনি, আমাদের স্বাভাবিক জীবন হ্যাম্পার্ড হোক। ডাক্তার আঙ্কলও তাই বললেন। বিশেষত দিয়া, দিয়ার কথা ভেবে..."

"দিদ্দিয়া কি..." ভদ্রমহিলা কথা শেষ করতে পারলেন না।

সেই মুহূর্তে দিয়া চানঘর থেকে বেরোল একটা বাথরোব গলিয়ে। এবং নিমেষের মধ্যে ঝাঁপিয়ে পড়ল মায়ের উপর, "মা ম্মা, ওম্মা, মা-ম্মা-ম্মা।" উনিও ওকে চুমু খাচ্ছেন, শান্ত করার চেষ্টা করছেন, চোখে জল।

দিয়া মা-মা করছে আর ছোট-ছোট দুর্বল মুঠি দুটো নিয়ে ঘুঁষি মারছে মায়ের বুকে।

"আমি চেঞ্জ করে আসি দিউ?"

"ন্ না!"

"সে কী? এক্ষুনি চান করেই এসে যাচ্ছি।"

"আমি তোমাকে কোত্থাও যেতে দেব না। আমি বাবাইকেও কোত্থাও যেতে দেব না।"

"ঠিক আছে, ঠিক আছে, বাবাই, তুমি কোথায় থাকো?"

বাবাই বলল, "আমি গোলপার্কে একটা হস্টেলে থাকি, রানাঘাটে বাড়ি।"

"বলো কী? তোমারও বাবা-মা এখানে নেই, ওঁদের জানিয়েছ তো?"

"নাহ্। শুধু-শুধু ভাবিয়ে তো কোনও লাভ নেই। আপনি এসে গিয়েছেন এবার আমি হস্টেলে ফিরে যাব।"

"না না," দিয়া বলল, "মা যদি প্রতিজ্ঞা করে রোজ রাত ন'টার মধ্যে ফিরে আসবে, মাসে একটার বেশি ট্যুর নেবে না, তা-ও দু'-তিন দিনের, মা যদি প্রতিজ্ঞা করে ব্রেকফাস্ট-ডিনার আমরা একসঙ্গে খাব, তা হলে...না, তা হলেও বাবাইকে এখানে থাকতে হবে। ইফ বাবাই কেয়ার্স ফর মি।"

দিয়ার মুখ তার মায়ের বুকের মধ্যে, উনি দিয়ার চেয়েও লম্বা। দিয়ার মা বাবাইয়ের দিকে চেয়ে একটা মিনতির ভঙ্গি করলেন। তারপর বললেন, "ইটস অবভিয়াস দ্যাট বাবাই কেয়ার্স ফর ইউ। বাজে কথা বলো কেন দিউ? ও তো থাকবেই।"

দিয়া মাথা নাড়তে নাড়তে বলল, "লেট বাবাই সে ইট, তুমি কেন ওর হয়ে কথা বলছ?"

বাবাই বলল, "দিয়া, কী ছেলেমানুষি হচ্ছে? মোটেই আমি বলব না, মাসিকে যেতে দে।"

দিয়া এবার মাকে ছেড়ে দিল। একটু দূরে দাঁড়িয়ে বলল, "কতদিন তোমাকে দেখিনি মা! মনে হচ্ছে এক জন্ম পরে দেখলাম। বাপি কবে ফিরছে?

"কী জানি, বোধহয় আরও মাস ছয়েক।"

"তোমরা মিট করোনি?"

"হ্যাঁ, একদিন করলাম তো। স্প্যানিশ খেলাম সোহোতে বারাফিনায়। তোমাকে খুব মিস করছে!"

একটা নিশ্বাস ফেলল দিয়া, "যাও, আমরা কিন্তু একসঙ্গে খাব।" বলেটলে দিয়া একটা মস্ত টেডিবেয়ার তুলে নিল নিচু ক্যাবিনেটের ওপর থেকে। তারপর একটা সোফায় সেটা বুকে জড়িয়ে বসে বুড়ো আঙুলটা মুখে পুরে দিল।

বাবাই তার বইয়ে মন দেবার চেষ্টা করতে লাগল। কিন্তু তার খুব অস্বস্তি

হচ্ছে। এই টেডিবেয়ার কোলে, মুখে আঙুল দিয়া তাকে ভাবাচ্ছে। এটা কি নতুন? না আগেও ছিল? যতই দিয়া চাক, ওদের বাড়িতে সে কতদিন থাকবে? বাড়িতে তো শুধু দিয়া নেই, তার মা-ও রয়েছেন। অতিরিক্ত আলট্রা মডার্ন, হাই-ক্লাস, আত্মসচেতন মা। তিনি কী মনে করবেন? দিয়ার আবদারে রাজি হচ্ছেন, কিন্তু মনে-মনে নিশ্চয়ই ব্যাপারটা পছন্দ করছেন না। বা করবেন না। এভাবে কারও বাড়ি থেকে যাওয়া! না, বাবাই কিছুতেই মানতে পারছে না।

দিয়া আবার ঘুমিয়ে পড়েছে সোফার মধ্যে ওইরকম কুণ্ডলী পাকিয়েই। মুখ থেকে বুড়ো আঙুলটা একটু খসে গিয়েছে। সোনালি টেডিবেয়ার বুকের ভেতর আটকানো। ঘুমোলে এমনিতেই মানুষকে ভীষণ ছেলেমানুষ দেখায়। এখন ওই টেডিবেয়ার আর মুখে আঙুলের দৌলতে তাকে দেখাচ্ছে শিশুর মতো। ওর ভিতরে কোথাও একটা অস্বাভাবিকতা থেকে গিয়েছে। যেন পুরোপুরি বড় হয়নি। অথচ ভাবনা-চিন্তা, বুদ্ধি ইত্যাদিতে কোনও গোলমাল নেই। তবু তো ওর বাবা-মা'র মধ্যে বেশ বন্ধুত্বের সম্পর্কই মনে হল। ঝগড়াঝাঁটি, অসভ্যতা, চিৎকার, মারামারি যেসব জিনিস বিবাহবিচ্ছেদের সঙ্গে বিশ্রীভাবে লেগে থাকে, সেসব নেই। উপরন্তু বাবা-মা দু'জনেই তাকে কত ভালবাসে।

উজ্জ্বলের সঙ্গে মিস সোনা ঘোষালের দেখা হল রবিবার, সকালবেলা। উনি ওকে ব্রেকফাস্টের নেমন্তন্ন করেছিলেন, সেটা গড়াল লাঞ্চ অবধি।

দিয়া বলে, "বাবাই তো বটেই, উজ্জ্বল না থাকলে পরদিন আরও বিপদ হতে পারত। এবং এ ক'দিন তো যা কিছু দরকার সব উজ্জ্বল করেছে। মা, তুমি ওকে ডাকো, খাওয়াও, আলাপ করো, প্লিজ।"

সোনা নিভৃতে বাবাইকে জিজ্ঞেস করেছিলেন, "এই উজ্জ্বল ছেলেটি কেমন? তোমার সঙ্গে কি খুব আলাপ, ভাল করে জানো ওকে?"

ভাল করে কাকেই বা জানা যায়, বাবাই মনে-মনে হাসল। সে আর কারও সম্পর্কে নিশ্চিত হয়ে বলতে পারে না যে, সে ভাল। ভাল কথাটার মানেই তো নানা রকম। কী হিসেবে ভাল? ভাল পরিবারের ছেলে, লেখাপড়ায় ভাল, স্বভাব-চরিত্রে ভাল, স্পর্ধায়, সাহসে ভাল? সোনা সম্ভবত সবগুলোই জানতে চাইছেন। তাঁর অনুপস্থিতিতে দিয়া কার-কার সঙ্গে মিশছে খুঁটিনাটি তাঁর জানা

দরকার। বাবাই যেহেতু হাতের কাছে, তিনি তার সম্পর্কে অনেক কিছুই কথাচ্ছলে জেনে নিয়েছেন। চোখের সামনে দেখছেন, কথাবার্তা বলছেন, তিনি হয়তো তার সম্পর্কে নিশ্চিন্ত। হয়তো স্বাভাবিকই। তবু বাবাইয়ের কোথায় একটা লাগে। উজ্জ্বল মোটেই খুব বিনয়ী, নম্র ছেলে নয়। সে যদি টের পায়, সমাদর জানানোর সঙ্গে-সঙ্গে তাকে যাচাই করা হচ্ছে, এমন একটা ট্যারাব্যাঁকা কিছু করে বসবে, সোনামাসি বরদাস্ত করতে পারবেন না। সে কি উজ্জ্বলকে সাবধান করে দেবে? নাঃ, অনেক ভেবে সে ঠিক করে, না।

মুখে সে বলে, "মাসি, আমার সঙ্গে খেলাধুলোর সূত্রে আলাপ। এখানে ধরুন আমরা দু'জন প্রায় একই পাড়ার লোক। ও নো-ননসেন্স টাইপের ছেলে। যেটা করা উচিত মনে করে, করবেই।"

হঠাৎ সোনা বললেন, "অনেক-অনেক দিন পর কেউ আমায় মাসি বলল। এত ভাল লাগবে, আমি বুঝিনি। আজকাল সবাই একাধার থেকে আন্টি, আন্টি, আন্টি। কান ঝালাপালা হয়ে যায়। এই দিউর বন্ধুগুলো সব যেন হুক্কা হুয়া শেয়াল ডাকছে। বলে না, সব শেয়ালের এক রা!"

উজ্জ্বল এল সাড়ে ন'টা নাগাদ। একটা অফ-হোয়াইট স্পঞ্জি-স্পঞ্জি মতো কলার-অলা টি-শার্ট আর খাকি জিন্‌স পরে। খুব একটা নাটকীয় এফেক্ট হল উজ্জ্বলের আবির্ভাবে। সোনামাসি ওর সম্পর্কে আগাম কিছু জানতেন না বোধহয়। বাবাই তো বলেইনি। বোঝা যাচ্ছে, দিয়াও বলেনি। ছ'ফুট দু'ইঞ্চি, অত্যন্ত সুঠাম, শক্তিমান ছেলেটিকে দেখে কেন কে জানে সোনা ঘোষাল একেবারে আশ্চর্য হয়ে গেলেন।

"তুমি-ই উজ্জ্বল?" ওরা কিছু বলবার আগেই একেবারে সমস্ত নিয়ম ভেঙে উনি বলে উঠলেন।

উত্তরে পাপোশে পা ঘষে উজ্জ্বল ঢুকতে-ঢুকতে বলল, "আমার কি অন্য কেউ হওয়া উচিত ছিল?" তার মুখে মৃদু হাসি।

"না, মানে তুমি তো ব্যায়ামবীর দেখছি। সেই সিক্স প্যাক অ্যাবস না কি আজকাল উঠেছে?"

উজ্জ্বল নমস্কার করল, "গাঁয়ের ছেলে, শরীরটাকেও যদি শক্ত করতে না পারি, বাঁচতে পারব?"

সোনা বললেন, "আমি দেখি কত দূর কী করল। পাঁচ-দশ মিনিটের মধ্যে ডাকব," তিনি যেন এক রকম পালিয়ে গেলেন।

দিয়া সোফায় দু'বার বসে-বসে নেচে নিয়ে বললে, "উজ্জ্বল তুই যে এত হ্যান্ডসাম, মা এক্সপেক্টটই করেনি। হি হি হি হি। আচ্ছা সারপ্রাইজ বল বাবাই।"

উজ্জ্বল বলল, "হ্যান্ডসাম বলছিস! তা হলে এঞ্জিনিয়ারিং ছেড়ে মডেলিংয়ে চান্স নেওয়া যায়?"

বাবাই বলল, "তা কেন, দুটোই করতে পারিস। তোর পড়াশোনার খরচটা উঠে আসবে।"

দিয়া বললে, "এই খবরদার, মডেলিং-এর নাম করবি না।"

"কেন, তোর আপত্তি কীসের?"

"তারপরেই তো বোকা-বোকা সিরিয়াল, তারপরেই ছ্যাতা-পড়া ফিল্ম, তারপর স্বগ্‌গে উঠে যাবি। বোম্বাই সে আয়া মেরা দোস্ত।"

"হলেই বা, সত্যিই যদি তেমন কিছু লেগে যায়, তা হলে টাকাপয়সার ভাবনাটা আর ভাবতে হবে না।"

"নো।" দিয়া রীতিমতো মিলিটারি গলায় বলল, "দিবারাত্র গার্লফ্রেন্ড বদলানো, রোজ-রোজ পাতায়-পাতায় ছবি, একগাদা ফ্যান মেল, ইয়ার্কি, না?"

উজ্জ্বল বলল, "তুই অত শিয়োর হচ্ছিস কী করে, ফিল্মে না নামলেও এবেলা-ওবেলা গার্লফ্রেন্ড বদলানো যায় না বা ফ্যান মেল আসে না?"

দিয়া কেমন মিইয়ে গিয়ে বললে, "তাই বুঝি?"

বাসুদি এসে ডাকল, "খেতে এসো।"

টেবিল জুড়ে লুচি, আলুরদম, স্যান্ডউইচ, ঘুগনি, নানারকম ফল, ফ্রেশ ক্রিম, মাখন, ফ্রুট জুস, দুধ, কফি, চা, কেক, সন্দেশ। উজ্জ্বল দুটো স্যান্ডউইচ, দুটো লুচি আর কালো কফি নিল। ফ্রুট জুস ছুঁল না। আপেল, কলা, আঙুর, শশা, লেবু দিয়ে একটা স্যালাড মতো করে নিল, বাসুদিই করে দিল। তাতে একটু নুন-মরিচ ছড়িয়ে খেয়ে নিল।

"এ কী, কিছুই তো খেলে না? তোমার তো সেই যাকে বলে, লোহা হজম করে ফেলা উচিত।"

"আমাকে স্ট্রিক্ট রেজিমেন মেনটেন করতে হয় মাসিমা। দারুণ খেয়েছি, একদম রাইট কম্বিনেশন।"

দিয়া বলল, "আমিই তো তোর চেয়ে বেশি খেলাম। লুচি আই লাভ,

স্যান্ডউইচটা বাসুদি করে ফ্লুরিজের চেয়েও ভাল। দুধ না খেলে আমার চলে না। আর স্ট্রবেরি দিয়ে ক্রিম তো আমি খাবই। বাবাই খেয়ে দেখ।"

সোনা বললেন, "চলো আমরা উপরের বারান্দায় গিয়ে বসি। চমৎকার গাছপালা দেখা যায়।" তিনি এতক্ষণে উজ্জ্বলের ধাক্কাটা কাটিয়ে উঠেছেন।

॥ ১০ ॥

৭/২ বাড়িটা কেমন ঝিমিয়ে পড়েছে। তিন ভাই, প্রত্যেকের একটি করে স্ত্রী এবং সর্বসাকুল্যে পাঁচটি ছেলেমেয়ে বাড়িতে। বড়জন নিঃসন্তান, বাকিদের মধ্যে মেজ-র তিন ও ছোট-র দুটি। মেজ-র উপরের দুটি ছেলে, একজন কাজকর্ম করছে আর একজন খুঁজছে। ছোটটি মেয়ে, সে পড়াশোনা করছে। ছোটরও দুটি ছেলে। বড় রূপরাজ আজ পনেরো দিন ধরে নিখোঁজ। পুলিশ খোঁজাখুঁজি করছে। এখনও পর্যন্ত কিছু কিনারা করতে পারেনি।

জ্যাঠা বলছেন, "আরও বকো সবাই মিলে, এ আমাদের কাল নয় যে কেউ কানমলা সইবে।"

জেঠিমা বলছেন, "ছেলেটা জেদি সবাই জানে। জোর করে তাকে কিছু করা যাবে না, তবু সায়েন্স নিল না বলে তোমরা বাপ-দাদারা সব তাকে কম শুনিয়েছ?"

"সেইজন্য এতদিন পরে সে বাড়ি থেকে পালাল, কী যে বলো বউদি।" রূপরাজের বাবা বললেন।

বউদি বললেন, "আমি জেনারালি বলছি। আজকালকার ছেলেমেয়েদের কখন কীসে লেগে যায়।"

এত কিছুর মধ্যে রূপরাজের মা অজন্তা একেবারে চুপ হয়ে গিয়েছেন। প্রথমটা ছিল শক, তারপর থেকে তিনি ভাবছেন, শুধু ভেবে যাচ্ছেন। রূপ যে বাড়ির কারও সঙ্গেই তার ভাবনা-চিন্তা ইদানীং ভাগ করত না এ বিষয়ে তিনি নিশ্চিত। এঁদের একটু সেকেলে ধরনের বাড়ি। রূপ ভেতরে-ভেতরে একটু বিদ্রোহী ছিল। গতানুগতিক ভাবনাচিন্তা সইতে পারত না। একটু যেন রাফ, কর্কশ, রূঢ় হয়ে উঠেছিল ইদানীং। ভেতরে-ভেতরে কী চলছিল? 'বন্ধুদের সঙ্গে একটা আউটিং-এ যাচ্ছি', গুছোনো শেষ হয়ে গেলে এই তার প্রথম কথা।

"কোথায় রে?"

"ধরো সুন্দরবন।"

"ধরতে হবে কেন, সত্যি-সত্যি কোথায় যাচ্ছিস?"

"সব কিছুতেই তোমাদের কৈফিয়ত চাওয়ার কী আছে? বড় হয়ে যাইনি এখনও?"

"একে কৈফিয়ত বলে? যত বড় হয়েই যাক, লোকে বাড়িতে তো বলে যায়।"

"দিঘা যাচ্ছি। দু'-চার দিন থাকব। যদি ভাল লেগে যায়, আর একটু এক্সপ্লোর করব। ভাববে না একদম।"

বাস খতম। ওইটুকুর বেশি সে আর কিছু বলেনি। সাতদিন হয়ে যাওয়ার পর আরিয়ানের বাড়ি থেকে ফোন এল, "রূপরাজ কি ফিরেছে?"

"না, আমরাও ভাবছি। তবে ও বলে গিয়েছিল, একটু দেরিও হতে পারে।"

"তাই বলুন, যাক।"

চোদ্দো দিন হয়ে যাওয়ার পর ওঁরা পুলিশে ডায়েরি করলেন। আর তখনই জানা গেল, ওদের সঙ্গে গিয়েছে দিয়া আর বাবাই নামে দুটি মেয়ে এবং আরও একটি ছেলে যার নাম উজ্জ্বল। শুকতারা বলে একটি মেয়ের যাওয়ার কথা ছিল, কিন্তু যায়নি। এবারই তো ব্যাপারটা ঘোরালো হয়ে গেল। বিশেষত রূপরাজের বাড়িতে। এটা কি একটা গ্রুপ ইলোপমেন্ট? হঠাৎ প্রেমে পড়বার ছেলে তো রূপ নয়। যদি বা পড়ে, বাড়িতে জানাল না, কারও সম্মতি বা আপত্তি আছে কিনা জানল না, হঠাৎ এরকম ডুব দিল? সকলেই ছাত্র, কারওই কোনও রোজগার নেই। তখনই কোনও গ্যাং-এর হাতে ধরা পড়ার আশঙ্কাটা সবাইকে চেপে ধরে। যা দিনকাল পড়েছে!

রূপ যতই রাফ হোক, মন্দ কিছু যে সে করতে পারে না এ বিষয়ে অজন্তা নিশ্চিত। তাকে চট করে কেউ কাবু করতে পারবে না, এ বিষয়েও তিনি নিশ্চিত। মেয়ে দু'টির জন্যেই কি ওরা বিপদে পড়ল? দিঘায় পুলিশ চিরুনি তল্লাসি চালিয়েছে। কোনও পাত্তাই করতে পারেনি।

বাবাই যেদিন প্রথম কলেজ গেল হইচই, "এতদিন কোথায় ডুব মেরেছিলি?" বাবাই ঈপ্সাকে লক্ষ্য করছিল, ঈপ্সা বলল, "সত্যি, তুই একটা দেখালি বাবাই,

দশ দিন অ্যাবসেন্ট। সেদিনটাই বা কী করলি?"

"কী করেছি?" বাবাই শান্ত গলায় জিজ্ঞেস করল।

"আরে, আলো নেভবার পর তো তোকে আর দেখতেই পেলুম না। আবার যখন জ্বলল অনেক খুঁজেও তোকে পেলুম না। কে যেন বলল, তুই চলে গিয়েছিস। আমার খুব খারাপ লাগছিল। হঠাৎ আলো নেভায় তুই বোধহয় খুব ঘাবড়ে গিয়েছিলি, আমার ওপর রাগ করেছিস?"

বাবাই বলল, "কোথায়-কোথায় খুঁজেছিলি?"

"এনটায়ার হল, বিহাইন্ড দ্য কাউন্টার, টয়লেট।"

"কে তোকে বলল আমি বাড়ি চলে গিয়েছি?"

"কে যেন কে যেন, দাঁড়া মনে করার চেষ্টা করি।"

"আমার চেনা কেউ?"

"উঁহু, তুই কী করে চিনবি? তোকে র‍্যান্ডম ক'জনের সঙ্গে আলাপ করালাম, তোর কি মনে থাকবে? আমিও সবাইকে থোড়ি চিনি।"

"আলো নিভে যেতে কী করলি?"

ঈপ্সা বলল, "সামবডি কিসড্ মি, সামবডি ট্রায়েড টু পাম্প মাই বলস্। দিয়েছি কামড়ে। তারপর তোকে খুঁজতে গিয়েছি টয়লেটে। সেখানে আবার দেখি দু'জন জড়াজড়ি। বেরিয়ে এসে আর একটা টয়লেট ফাঁকা ছিল। যতক্ষণ না আলো এল ওইখানেই ছিলাম। আলো এল, আমি বেরিয়ে তোকে আরও খুঁজলুম। ওঃ হো রণবীর, ওই পাঞ্জাবি ছেলেটা বলল,ও তো চলে গিয়েছে।"

"রণবীর?"

"তুই চিনবি না, রণবীর কপুর।"

"ঈপ্সা, তুই তো জানতিস এখানে এইসব হয়। আমাকে নিয়ে গেলি কেন? যদি বা নিয়ে গেলি, বলে দিলে পারতিস।

ঈপ্সা বলল, "তুই খুব রাগ করেছিস না? আমি সত্যি জানতাম না রে দশ-পনেরো মিনিট এরকম আলো নিভিয়ে রাখবে। ভ্যালেনটাইন তো, মাফ করে দে। বাবাইয়ের চোখদুটো হঠাৎ জ্বলে উঠল। সে বলল, "ভ্যালেনটাইন মাই ফুট। ডার্টি ডগস্, অ্যাম সোয়ারিং টু টিচ দেম আ লেস্‌ন"

তার জ্বলন্ত চোখের দিকে তাকিয়ে ভয় পেয়ে গেল ঈপ্সা। বলল, "কী হয়েছে রে বাবাই?"

"নেভার মাইন্ড," বাবাই সেখান থেকে সরে গেল। হঠাৎ তার মনের মধ্যে একটা আগুনের শিখার মতো দপ করে জ্বলে উঠল, সেইসঙ্গে ঘেন্না। সে বরাবর মাথা-ঠান্ডা মেয়ে। কেন যে আজ ঈপ্সার সঙ্গে কথা বলার পর তার এই মুড বদল হল, সে জানে না। একেবারে অপ্রত্যাশিতভাবে। ঈপ্সার কথা থেকে মনে হল, ও কিছুই জানে না। তবে একটু-আধটু এইসব ওরা ধর্তব্যের মধ্যে ধরে না। যদি শোনে তাকে আর দিয়াকে ড্রাগ দিয়ে অচেতন করা হয়েছিল, কী প্রতিক্রিয়া হবে ঈপ্সার? যদি শোনে সেই অচেতন দেহ দুটোর উপর জবরদস্তি চালিয়েছে কারা চূড়ান্ত কাপুরুষের মতো, তা হলে? তা হলেই বা কী অবস্থা হবে ঈপ্সার? শুধু তাকে আর দিয়াকেই এরা ভিকটিমাইজ করল কেন সেটাও একটা মস্ত বড় প্রশ্ন। দরকারের সময়ে উজ্জ্বলের সাহায্য পেয়েছে, দিয়া যে নিজে ভিক্টিম সে-ও অনেক সাহায্য করেছে। কিন্তু এবার তাকেই রাশটা নিতে হবে। ঈপ্সা যতটা দেখাচ্ছে, ততটা নির্দোষ কি? ওকে ওখানে নিয়ে যাবার জন্যে অত পীড়াপীড়ি করেছিল কেন, বাজি ছিল নাকি কারও সঙ্গে? কাউকে কি সে কখনও অপমান করেছে নিজের অজ্ঞাতে? কোনওরকম কেতা নেওয়া, মুখ ফিরিয়ে নেওয়া, এরকম কিছু? মনে করতে পারল না সে। একমাত্র সে-ই ভ্যালেনটাইন। সেটার কোনও জবাব সে দেয়নি। কিন্তু সেখানে তো কারও নাম ছিল না। পাশ থেকে ঈপ্সা ঠেলল, "সার তোর দিকে তাকাচ্ছেন, কোথায় হারিয়ে গিয়েছিস?" হুঁশে ফিরে আসে বাবাই।

ক্লাসের শেষে সে খুব হালকা গলায় বলল, "রণবীর কপুর কে রে?"

"ওই তো, 'ক্রাশ'-এর সেক্রেটারি।"

"বুঝলাম, ওর পরিচয়টা কী?"

"পরিচয় মানে তো বাবার পরিচয়? ওর বাবা জেনসেন্স-এর সিইও, মা-ও কোথায় যেন এনজিও চালান। ব্যাপক কামায়।"

"ও নিজে?"

"ও নিজে... বোধহয় হোটেল ম্যানেজমেন্টের কোর্স করছে। কেন, ইন্টারেস্টেড?"

গা জ্বলে গেল বাবাইয়ের। বলল, "হোটেল ম্যানেজমেন্ট, তা হলে সেদিনের ব্যবস্থাও নিশ্চয় ও-ই করেছে সব।"

"তা বলতে পারি না, তবে সেক্রেটারি তো! ওর একটা দায়িত্ব আছে।"

"ওই বাড়িটা কার, রণবীর কপুরের?"

"না তো! ওটা তো ভাড়া নেওয়া হয়েছিল।"

"তুই যে বলেছিলি, কারও না কারও বাড়িতে হয়।"

ঈপ্সার কাছে যেটুকু জানা গেল, রণবীর কপুর সেক্রেটারি। জনৈক দেবার্ক সরকার প্রেসিডেন্ট, মেম্বার অনেক। তবে নিয়মিত যারা যায় তাদের সংখ্যা কম। কার অত সময় আছে প্রতি শনিবার হল্লা করতে যাবে? কারও বাড়িতে হয়। তবে বাড়িগুলো একটু অদ্ভুত। যেদিন বাপ-মা কেউ থাকেন না, বা যার বাড়িতে অন্য আলাদা মহল আছে, সেখানেই হয় এগুলো। সাধাবণত মিউজিকের সঙ্গে নাচ, আড্ডা, কেউ কেউ ড্রাগ নেয়, বোতলও চলে। ঈপ্সারা কেউ এই ক্লাবের আসল চরিত্রের কথা বাড়িতে বলে না, তা বললে যাওয়া একেবারে বন্ধ হয়ে যাবে। ওরা যেদিন যায়, বলেই দেয় ড্রাগ-ফাগ চলবে না। বিশেষ-বিশেষ দিনে খুব ফুর্তির আয়োজন হয়, যেমন সেদিন হয়েছিল। দেশাই সারের ক্লাসের সৌজন্যে ওখানে অনেক অন্য কলেজের বা স্ট্রিমের বন্ধুদের সঙ্গে জানাশোনা ওদের। রূপ যেমন সেদিন প্রথম গেল, দিয়া মাঝে মাঝে যায়। দিয়া খুব পিকিউলিয়ার, সবাই ওকে জব্দ করবার কথা ভাবে।

"সে কী? ও তো এমনিতেই ডিপ্রেস্‌ড্‌, ওকে জব্দ করবার ভাবনা ইনহিউম্যান।"

ঈপ্সা বলল, "দেখ বাবাই তুই সব কথা জানিস না, কমেন্ট করবি না। দিয়ার অনেক অ্যাডমায়রার আছে। কিন্তু ও সবাইকে এমন তাচ্ছিল্য করে যে, আমাদেরই গা জ্বলে যায়। হয়েছে-হয়েছে তোর চেহারা সুন্দর, না হয় তুই অনেক টাকার মালিক, ওরকম যেন আর নেই। এই তো শুকতারাই বিশাল বড়লোক, গ্ল্যামারাস। কই অমন তো করে না?"

বাবাই বলল, "ও তাই ছেলেদের রাগ ওকে বাগে পাচ্ছে না বলে? আর তুই একটা মেয়ে হয়ে জিনিসটাকে সাপোর্ট করছিস, জাস্টিফাই করছিস? বাঃ।"

"ছেলেমেয়ে, ফেমিনিস্ট, জেন্ডার ডিফারেন্স এসব ইতিহাস হয়ে গিয়েছে বুঝলি বাবাই। তোরা গ্রামে থাকিস বলে টের পাস না। এখন সবাই সমান।"

বাবাই বলল, "হ্যাঁ, সবাই সমান বলেই কাগজভর্তি বধূহত্যা, বধূ নির্যাতন আর রেপের খবর। আচ্ছা ঈপ্সা, তোকে কেউ অজ্ঞান করে রেপ করলে তোর কেমন লাগবে?"

“অজ্ঞান কী করে করবে?” ঈপ্সা অবাক।

“ধর, তোর ড্রিঙ্কের সঙ্গে ঘুমের ওষুধ মিশিয়ে দিল।” বাবাই ওর দিকে তাকিয়ে আছে।

“কার এত সাহস আছে?” ঈপ্সা তেড়ে উঠল।

“ধর না এমন ঘটল, কী করবি?” বাবাইয়ের হেলদোল নেই।

“পুলিশে খবর দেব, সে মক্কেলকে যদি পাই চোখ খুবলে নেব, জিভ টেনে ছিঁড়ে নেব।”

“গুড, তুই প্রতিহিংসার কথা ভাবছিস, হিন্দি সিনেমা।”

“তুই কি বলতে চাস ছেড়ে দেব লোকটাকে?”

“তুই তো জানিসই না কে, জ্ঞান হতে দেখলি তোর জামাকাপড়ে রক্ত। সারা শরীরে প্রচণ্ড যন্ত্রণা, বিশেষ-বিশেষ জায়গা ফেটে যাচ্ছে যন্ত্রণায়।”

“বাবা, তুই এমন করে বলছিস, যেন সত্যি-সত্যি এরকম ঘটেছে।”

“ঈপ্সা, তুই কাগজ পড়িস না? ক'দিন আগেই গোয়ার আঞ্জুনা বিচে একটা মেয়ের অবিকল এই দশা হয়েছিল। তাকে আবার জলের ধারে ফেলে রাখা হয়েছিল, যাতে অজ্ঞান অবস্থায় মেয়েটা ডুবে মরে যায়। গেলও তাই। ওর জায়গায় নিজেকে কল্পনা কর। তারপর গ্রাম শহর, জেন্ডার ডিফারেন্স, দিয়াকে জব্দ করা, এসব বিষয়ে কথা বলতে আসিস।”

বাবাই ঈপ্সার পাশ থেকে বেরিয়ে গেল। রাগ চোখের জল হয়ে ফেটে বেরোবার উপক্রম হয়েছিল। সে অনেক কষ্টে বকে ধমকে তাকে ভেতরে পাঠায়।

॥ ১১ ॥

গরম ক্রমে বাড়ছে। সইয়ে-সইয়ে বাড়ছে। গোড়ায় দুম করে হাওয়াটা পড়ে গেল। আকাশে সাদাটে মেঘের আস্তর। তবে কি আবার বৃষ্টি, জলো শীত না একটা চাপা ভাব আবহাওয়ায়! তারপর মেঘ সরে গেল। উজ্জ্বল রোদ। বাইরে তাপ, ভেতরে এখনও আরামদায়ক। তারপর বাইরে তাপ, ভেতরে গুমোট। এখনও রাধাচূড়ায় কাগজকুসুম, সন্ধে হলে ঝিরঝিরে হাওয়া, কালবৈশাখীর তোড়জোড়। হঠাৎ সব শুনশান। আকাশের লাল চোখ সাদা। মেঘ সরে

যাচ্ছে, ঝড়ো হাওয়ার ঠিকানা নেই, আবারও বসন্ত।

ধ্রুবজ্যোতি হাফ-হাতা পাঞ্জাবি ধরেছেন। বেশি হাঁটতে পারছেন না। এক পাক ঘুরতেই জামা ভিজে চুপচুপে। গাছের ছায়ায় বসে জিরোচ্ছেন। হঠাৎ খেয়াল হল, স্নিকার্স, শর্টস এবং গোলগলা হাতকাটা এক ধরনের টি-শার্ট পরে যে ছেলেটি দৌড়চ্ছে, তাকে তিনি চেনেন। চিনতে তো অনেককেই পারেন। সেটাই স্বাভাবিক। কিন্তু একে তিনি একটু বিশেষরকম চেনেন। কারণ এর নাম আরিয়ান। ছেলেটি ফরসা, বেশ সুগঠিত। ডান হাতে একটা চোখে পড়ার মতো উল্কি, নীল রঙের ড্র্যাগন। ছেলেটার চেহারায়ও একটা ড্র্যাগন-ড্র্যাগন-ভাব আছে কি? একটা লিকলিকে অথচ পেশি-কঠিন, নমনীয় শরীর। কত লম্বা হবে! পাঁচ দশ, কি এগারো। খোলা জায়গায় দৈর্ঘ্য ঠিক আন্দাজ করা যায় না। মাথায় এখন খুব ঝাঁকড়া চুল, মুখটাও বেশ বড়সড়। ছেলেটিকে কি হ্যান্ডসাম বলা চলে? তা হয়তো চলে। কিন্তু আকর্ষক বলা যাবে না। সব থাকা সত্ত্বেও, এক মাথা চুল, ফরসা রং, সুন্দর বডি, পুরুষালি ভুরু, লম্বা নাক, সবই রয়েছে। কী যেন একটা নেই বা আছে, যার জন্য শুধু অনাকর্ষক নয়, একটু যেন বিতৃষ্ণাকর। ছেলেটি সেকেন্ড রাউন্ডে যখন কাছাকাছি এল, তিনি ভাল করে লক্ষ করে দেখলেন। ওর চিবুক ছোট, ঠোঁটদুটো একেবারে একটি সরলরেখা, চোখ দুটো আবার বড়-বড় যেন ফেটে বেরোতে চায়। তাঁর খুব আনপ্লেজেন্ট লাগছে। কে জানে এই সবের ভিতরেই হয়তো 'টপ সেক্সিনেস' লুকিয়ে আছে। তিনি দেখতে পাচ্ছেন না, রমণীরা দেখতে পায়। বিজ্ঞাপকরাও দেখতে পায়।

ওকে একটু তাতিয়ে দেবার জন্য তিনি মুখিয়ে উঠলেন। তৃতীয় রাউন্ডে ও দৌড়োচ্ছে আস্তে আস্তে, তাঁর কাছাকাছি এসে মন্থর হতে-হতে থমকে গেল একেবারে। হয়তো তাঁর প্রবল ইচ্ছাশক্তির জোরেই তাঁর কাছাকাছি এসে বসল, একটু শিথিল হয়ে হাঁটুর উপর হাত লম্বা করে বসেছে।

"স্পোর্টসম্যান না কি?" তিনি সন্তর্পণে জিজ্ঞেস করেন।

"আই লাভ স্পোর্টস," উত্তর এল।

"তোমার বডিটি তো বেশ, কোন স্ট্রিমে আছ?" অতি সন্তর্পণে তিনি জিজ্ঞেস করেন।

"মেডিক্যাল।"

"ইউ ক্যান বি অ্যান এগজাম্পল টু ইয়োর পেশেন্টস।"

“হু ওয়ান্টস পেশেন্টস? বো...রিং। বাবা মা’র জোরাজুরিতে। কিছু মনে করবেন না, আপনাদের জেনারেশন হেভি জুলুমবাজ।”

“শুনলে কেন?”

বুড়ো আঙুল দিয়ে তর্জনীতে টোকা দিয়ে আরিয়ান বলল, “এই জিনিসটা তো ওদেরই কাছে।”

“তুমি মডেলিং করে রোজগার করতে পারো কিন্তু।”

হঠাৎ আরিয়ান ঘুরে বসল, “ইউ থিঙ্ক সো, অ্যান্ড সে সো?”

“বলছি।”

“আপনার কাছ থেকে আশা করিনি। আপনি, ডোন্ট মাইন্ড, আমার মা-বাবার জেনারেশনের চেয়েও সিনিয়র।”

ধ্রুবজ্যোতি মৃদু হাসলেন। আরিয়ান একটু চেয়ে রইল। হাসিটার মানে যে সে অনুধাবন করতে পারছে না এবং তা না পেরে একটু বোকা বনেছে, এটা বুঝতে তাঁর অসুবিধে হল না।

সিনিয়র সিটিজ়েন বলে একটা কথা হয়েছে আজকাল, ষাটোর্ধ্বদের বোঝার। সোজাসুজি বুড়ো বা বৃদ্ধ না বলে সিনিয়র সিটিজ়েন। এখন ষাট বছরেও অনেকেই বুড়ো হন না। সিনিয়র সিটিজ়েন বলে দিলে আর কোনও গোল থাকে না। ৬১-ও সিনিয়র সিটিজ়েন, ৯১-ও তাই। কিন্তু আরিয়ানের দিকে তাকিয়ে তাঁর মনে হল, জুনিয়র সিটিজ়েন বলে শব্দগুচ্ছটাও তৈরি হওয়া উচিত। অল্পবয়স, ছেলেমানুষ, যুবক, তরুণ এইভাবে ভাগাভাগি না করে গড়পড়তা জুনিয়র সিটিজ়েন। ১৫ থেকে শুরু করে ৩০ পর্যন্ত। ৩০ থেকে ৬০ পর্যন্ত এদের কী বলা হবে, এন এস এন জে? নিদার সিনিয়র নর জুনিয়র।

তিনি বললেন, “তোমার মনের কথাটা আন্দাজ করতে পেরেছি বলে অবাক হচ্ছ? সিনিয়র সিটিজ়েন হয়ে গেলে একটা উঁচু টিলায় উঠে দাঁড়ানোর মতো অনুভূতি হয়। বহুদূর পর্যন্ত সব কিছু,তাদের খুঁটিনাটি, তাদের পশ্চাৎপট নিয়ে দেখা যায়। আমি স্পষ্ট দেখতে পাচ্ছি, তুমি সন্তুষ্ট নও। ভিতরে একটা বিটারনেস কাজ করছে, কেমন?”

“সর্ট অফ,” আরিয়ান পুরোপুরি ধরা দিতে চাইল না।

তিনি বললেন, “দেখো, তুমি মেডিক্যাল পড়ার চান্স পেয়েছ, মানে কিন্তু তুমি এলেমদার ছেলে। জয়েন্টটা তো পার করতে হয়েছে। তার উপর তোমার বাবা-মা উভয়েই ডাক্তার...”

"কী করে জানলেন?" ভারী আশ্চর্য হল জুনিয়র সিটিজেনটি।

আবার সেই রহস্যময় হাসিটা হাসলেন তিনি, "আন্দাজ করলাম, মিলে গেল।"

"আপনি নিশ্চয়ই অ্যাস্ট্রলজার। কপাল-টপাল দেখে অনেক কিছু বলে দিতে পারেন।" খুব ব্যগ্রভাবে বলল সে।

"দূর, সিম্পলি আন্দাজটা মিলে গিয়েছে। ডাক্তারি সংস্কারটা তাই তোমার রক্তেই থাকার কথা বুঝলে? আজ বুঝতে পারছ না কিন্তু ভবিষ্যতে খুব সফল ডাক্তার হওয়ার সম্ভাবনা তোমার রয়েছে।"

"কে চায় সফল ডাক্তার হতে? নো ফান ইন লাইফ। কতকগুলো নেগেটিভ জিনিস নিয়ে জীবন কাটানো!"

"বলছ কী, জীবন বাঁচানোটা নেগেটিভ? এর চেয়ে পজিটিভ আর কী হতে পারে মাই ফ্রেন্ড? এই যে ফান কথাটা ইউজ় করলে, এটা তো এনিওয়ে এখন পুরোপুরিই করে নিচ্ছ। আড্ডা, ডিসকো, নাইট ক্লাব, ডেটিং সবই তো হচ্ছে। খুব শিগ্‌গিরিই এগুলো আর ভাল লাগবে না, তখন?"

"জীবনটাকে প্রচণ্ডভাবে উপভোগ করে নিতে চাই আমি, প্রচণ্ডভাবে। যতদিন পারি, এই সময় তো চিরকাল থাকবে না।"

"ও সেটা তুমি জেনে গিয়েছ? সময়টা চিরকাল থাকবে না। কী জানো আরিয়ান, ভগবান বা প্রকৃতি যা-ই বলো, মানুষের জীবনের স্টেজগুলো উলটে দিলে ভাল করতেন। ধর, প্রৌঢ় বয়সটা প্রথমে এল, লেখাপড়া ট্রেনিং সব চমৎকারভাবে হয়ে গেল, তারপর তোমার যাকে বলে এনজয়মেন্টের কাল।"

"হোয়াট ননসেন্স!"

"আহা আমি একটা হাইপথেটিক্যাল কথা বলছি। কিন্তু একই সঙ্গে ট্রেনিংয়ের সময় আর যৌবনচাঞ্চল্য দিয়ে ভদ্রলোক আমাদের খুব মুশকিল করে দিয়েছেন। দুটোর ব্যালান্স করা সোজা কথা নয়।" তিনি দুঃখে মাথা নাড়তে থাকলেন।

আরিয়ান বলল, "একবার বললেন মডেলিং করে টাকা উপার্জন করতে, তারপরে বলছেন ডাক্তারি করতে..."

"না, না, না, না। আমি কোনওটাই করতে বলিনি হে জেসি, স্যরি জুনিয়র সিটিজ়েন। তোমার সামনে এই দুটো পথ প্রবলভাবে খোলা আছে, সেটাই ডিসকাস করছিলাম।"

“আমিও প্রবলভাবে বলছি, আমি শো-ম্যান হতে চাই। আপনার যদি জ্যোতিষ-টৌতিষ জানা থাকে কাইন্ডলি বলুন না, মডেলিংয়ে চান্স কেমন?”

“তুমি আজকালকার ছেলে, জ্যোতিষ বিশ্বাস করো?”

“বিশ্বাস না করার কী আছে? আমাদের বন্ধুরা কতগুলো আংটি তাবিজ পরে তা জানেন?”

“তোমার হাতটা দেখি একবার।”

সাগ্রহে হাত বাড়িয়ে দিল আরিয়ান। হাতের তেলোর উপর দিয়ে আঙুল বুলোতে লাগলেন ধ্রুবজ্যোতি। এর ব্রেনলাইন আর হার্টলাইন এক, খুব বিরল কেস। ভেতরে কোনও দ্বন্দ্ব নেই। হার্ট আর ব্রেন এক পথে এক মতে চলে। তিনি বিশেষ কিছুই জানেন না। তবু ভাব দেখাতে হল যেন অনেক জানেন। আয়ুরেখাটা শেষ পর্যন্ত পৌঁছোয়নি তবে একটা হেল্‌পলাইন রয়েছে। ভাগ্যরেখা মোটামুটি। সানলাইন বলে কিছু নেই।

“তুমি মডেলিং-এ চেষ্টা করেছ?” আস্তে আস্তে বললেন।

“নিজের অ্যালবাম করেছি, সিভি আপ টু ডেট রাখি। বন্ধু-বান্ধবের চেনাজানাতে দু’-একটা করেছি। কই আর তো ডাকে না?” গলায় সামান্য হতাশার সুর।

“তুমি একটা ফ্রেঞ্চকাট দাড়ি আর সরু গোঁফ রাখো, তারপরে দেখো কী হয়। নাচ শেখো নাকি?”

“শিওর, না হলে শো-ম্যান হব কী করে?”

“দেখো, আমি কিন্তু হাত দেখে বলছি তোমার খুব যশস্বী হওয়ার ভাগ্য নয়। তা হলে শো-ম্যানটা হবে কী করে? অথচ দেখছি টাকাপয়সা, কর্মস্থান সব ভালই।”

“মানে বস্‌ টাকা রেখে যাবে আর আমি হসপিটালের আরএমও হয়ে ঘষটাব এই আর কী! আচ্ছা বাই,”জুনিয়র একটু লাফিয়ে উঠে দাঁড়াল।

তিনি বললেন, “হাত সব নয়। হাত তৈরি করা যায় সংকল্প দিয়ে, সব রেখা পাল্টে যায়।”

“কনসোলেশন প্রাইজ?” বলে একবার হাসল আরিয়ান। তারপর বড়-বড় পা ফেলে চলে গেল।

লোকটা কিছু জানে। কিছু ঠিকঠাক বলল, কিছু চেপে গেল। চাপলটা কী? এনি ওয়ে, কপুরদের ফ্যামিলি অ্যাস্ট্রলজার আছে, তার কাছে যাওয়া যাবে

একদিন। আংটি-ফাংটি যা বলবে পরে নেওয়া যাবে। সে বাড়ির দিকে চলল। হাঁটা পথ পাঁচ-মিনিটের। মেঘনাদ সাহার স্ট্যাচু পেরিয়ে চলে গেল। রাস্তা পেরিয়ে শরৎ বোস রোড, লম্বা লম্বা পায়ে হেঁটে পার হয়ে গেল। দেশপ্রিয় পার্কে তার বাড়ি। বাইরের ধাপগুলো একলাফে পেরিয়ে পকেট থেকে চাবি বার করে দরজা খুলল সে। সামনেই একটা আয়না। ওপরে ঢাকনা পরানো আলো। দরজা বন্ধ করে আয়নার সামনে দাঁড়াল সে। ফ্রেঞ্চকাট দাড়ি আর সরু গোঁফ, মন্দ বলেনি লোকটা।

॥ ১২ ॥

বসন্তকাল বলতে ঠিক যা বোঝায় তা এ শহরে বেশিদিন থাকে না। কিন্তু আসে, সামান্য তপ্ত আবহাওয়া কিন্তু হাওয়ার ক্লান্তি নেই। কেমন একটা সুগন্ধ ধোঁয়া ওঠে ভূতল থেকে। পুষ্প, তৃণ, নবোদ্‌গত পত্ররাজির গন্ধ কি? হঠাৎ-হঠাৎ কীসের স্পর্শে গায়ে কাঁটা দিয়ে উঠে। উত্তর ষাটেও এই বাসন্তী হরখিলা মুগ্ধতায়, প্রসন্নতায় মাখিয়ে দিয়ে যায় তাঁকে। ভাল লাগতে থাকে জীবন। শুধু বারান্দায় বসে বাঁচতে, শুধু কুসুম-বিছানো পথে হেঁটে হেঁটে বাঁচতে। সংযুক্তাও কেমন নতুন হয়ে ওঠেন। ত্বকের ওপর একটা নতুন আভা, ঘরে ফেরা ক্লান্তির ওপর লাবণ্য মাখানো। গা ধুয়ে, ভাল করে ট্যালকম পাউডার মেখে একটা আকাশি রঙের শাড়ি পরে বারান্দার চায়ের আসরে যোগ দেন সংযুক্তা। মিলু এবার পটে করে চা নিয়ে আসে, নানারকম বিস্কুট ওঁদের দু'জনেরই একটা বিলাস।

"আচ্ছা সংযুক্তা, তুমি কি টের পাও বসন্ত বদলেছে?"

"আমাদের কথা বলছ তো?"

"ন্যাচার‍্যালি।"

"তা হলে ভাবতে হয়। আমার তো আবার প্রত্যেক ঋতু পরিবর্তনকেই একটা করে বসন্ত মনে হয়। আগেও হত, এখনও হয়। কেমন একটা রোমাঞ্চ," ভেবে-ভেবে বললেন সংযুক্তা। "তবে কী জানো এখন সেটাকে ট্যাক্‌ল করতে পারি, আগে পারতাম না। কেঁদে, মন কেমন করে, বিষাদে, আহ্লাদে আকুল হয়ে যেতাম।"

"ভালবাসতে না?"

সংযুক্তা হেসে বললেন, "আমি অন্তত সবচেয়ে ভালবাসতুম নিজেকে। নিজেই নিজেকে নির্জনে প্রেমনিবেদন করতুম, একটা পছন্দসই চরিত্র খাড়া করে নিতুম। সে আমাকে খুব ভাল-ভাল কথা বলত।"

"প্রেম নিবেদন কতটা পর্যন্ত, ফিজিক্যালি যেত?"

"একদম অসভ্যতা করবে না," সংযুক্তা একটু লাল হয়ে বললেন।

"তবে হ্যাঁ যৌবনে, মানে প্রথম যৌবনে সারা বছরই বসন্ত," চায়ে চুমুক দিয়ে ধ্রুব বললেন।

"তোমাদের আর কী! আমাদের বর্ষায় কাপড় শুকোবার, চুল শুকোবার মুশকিল। গ্রীষ্মে ঘামতে ঘামতে রান্না করা।"

"তুমি করতে নাকি?" ধ্রুব হেসে জিজ্ঞেস করলেন।

"আমি না হলেও, আমার মাকে তো করতে হত।"

"তাঁর তো তখন নবযৌবন না, সেটা তোমার।"

"আজ্ঞে না, আমাদেরও করতে হত। চা, টোস্ট, কফি এসব করতে হত।"

"আচ্ছা সংযুক্তা একটু ভেবে বল তো," ধ্রুবজ্যোতি বললেন, "বসন্তটা কি শুধু প্রেমের, সেক্সের সুড়সুড়ি?"

"আমাদের ক্ষেত্রে অন্তত না।"

"আবার বহুবচন করছ কেন? বহুর কথা তুমি জানো না, তোমার কথা বলো।"

"আমার মন কোথায় উধাও হয়ে যেত। কার জন্য, কীসের জন্য যেন মন কেমন করে উঠত থেকে থেকে। ফুটন্ত ফুলে-ভরা গাছগুলোর দিকে তাকিয়ে পথে চলতে-চলতে কেমন একটা উচ্ছ্বাস, একটা পুলক হত। সেটা এখনও হয়। হয়তো অতটা না, কিন্তু হয়। তোমার?"

ধ্রুবজ্যোতি বললেন, "সেই জন্যেই তো তোমায় জিজ্ঞেস করছিলুম। আমরা মেয়েদের দেখে পুলকিত হতুম ঠিকই, আমার কিন্তু বেশ ভাল মন্দ বিচার ছিল। তবে বেশির ভাগ বসন্তই গিয়েছে কবিতা লিখতে। আকাশে-বাতাসে কবিতা ভাসত। খুব পড়তুম তখন, রবীন্দ্রনাথ নিয়ে বুঁদ হয়ে থাকতুম। যত না প্রেম, তার চেয়ে বেশি প্রেমের কথা ভাল লাগত,

সে ভোলে ভুলুক কোটি মন্বন্তরে
আমি ভুলিব না আমি কভু ভুলিব না।

সুধীন দত্ত পড়তে পড়তে ফিদা হয়ে যেতুম। রবীন্দ্রনাথের ‘অসম্ভব’ আবৃত্তি করতুম মনে-মনে,

দূর হতে শুনি বারুণী নদীর তরল রব
মন শুধু বলে অসম্ভব, এ অসম্ভব।

আর সেই যে...

বোলো তারে, বোলো,
এতদিনে তারে দেখা হল।
তখন বর্ষণশেষে।
ছুঁয়েছিল রৌদ্র এসে
উন্মীলিত গুল্‌মোরের থোলো।

সেই সব বৈদেহী কল্পনা, নীল কুয়াশার মতো আচ্ছন্নতা, রোম্যান্টিক বিরহবেদনা, ব্যক্তিনির্ভর নয় একেবারেই। এসব কি ঘটে না এখনকার তারুণ্যে? তারুণ্য তা হলে জানকারি পেল অনেক, কিন্তু হারাল এমন এক ভরাট ব্যঞ্জনাময় প্রতীক্ষা, যার হিসেব অঙ্কে হয় না।

দুটি তরুণ-তরুণী বসেছিল তাঁর সঙ্গে একই বেঞ্চে। তিনিই প্রথমে বসেছিলেন। ওরা এল পরে। সুতরাং তাঁর উঠে যাওয়ার প্রশ্ন নেই। কিন্তু তিনি কিছুক্ষণ পর সবিস্ময়ে শুনলেন, ছেলেটি মেয়েটিকে বলছে, ‘অফ কোর্স শোব। কিন্তু বিয়ে-টিয়ে করতে পারব না।’

এই ভাষা এবং এই বক্তব্য। একজন তৃতীয় ব্যক্তি ধারে-কাছে থাকলেও কিচ্ছু এসে যায় না। মিলনের যে রোমাঞ্চ বহু বহু যুগ ধরে মানুষ গড়ে তুলেছে, একটা কথায় তা ভূমিসাৎ হয়ে গেল। এরা সব জেনে গিয়েছে, মিলন এদের ভেতর কোনও প্রতীক্ষা, কোনও দায়, কোনও রেশ রাখে না। দে জাস্ট হ্যাভ ফান। আর কোনও আড়ালও রইল না। অদূর ভবিষ্যতে হয়তো দেখা যাবে, মানুষ-মানুষী কুকুরের মতো রাস্তায়-ঘাটে সঙ্গম করছে। যে-কোনও পার্কময় অসংখ্য উলঙ্গ, সঙ্গমরত যুগল। কখনও কখনও তৃতীয় একজন এসে কামড়াকামড়ি করছে, এদের পাশ দিয়ে সিনিয়র সিটিজেন কুকুরের চেন হাতে ধরে কিংবা নাতি-নাতনির হাত ধরে বেড়াচ্ছেন। কারওই হয়তো কোনও বৈলক্ষ্যণ্যও নেই। না বৃদ্ধের, না শিশুর, না কুকুরের। তার মানে, সেই আদিমতায় প্রত্যাবর্তন। যখনকার অবস্থান থেকে মানুষ ধীরে

ধীরে অন্তরাল, আচ্ছাদন এসব সৃষ্টির সূক্ষ্মতা অর্জন করেছিল। মানুষ আর পশুর পার্থক্য তৈরি হয়েছিল।

তিনি ভাবতে লাগলেন, সেই অদূর অ-সভ্য দুনিয়ায় ললিতকলা বলে কিছু থাকবে কী? ক্র্যাফ্‌ট হয়তো বেঁচে থাকবে, কিন্তু ফাইন আর্টস নয়। সূক্ষ্মবোধ ছাড়া সূক্ষ্মতার শিল্প কী করে থাকবে? যন্ত্র তৈরি হবে, আরও উন্নত যন্ত্র সব। কিন্তু শিল্প হবেও না, তার অভাবও কেউ বোধ করবে না। ভালবাসা থাকবে না, প্রত্যেকটা সম্পর্কই কেজো। ভালবাসা না থাকলে শিশুরা কী করবে? শিশুরা শুধু বেড়ে উঠবে, তাদের কাছেও সব কিছু খোলাখুলি থাকবে। তারা বুঝতে পারবে না। শিশুরা থাকবে, কিন্তু তারা শিশু থাকবে না। তা হলে তাদেরও একটা নতুন নামকরণ দরকার। কী নাম, কী নাম! আই সি? ইম্যাচিওর সিটিজ়েন?

ভাবতে-ভাবতে কেমন হাত-পা ভেতরে ঢুকে যেতে লাগল তাঁর। 'স্মারং স্মারং স্বগৃহ চরিতং দারুভূতো মুরারি।' তিনি জগন্নাথ হয়ে যাচ্ছেন। তাঁর মতো জগন্নাথ অনেকেই হচ্ছে, হবে। মনু দীক্ষিত তো বটেই। সংযুক্তা খুব প্র্যাকটিক্যাল, মানিয়ে নেওয়ার ক্ষমতা খুব। তবু বোধহয় ও জগন্নাথ না হয়ে পারবে না। সারি সারি জগন্নাথ দেখতে-দেখতে তিনি বিন্দুবৎ হয়ে যাচ্ছিলেন, যদি না তাঁকে চৈতন্যে ফিরিয়ে আনত অন্য মানুষের উপস্থিতি। একলা একলা ভাবা খুব বিপজ্জনক তা হলে। অথচ একলা না হলে ভাবনাও আসে না। গভীর, ভরাট, বিস্তৃত হতে পারে না। না ভেবেই বা কী করে বাঁচবেন তিনি, ভাবনা ছাড়া বাঁচা যায়?

॥ ১৩ ॥

কারা এল? সর্বনাশ! আবার দুটি তরুণ-তরুণী। এবার কি মেয়েটিই ছেলেটিকে ওই কথা বলবে নাকি? 'শোব, কিন্তু বিয়ে-টিয়ে করব না।' তিনি উৎকর্ণ হয়ে রইলেন, কারণ ভয় পেলেও তাঁর কৌতূহল ছিল। শুনলেন ছেলেটি মেয়েটিকে বলছে, "আমি কিন্তু তোর উপরই ভরসা করছি। তুই-ই ওখানে নিয়ে গিয়েছিলি আমাকে। আধুনিকতায় আমার আপত্তি নেই, কিন্তু বেলেল্লাপনায় আছে। আমি নাচ পর্যন্ত যেতে পারি, যদিও জিনিসটা কেমন

অর্থহীন ন্যাকাপনা লাগে আমার। তবু যাই হোক, তুই নাচলি আমি একটু কোমর দোলালুম, কি স্টেপস নিলুম ঠিক আছে। এক পেগ দু'পেগ খেতেও আমার আপত্তি নেই। কিন্তু তাই বলে সিগারেটে কোকেন? না বলে? দ্যাটস ক্রাইম। এবং রিনা, হঠাৎ আলো নিবে যেতে যে খামচাখামচি শুরু হয়েছিল তা সোজা-সরল-ভাষায় ডার্টি, ডার্টি, ডার্টি।"

"বিশ্বাস কর, আমি জানতাম না এরকম হবে," মেয়েটি ক্ষীণ গলায় বলল। "আমি তো বেশি যাই না। যেদিন যাই মিউজিকের সঙ্গে নাচ হয়, আমার ভালই লাগে।"

"রিনা, বি রেডি ফর ডার্টিয়ার অ্যান্ড মোর ডেঞ্জারাস থিংস। জানিস কী, ওখানে দু'জন মেয়ের ড্রিঙ্কে কিছু ড্রাগ মেশানো হয়েছিল যাতে ওরা অজ্ঞান হয়ে যায়? তারপর তাদের রেপ করা হয়েছে।"

মেয়েটি যেন শক খেয়ে সোজা হয়ে গেল। বলল, "যাঃ!"

"রিনা, অন্ধকার হতেই খামচানি খেতে-খেতে তোকে নিয়ে আমি বেরিয়ে এলুম। আমি ভেবেছি, জাস্ট লোডশেডিং। আমরা বাইরে বেরিয়ে কিছুদূর যাবার পর আলো এসে গিয়েছিল, কিন্তু আমরা আর ফিরিনি। যারা ছিল তারা কী অবস্থায় ছিল আমরা জানি না, কিন্তু উজ্জ্বল মিথ্যে কথা বলার ছেলে নয়।"

খুব চুপিচুপি দু'জনের মধ্যে কিছু কথাবার্তা হল। তার সবটা তিনি শুনতে পেলেন না। রিনা বলে মেয়েটি বলল, "আমি দেখছি কী করতে পারি। কিছু তো জোগাড় করতে পারবই। তুই যা বলছিস তাতে তো... সত্যি বলছি.. ওরা এতদূর যেতে পারে, আমার ধারণায় ছিল না। দূর, আমার বিশ্রী লাগছে, আমি বাড়ি চললাম।"

"যা, কিন্তু যা বললুম, মনে রাখবি। ইনফর্মেশন আমার চাই-ই।"

মেয়েটি উঠে পড়ে হঠাৎ আবার কেমন ভেঙে গিয়ে বসে পড়ল, মুখ ঢেকে কাঁদতে লাগল।

ছেলেটি ওকে সান্ত্বনা দেবার কোনও চেষ্টা করল না। একটু পরে বলল, "কাঁদছিস, রাগতে পারিস না? রাগগুলো কোন অকেশনের জন্য রেখে দিচ্ছিস তবে?"

মেয়েটি বেজার মুখ উপরে তুলে বলল, "সব কান্নাই কান্না নয় রূপ, দিস ইজ অ্যাঙ্গার, অ্যান্ড অ্যাঙ্গার হ্যাজ মেনি মেনি এক্সপ্রেশন্স," উঠে চলে গেল।

ছেলেটি চুপচাপ বসে রইল। এই তা হলে রূপরাজ! আসলে কম দেখেছেন, তাই চিনতে পারেননি সাঁঝবেলার আলোয়।

একটু পরে সাহস করে তিনি বললেন, "তুমি তো বেশ কড়াধাতের ছেলে দেখছি ইয়ংম্যান।"

সে চমকে উঠল, তারপর তাঁর দিকে ফিরে বলল, "ও, আপনি, কিছু বলছিলেন?"

"বলছিলাম, তুমি তো বেশ কড়া ধাতের।"

"কেন?"

"গার্লফ্রেন্ড কাঁদতে কাঁদতে চলে গেল, একটু সান্ত্বনা পর্যন্ত দিলে না। দিস ইজ টু ব্যাড।"

"রিনা গার্লও বটে, ফ্রেন্ডও বটে। কিন্তু গার্লফ্রেন্ড নয়।"

"আহা, শুধু বন্ধু হলেও কিছু দায় বর্তায়।"

"ওটা দায়ের ব্যাপার নয়। মানে, দু'জনেরই দায়ের ব্যাপার। আপনি বুঝবেন না। একটা ঘটনা ঘটেছে, তাতে আমরা দু'জনেই খুব ডিসটার্বড। উই শুড ডু সামথিং অ্যাবাউট ইট।"

ছেলেটির ঠোঁটের রেখা দৃঢ়তর হল। একটু পরে সে হঠাৎ তাঁর দিকে ফিরে বলল, "আপনি হলে কী করতেন?" তারপর তিনি যা ইতিমধ্যেই জেনে গিয়েছেন, সেই দিয়া আর বাবাইয়ের ঘটনাটা নাম না করে সে তাঁকে বিশদ বলল।

"আমরা যখন তোমাদের বয়সি ছিলাম, এরকম ঘটত না," তিনি বললেন। "আমাদের মধ্যে এসব জিনিস তখন আসেনি। উই ওয়্যার ব্লেসেডলি পুওরার ইন আওয়ার রিসোর্সেস। ছোটদের মধ্যে মদ-হুল্লোড়ের পার্টি, এ তো বিজ্ঞাপনের সৃষ্টি। এইসব পোশাক, এইসব নাচ, সবই এইসব ঘটনার জন্য তোমাদের প্রস্তুত করে তোলা। একটা বিষচক্র, যাকে বলে ভিশাস সার্কল। তোমাদের জন্যেই পণ্যগুলো চলছে, ওরা চালাচ্ছে তোমরাও চলছ। কোনও সমাজ যখন সম্পূর্ণ টাকার খেলায় পরিণত হয়, তখন তার কোনও মূল্যবোধ থাকে না। তোমাদের দায় কেউ নেবে না রূপরাজ। আগুনের চক্র দাউ দাউ করে জ্বলতে জ্বলতে ঘুরছে। তার ভেতর দিয়ে তোমাদের সার্কাসি লাফ দিতে বলা হচ্ছে। বেশিরভাগই ঝলসে যাবে, একেবারে পুড়ে কাঠকয়লা যদি না-ও হয়।"

"আপনি হলে কী করতেন?" ছেলেটি দ্বিতীয়বার জিজ্ঞেস করল। "ঠিক আছে আপনাদের সময়ে ছিল না, এখন হয়েছে। এখন এই সময়ে আপনি একজন প্রকৃত গুরুজন হলে আমাকে কী করতে বলতেন?"

"তোমাদের পুলিশে যাওয়া উচিত ছিল।"

"ভুল বলছেন, পুলিশ কাউকে ধরতে পারবে না। ওরা যদি তক্ষুনি ওই অবস্থাতেই যেত, তবু একটা চান্স ছিল। কিন্তু এই পাবলিসিটি, ওদেরও দোষ দিতে পারি না। অজ্ঞান করা হয়েছিল বলে ওরা তো কাউকেই শনাক্ত করতে পারবে না, দে আর ডেডলি ক্লেভার।"

ধ্রুবজ্যোতি বললেন, "চিনতে পারার চান্স থাকলে মেরে ফেলত। যাতে খুন করতে না হয়, তাই প্ল্যান করেই করেছে।"

রূপরাজ একটু চমকে উঠল, তারপর গুম হয়ে গেল। কিছুক্ষণ পর স্প্রিং-এর মতো উঠে দাঁড়াল।

"কী হল, চললে?"

সে কোনও কথা বলল না। একেবারে অন্যমনস্ক বা বলা যায়, কিছু ভাবতে ভাবতে চলে গেল। ঘাসটুকু পেরিয়ে যাবার পরে হঠাৎ পেছন ফিরে বলল, "থ্যাংক ইউ।"

॥ ১৪ ॥

ঝুমঝুম করে সন্ধে নামতে থাকে। চতুর্দিকে হাওয়া বয়, দখিনা পবন। হাওয়ার সঙ্গে চারিদিকে ছুটে যায় পরিমল। গাছের ও ফুলের। এত ভাল লাগার জন্য তাঁর নিজেকে কেমন ধিক্কার দিতে ইচ্ছে করল। এই ছেলেমেয়েগুলি এমন বিপদে পড়েছে, তিনি উপভোগ করছেন বসন্ত! উঠে পড়ে তিনি ঝরাপাতা আর শুকনো রেণুর ওড়াউড়ির মধ্য দিয়ে বড় রাস্তায় প্রদীপের মতো জ্বলে ওঠা বাতিগুলোর দিকে বিমুগ্ধের মতো তাকাতে-তাকাতে হাঁটতে লাগলেন। কত বসন্ত মনে পড়ে যাচ্ছে, কত গ্রীষ্ম, কত শীত, কত বর্ষাও। কেননা প্রত্যেকটা ঋতুর আরম্ভই ওইরকম অদ্ভুত মুগ্ধকর। সংযুক্তা ঠিকই বলেছে, এখন কি ইয়ং জেনারেশনের আর এ সব অনুভূতি হয় না? প্রকৃতির সঙ্গে মানুষের যোগ কি ছিন্ন হবার মুখে এইসব শহরে? ক্রিকেটারদের সেঞ্চুরি করে

আকাশের দিকে তাকাতে দেখা যায়। আর কাউকে তো দেখেন না। কাচের বাইরে থেকে তাদের আড্ডারত দেখা যায় সচ্ছল কফিখানায়। টেলিস্কোপ নিয়ে আকাশ দেখেন কেউ কেউ। জগিং করতে দেখেন অনেককে। ছুটছে, হাঁটছে, খেলছে, কম্পিউটার নিয়ে ঘণ্টার পর ঘণ্টা বসে আছে। প্রকৃতি হল ট্যুরিজ্‌ম, পিকনিক বা আউটিং-এর ক্ষেত্র। অনন্তের সংবাদ বহন করে আনা তো দূরের কথা, অকারণ পুলকে কাঁপিয়ে দেওয়া, কাঁদিয়ে দেওয়া এসবও আর বোধহয়...

এরকম একটা সিদ্ধান্তেই বা তিনি চট করে পৌঁছোচ্ছেন কী করে? তাঁর একটা ছেলেমেয়ে থাকলে হয়তো এই জেনারেশনের মনের কথাটা তিনি টের পেতেন। নেই বলেই তাই পাচ্ছেন না। তাঁরাই কি কাউকে ডেকে ডেকে বলতে গিয়েছেন?... আজ প্রথম দুমদাম করে কালবৈশাখী এসে গেল! এখন কীরকম আমের মুকুলের গন্ধ ভরা ঠান্ডা হাওয়া বইছে! মনটা অদ্ভুত ভাল লাগছে... বাঃ! দূর দিগন্তে একটা কালো হাতি ক্রমশই বড় হতে-হতে আকাশ ছেয়ে ফেলছে, দেখতে-দেখতে আশ্রয়ের খোঁজে তাড়াতাড়ি পা চালান। কিন্তু বারবার দেখা, মনের মধ্যে প্রথম আষাঢ়ের সজল মেঘ ঢুকে যাওয়া এই অনুভূতি কি তিনি কারও কাছে কখনও বলেছেন? না। কবিতা পড়েছেন, শুনেছেন, ভেতরে-ভেতরে বুঁদ হয়ে থেকেছেন এই পর্যন্ত। এরাও হয়তো অনুভব করে, কিন্তু বলে না। জীবনযাপনের ভেতর দিয়েই ওইসব আমেজ, খ্যাপামি প্রকাশ পায়। তিনি ডেটার অভাবে কোনও সিদ্ধান্তে পৌঁছোতে পারলেন না।

আস্তে-আস্তে বাড়ি ফিরলেন ধ্রুবজ্যোতি। মনটা ভালও, আবার খারাপও। দুটো সম্পূর্ণ বিপরীত বোধ তাঁর ভিতরে পরস্পরের মধ্যে অনুপ্রবেশ করছে। ধাক্কাধাক্কি বা কোনও দ্বন্দ্ব নয়। দুটোই আছে এবং ক্রমশ কলের ধোঁয়ার সঙ্গে উনুনের ধোঁয়ার মতো মিশে যাচ্ছে। এখন যদি কেউ তাঁকে কথার কথা জিজ্ঞেস করে, তিনি সোজাসুজি ভাল আছি বা ভাল নেই বলতে পারবেন না। সত্যি কথা বলতে হলে তাঁকে বলতে হবে, ভাল-খারাপ আছি।

সাংসারিক দিক থেকে তিনি সেই শতকরা পাঁচজনের একজন, যার কোনও বিকট বা ঘ্যানঘেনে সমস্যা নেই। সংযুক্তা মাটিতে পা রেখে চলা খুব সহজ মেয়ে। তিনি হয়তো তা ছিলেন না, কিন্তু নিজের প্রতি সুবিচার করলে তাঁকে বলতেই হয় যে, সংযুক্তার ইতিবাচক প্রভাবটা তাঁর খুব কাজে

লেগেছে। কর্মসূত্রে প্রথম জীবনে কাছাকাছি থাকতে পারতেন না। কে জানে হয়তো সেই জন্যেই তাঁদের মধ্যে প্রণয় জিনিসটা অনেক দিন জাগ্রত ছিল। এখন বন্ধুত্ব। বন্ধুত্বও কি প্রেম নয়? তাঁর শয্যা-জীবন তিনি কোনও বাইরের লোকের সঙ্গে আলোচনা করেন না। যারা করে, তাদের পছন্দ করেন না। কিন্তু সেখানেও প্রণয় টিকে আছে। সন্তান যখন হচ্ছিল না, তাঁরা উদ্বিগ্ন হননি। দু'জনে দু'জায়গায় থাকেন বলেও তো সমস্যা। সেগুলো একা সামলাতে হবে সংযুক্তাকেই। কিন্তু তারপর একদিন এল যখন তাঁরা ডাক্তারের কাছে গেলেন, বহু পরীক্ষা-নিরীক্ষার পর ডাক্তারের রায় হল, না হওয়ার কোনও কারণ নেই। যে কোনওদিন কতকগুলো নিয়ম ফলো করলেই হয়ে যাবে। কিন্তু হল না। তাতে মেয়েরাই আগে ভেঙে পড়ে। কিন্তু ওই যে, সংযুক্তা অত্যন্ত প্র্যাকটিক্যাল মেয়ে। সে বলল, এ নিয়ে মাথা ঘামাবার কী আছে? আমরা কিছু অলরেডি জন্মানো শিশুর ভার নিতে পারি। তবে কী জানো, কাঁথা-কানি, আর সইবে না। ওই সময়ে তাঁরা নানা সূত্রে অসহায়, দরিদ্র মেয়েদের সন্ধান করে করে প্রথম শীলুকে আনেন। সে তখন বারো বছরের মেয়ে। বোঝবার বয়স হয়েছে, বয়ঃসন্ধি এল বলে। শীলুকে ওঁরা এনেছিলেন সরকারি হোম থেকে। বহু কদর্য অভিজ্ঞতা তখনই হয়ে গিয়েছে মেয়েটির। তাঁদের বাড়িতে আশ্রয় পেয়ে প্রথমে অনেকদিন বিশ্বাসই করতে পারেনি যে, এঁরা কোনও বদ উদ্দেশ্যে তাকে নিয়ে আসেনি। কুঁকড়ে থাকত, এই বুঝি মার খেল। সংযুক্তা ওকে আস্তে আস্তে তৈরি করতে লাগলেন। ধ্রুবজ্যোতির সহযোগিতা থাকত, কিন্তু প্রধান সংযুক্তা। তাকে স্কুলে ভর্তি করা, পড়ানো, স্বাভাবিক মানুষের সঙ্গে মেলামেশা, এ সবের কৃতিত্ব সংযুক্তারই পাওনা। শীলু যেন বাড়ির আশ্রিত মেয়ে, কাজকর্ম লেখাপড়া সবই করে। কোনও বাড়াবাড়ি ওঁরা করেননি কখনও। উচ্চমাধ্যমিক পাশ করে কম্পিউটার স্কুলে ট্রেনিং শেষ করে তার যখন চাকরি হল, তাঁদের তিনজনেরই একটা অদ্ভুত আনন্দ হয়েছিল। বাড়িতে সেদিন খাওয়া-দাওয়া হয়। শীলুর বন্ধুবান্ধব আসে। প্রথম কয়েক মাস এখান থেকেই সে যাতায়াত করত। তারপর একটু দূর পড়ে গেল ওর কর্মক্ষেত্র। কয়েকজনের সঙ্গে মেস করে থাকতে শুরু করল। এখন তো দুই বন্ধু মিলে একটা ফ্ল্যাটে থাকে। মাঝে মাঝে আসে। খুব সংযত, বুদ্ধিমতী এবং বাস্তব বুদ্ধিসম্পন্ন মেয়ে। শীলু থাকাকালীনই বিলু এবং মিলু এসে গিয়েছে। বিলু এসেছিল গ্রাম থেকে, একেবারে বাড়ির কাজের

জন্যই। তাঁদের একটি পরিচিত পরিবার বলেছিল ওর কথা, অনাথ মেয়ে, কাকা-কাকির কাছে খুব কষ্টে আছে। কাজ পারে খুব ভাল, পড়াশোনাতেও মাথা আছে। বিলু যখন এল দেখলেন, বেশ শ্যামশ্রী মেয়েটি। চোখদুটো নিচু করে রাখে। কিন্তু তুললে টের পাওয়া যেত, তাতে ঝিলিক আছে। গোড়া থেকেই অঙ্কে খুব মাথা। গ্রামে ন'ক্লাস পর্যন্ত পড়ে এসেছিল। একটু ঘষে-মেজে নিতে বেশ ভাল হয়ে গেল। ওর উপর ধ্রুবজ্যোতির খুব আশা হয়েছিল। কাজকর্ম করত একেবারে নিখুঁত করে, আর অত বুদ্ধি। মাধ্যমিকে অঙ্কে একশো পেল, সংস্কৃতে নব্বুই, ইংরেজি, বাংলায় ভাল না। কিন্তু বিজ্ঞানের প্রত্যেকটাতেই ষাটের উপরে। চার বছর পড়িয়ে তবে পরীক্ষা দিইয়েছিলেন উচ্চমাধ্যমিক। সেটা দিয়ে ছুটিতে ও গ্রামে গিয়ে আর ফিরল না। সেটাতেও ওই একই রকম আশ্চর্য-করা রেজাল্ট। খুবই ক্রুদ্ধ, ক্ষুব্ধ, ব্যথিত হয়েছিলেন সংযুক্তা। খুব ভাল পরীক্ষা দিয়ে যদি শোনা যায় খাতা হারিয়ে গিয়েছে, তা হলে যেরকম নিজের হাত পা কামড়াতে ইচ্ছে করে, মাথায় বাড়ি মেরে মরে যেতে ইচ্ছে করে, তেমন। সংযুক্তা অন্তত তাই বলেছিলেন।

তাঁদের রাগ-ঝাল-কান্না সবই যখন মিইয়ে এসেছে, তখন একদিন স-স্বামীক বিলুসুন্দরী দেখা করে গেলেন। গ্রামের মাখাসন্দেশ হাঁড়িতে করে আর পুকুরের বড়-বড় কই। চেহারায় খুশি-খুশি ভাব, বেশ ছলছলে লাবণ্যময়ী। তার বরটিকে সত্যিই কেউ পঁচিশ-ছাব্বিশের বেশি বলবে না। পেটা সরল গড়ন, মাথায় কদমছাঁট চুল, শার্ট-প্যান্ট পরা। গ্রাম্য জবুথবু ভাব বা মস্তানি কোনওটাই নেই। ছেলেটি মুদির দোকান বাড়িয়ে ডিপার্টমেন্টাল স্টোর করেছে। নিজের ঘর পাকা করেছে, দু'বিঘের বাগান, বড় পুকুর জমির মধ্যে। নিজের জেনারেটর পর্যন্ত আছে। ব্যাবসাঅন্ত প্রাণ। দেখা গেল, বিলুরও তাই। মাত্র এই ক'মাসেই সে কত সঞ্চয় করে সার্টিফিকেট কিনেছে নিজের নামে দেখাল। সংযুক্তাকে বলে গেল, এখুনি বাচ্চাকাচ্চার প্ল্যান নেই ওদের। সংযুক্তা তাকে ওপ্‌ন ইউনিভার্সিটির কোর্স নিতে বললেন। সে-ও নাকি তাই ভাবছিল।

ভাল করে খাওয়া-দাওয়ার পর বিদায়ের সময়ে ধ্রুবজ্যোতি বললেন, "আমরা কিন্তু তোমার ব্যাপারে হাত ধুয়ে ফেলেছি বেলা। কোনওদিন বিপদে পড়ে আমাদের শরণাপন্ন হলে, আর পেরে উঠব না। নিজের ব্যবস্থা কী করছ?"

তখনই বিলু বলে, "তিন মাস অন্তর একটা করে সার্টিফিকেট কিনে রাখছি বাবা, নিজের নামে।" বেচারাম বলল, "ওর নামে ব্যাঙ্কে আলাদা অ্যাকাউন্ট করে দিয়েছি বাবু। ও তো আমার অ্যাকাউন্ট্যান্ট, অ্যাসিস্ট্যান্ট সব কিছুরই কাজ করে। মাস-মাইনে দিই। আপনাদের শিক্ষার গুণে এমন লক্ষ্মীমন্ত বউ পেয়েছি মা," লজ্জায় মুখ নিচু করল ছেলেটি। সে-ও নাকি মাধ্যমিক পাশ।

চলে গেলে নিভৃতে নিজেদের মধ্যে তাঁরা বলাবলি করেছিলেন, সবদিক দিয়ে তো ভালই হল, মেয়েটা সুখী হয়েছে। বুদ্ধি বার করেছে মগজ থেকে। সে-ও বাঁচল। তাঁরাও বাঁচলেন। একটা উঠতি বয়সের মেয়ের দায়িত্ব যতই হোক, মাথার থেকে নামল। ভিন্ন সংস্কৃতির কোনও ব্যক্তিকে কি শেষ পর্যন্ত মানিয়ে নেওয়া যায়!

ওঠবার স্টেপে জুতোর তলা ঘষে ভেতরে ঢুকলেন ধ্রুবজ্যোতি। সংযুক্তার কোনও মিটিং-টিটিং আছে। এখনও বাড়ি ফেরেনি। চাবি দিয়ে দরজা খুলে ঢুকলেন, একতলা শুনশান। এ মেয়েটা গেল কোথায়? রান্নাঘরে, ওর নিজের ঘরে সর্বত্র খুঁজলেন। তারপর দোতলায় উঠলেন। বাইরে থেকে চাবি দেওয়া। সে তো বেরিয়ে গিয়েছে এমন হতে পারে না! তাঁর হঠাৎ কেমন ভয় হল। কোনও দুর্ঘটনা ঘটল না তো, মেয়েটা চাপা। কিছু ঘটাল না তো? তিনি পা টিপে-টিপে তেতলায় উঠলেন। ছাতে একটা চিলেকোঠা আছে শুধু, বাকিটা ছাত। খোলা। দাঁড়ালেন, এদিক ওদিক চেয়ে চোখে পড়ল একটা মনুষ্য আকৃতি পাঁচিলের কাছে গালে হাত দিয়ে দাঁড়িয়ে আছে বটে, আর একটু এগিয়ে দেখলেন মিলু হাঁ করে আকাশের দিকে তাকিয়ে আছে। চোখে তারার আলো পড়েছে। মুখটা জ্যোৎস্নায় ধুয়ে যাচ্ছে। আর একটু কাছে এগিয়ে শুনলেন মৃদুস্বরে গান গাইছে মিলু, '...সূর্য তারা দলে দলে কোথায় বসে বাজাও বেণু, চরাও মহাগগনতলে,... এই যে তোমার আলোকধেনু।'

তিনি পা টিপে-টিপে ফিরে আসছিলেন, মিলু টের পেয়ে গেল। একটু ছুটে এসে বলল, "বাবা, তুমি ফিরেছ? চলো চা করে দিই।"

"না, না তোকে চা করতে হবে না। ও আমি একটু করে নিতে পারব।"

"রাগ করছ কেন? আজ ছাতে কাপড় তুলতে এসে এমন হয়ে গেল।"

"রাগ করিনি। তুই গান গাইছিলি, ডিসটার্ব করতে চাই না।"

মিলু তরতর করে তাঁর আগে-আগে দু'চার সিঁড়ি টপকে-টপকে নীচে

নেমে গেল। তিনি একটু চেঁচিয়ে বললেন, "সাবুর পাঁপড় আনবি। তোরও আনবি, বারান্দায় বসলাম।"

টেবিলে তাঁরা একসঙ্গেই খাওয়া-দাওয়া করেন। সকালের দিকে প্রত্যেকে আলাদা-আলাদা। কিন্তু রাত্রে মোটের উপর একসঙ্গেই। ওদের বেশ কিছুদিন পরিষ্কার-পরিচ্ছন্ন করা, কিছুটা সহবত শেখাবার পরই ওঁরা এটা করেছিলেন। কিন্তু ওরা সংকুচিত হয়ে থাকত অনেক দিন। বিলু তো বটেই, মিলুও অনেকদিন পর্যন্ত পরে খাব, পরে খাব করে একসঙ্গে বসাটা এড়াতে চাইত। তাঁরা কোনও জোর করেননি। শীলু যখন চাকরি পেয়ে এল, আসতে থাকল, খাবার টেবিলে ওঁদের সঙ্গে অনেক কথা হত ওর। অফিস নিয়ে, কলিগ নিয়ে, কাজ নিয়ে। খুব সহজ হয়ে গিয়েছিল ব্যাপারটা। তবু ওঁদের দু'জনকে একসঙ্গে খাওয়ার সুযোগ দিয়ে বিলু-মিলু এই আসছি-এই আসছি করে কাটিয়ে দিত।

বারান্দার চায়ের আসর একেবারে যুগলের। মিলু চা পাঁপড়ভাজা নিয়ে এসে বসল। বলল, "আমি কিন্তু টোস্ট খেয়েছি, পেয়ারা খেয়েছি। আর কিছু খেতে পারব না, তুমি খাও।"

"চা, চা-ও খাবি না?"

"চা তো আমি খাই না বাবা।"

"ঠিক আছে, না-ই খেলি। বোস।" কুড়মুড়-কুড়মুড় শব্দ হয় পাঁপড় খাওয়ার। চায়ে চুমুক দিয়ে ধ্রুব বলেন, "সন্ধেটা বেশ, না?"

মিলু বলল, "অপরূপ। কেমন হাওয়া সাঁতার দিচ্ছে অন্ধকারের মধ্যে দিয়ে, অন্ধকারটা আর অন্ধকার থাকছে না।"

"আমারও তাই মনে হচ্ছিল। তোর গাঁয়ের সন্ধে রাতের কথা মনে আছে?"

মিলু থেমে-থেমে বলল, "আজ খুব মনে পড়ছিল। ওখানে যেমন বেশি মশা তেমনি বেশি তারাও। আকাশটা এরকম ভ্যাসকা নয়, একটু কালচে নীল রঙের বিরাট, জীবন্ত আকাশ। খাটুনি, মার, খেতে না পাওয়া সব না বাবা সয়ে যেত, ওই আকাশটা দেখতে পেতুম বলে।" অনেকখানি বলে ফেলে যেন লজ্জা পেয়ে চুপ করে গেল মিলু।

মিলুর ইতিহাস খুব ভয়ংকর। সে কথা আজকাল অসাবধানেও উল্লেখ করেন না তাঁরা। মাতৃহীন মেয়েটিকে দশ এগারো বছর বয়সে বাংলাদেশের বরিশালের কোনও গাঁ থেকে পাচার করা হয় পশ্চিমবঙ্গে। সম্ভবত তার সৎমা

ও বাবাই বেচে তাকে। ইন্ডিয়ায় কাজ পাবে, এ-কথা বলায় সে বাড়ির অত্যাচার থেকে বাঁচবে মনে করে চলে আসে। হাসনাবাদে এক ব্রথেলে প্রথম রাখা হয় তাকে, পরে হয়তো মুম্বই কি দুবাই পাঠানো হত, কিন্তু সেখানেই ধর্ষিত হতে-হতে একজনের দু'চোখে আঙুল ঢুকিয়ে সে পালায়। দুদ্দাড় পালায়। তখন রাত, রাস্তাঘাট শুনশান। বহুদূর ছুটে একটা ট্রাক থামায়। ট্রাক ড্রাইভার তাকে থানায় নিয়ে যাবার আশা দিয়ে মদ খাওয়াতে চেষ্টা করে, অত্যাচার চালায়। ভোরের দিকে লোকটা যখন নেশার ঘোরে ঘুমোচ্ছে, তখনই সে পালায়। এবার কাউকে বিশ্বাস করে না, কাছাকাছি থানায় গিয়ে সব ঘটনা বলে। দারোগাবাবু তাকে নিজের বাড়িতে স্থান দেন। সেখানে অজস্র খাটুনি এবং প্রহার জোটে। সেখান থেকে পালিয়ে সে কীভাবে সংযুক্তাদের এনজিওর এক ভদ্রমহিলার কাছে পৌঁছোয়, সে এক ইতিহাস। ও নিজেই সংযুক্তার কাছে থাকতে চায়।

তিনি বললেন, "যে-গানটা গাইছিলি, গা না।"

"ভাল করে জানি না, শুনে-শুনে তোলা বাবা।"

"তা হোক।"

অন্ধকার এখন গাঢ় সবুজ শাড়ি পরা মিলুকে প্রায় ঢেকে ফেলেছে। সেই অনামা অন্ধকার থেকে সে গেয়ে উঠল, 'চরাও মহাগগনতলে... এই যে তোমার আলোকধেনু/ সূর্য তারা দলে দলে— কোথায় বসে বাজাও বেণু...'

ধ্রুবজ্যোতি আস্তে ধরিয়ে দিলেন, 'তৃণের সারি তুলছে মাথা, তরুর শাখে শ্যামল পাতা— আলোয়-চরা ধেনু এরা ভিড় করেছে ফুলে ফলে'

ঘুরিয়ে-ফিরিয়ে এইটুকুই বারবার গাইল মিলু। তারপরে দু'জনেই চুপ করে বসে রইল। ধ্রুব আসলে মিলুর গানে খুব বিচলিত বোধ করছিলেন। খুব সুরেলা গলা, ভাবগভীর।

"বাবা, ভগবান আছেন, না?" মিলু ক্ষীণ স্বরে প্রশ্ন করল।

এ মেয়েটি জীবনকে কাঁচাখেকো হিসেবে দেখেছে, একে তিনি কী উত্তর দেবেন?

বেশ কিছুক্ষণ পরে বললেন, "ইটস নট রাইট টু টেক গড ফর গ্রান্টেড।"

"মানে?"

"ভগবান আছেনই তিনি আমায় উদ্ধার করবেন, এরকম ভাবনা ঠিক নয়। তুই তো নিজেকেই নিজে উদ্ধার করতে পেরেছিলি।"

"তোমাদের কে মিলিয়ে দিল?"

"মিলু, তোর মাকে কিন্তু তুই-ই খুঁজে নিয়েছিলি। প্রথম কয়েকবার ঠকতে-ঠকতে তোর চোখ তৈরি হয়ে গিয়েছিল। তুই যে মাকে খুঁজে নিলি, অ্যাপিল করলি, এতে আমি কোনও ভগবান খুঁজে পাচ্ছি না।"

"তুমি কি ভগবানে বিশ্বাস কর না?"

"ক্রিয়েশনে বিশ্বাস করলে ক্রিয়েটরকে বিশ্বাস করতেই হয়। সেটা কথা না। কথা হচ্ছে, আমরা আমাদের আগে-পিছে কিছুই জানি না। এর মধ্যে নিজের বুদ্ধি, বোধ এগুলোতে শান দিতে হয়। নিজের লক্ষ্য স্থির করতে হয়। লেগে থাকতে হয়, আবার সুখী হবার ক্ষমতাও আয়ত্তে আনতে হয়। আমাদের লক্ষ্য উন্নততর মানুষ হওয়া, ভগবান অনেক দূরের ব্যাপার।"

"আমার কিন্তু সত্যি মনে হয়, কেউ এইসব তারা-সূর্য-চাঁদ সবাইকে চরাচ্ছে। শুধু মানুষের বেলাই আর পেরে উঠছে না, বা করছে না। কিন্তু খুব ডাকলে সাড়া পাওয়া যায়। গাঁয়ে যখন থাকতুম নিজেকে নিয়ে কিচ্ছু ভাবতুম না, দিনের দিন জীবন কেটে যেত। তারপর যখন বিপদে পড়লুম সত্যি বলছি বাবা, 'ত্রাহি মধুসূদন' ছাড়া আর কিছু ভাবিনি। এখনও আমি প্রতিদিন সর্বক্ষণ..."

"ভাল করিস, প্রেয়ার খুব ভাল জিনিস।"

মিলু উঠে গেল। আলো জ্বেলে দিল ঘরের, দালানের, সিঁড়ির। ঘরের আলো জ্বালিয়ে দিতেই দেখল, সংযুক্তা শুয়ে রয়েছেন।

"ও মা! তুমি কখন এসেছ?"

"মিনিট দশেক।"

"ডাকোনি কেন?"

"বেশ তো কথা বলছিলি, শুধু-শুধু ডিসটার্ব করব কেন?"

কথাবার্তার আওয়াজ পেয়ে ধ্রুবজ্যোতি ভেতরে এলেন, "ওহ, তুমি ফিরেছ!"

মিলু বলল, "মা, চা খাবে?"

"না, অনেক চা কফি খাওয়া হয়েছে আজকে, ম্যারাথন মিটিং চলছে তো চলছেই। রাত্রের রান্নাটা করে নিতে পারবি?"

"কেন পারব না?" মিলু চলে গেল।

ধ্রুবজ্যোতি হেসে বললেন, "তুমি কি ঘাপটি মেরে আমাদের কথা শুনছিলে?"

"শুনছিলুম," সংযুক্তা ক্লান্ত গলায় স্বীকার করলেন।

"কী বুঝলে?"

"ভাল লাগছিল। মেয়েটা এত কথা ভাবছে। তবে ধ্রুব সত্যিই বলছি সমস্ত বাড়ি অন্ধকার, বারান্দায় অন্ধকারে তোমরা দু'জনে, আমার মনটা ছ্যাঁত করে উঠেছিল। হঠাৎ যেন সেই ঔরঙ্গাবাদ ফোর্টের অন্ধকার কুয়োয় পড়ে গিয়েছি।"

"কত দিন এরকম পরীক্ষা দিতে হয় মানুষকে?" একটু থেমে ধ্রুব বললেন।

"আজ বুঝলাম, আমরণ," সংযুক্তা বললেন। "শুধু তোমাকে নয়, আমাকেও, মিলুকেও। সব মানুষকেই পরীক্ষা দিয়ে যেতে হয়। এটাতে এতদিনেও আমি তোমাকে বুঝলাম না, এ জাতীয় অভিমান কোরো না। কেননা, অনুরূপ সিচুয়েশনে তোমারও এমন হত।"

একটু পরে সংযুক্তা বললেন, "আমি চান-টান করে আসি। এতক্ষণ গোয়েন্দাগিরি করতে গিয়ে পা ধোওয়া পর্যন্ত হয়নি।" তিনি চলে গেলেন।

ধ্রুবজ্যোতির মনটা কেমন খারাপ হয়ে গেল। আসলে তিনি গোড়া থেকেই স্ত্রীজাতির শ্রেণি বিভাগটা অনুভব করেন। ওইভাবেই তৈরি হয়েছেন, সংস্কারটা ওই রকমই। ব্যক্তি হিসেবে নিজের মধ্যেও এই রকমই তিনি। দিদিমা-ঠাকুমা, মা-কাকিমা, মাসি-পিসি, স্ত্রী-বান্ধবী,কন্যা-পৌত্রী। আজকাল চতুর্দিকে যা দেখা যায়, নাতনির বয়সি একটা মেয়ের সঙ্গে আদ্দামড়া বুড়ো প্রেম করছে। লিঙ্গ 'স্ত্রী' হলেই তার সঙ্গে যৌন সংসর্গে লিপ্ত হচ্ছে মানুষ। এগুলো তাঁর মধ্যে বিবমিষার উদ্রেক করে। একটি ষোলো-সতেরো বছরের মেয়ের সঙ্গে তিনি পঁয়ষট্টি কোনও কাম সম্পর্কে হঠাৎ জড়িয়ে পড়লেন অন্ধকার আর নির্জনতার সুযোগ নিয়ে, এ জিনিস তাঁর কল্পনার বাইরে। তাঁর যদি মেয়ে থাকত, নাতনি থাকত, তা হলে তাঁর সামাজিক অবস্থানটা হয়তো আরও স্পষ্ট হত। তিনি একটি দাদু শ্রেণির মানুষ হতেন। যেহেতু তা হননি, শরীরটাকে রেখেছেন সুস্থ, সবল, সুঠাম তাই হয়তো তাঁকে স্পষ্ট করে চেনা যায় না, কিন্তু মনের দিক থেকে মানুষের যে বছরে-বছরে পরিণততর হওয়ার কথা, সেটা তিনি হয়েছেন। কিন্তু তিনি সংযুক্তার উপর রাগ-অভিমান করতে

পারলেন না। শুধু বুঝলেন, সহজ মানুষ হওয়া সহজ নয়, একেবারেই সহজ নয়। সংযুক্তা তো একেবারেই খোলাখুলি স্বীকার করে গেল, পরিস্থিতিটা সন্দেহজনক। সে গোয়েন্দাগিরি করেছিল, করে নিশ্চিন্ত হয়েছে।

॥ ১৫ ॥

আরিয়ান, রূপরাজ আর উজ্জ্বল শরৎ বসু রোডের বারিস্তায় বসেছিল আড্ডায়। রূপরাজ তার বন্ধুদের সঙ্গে উজ্জ্বলের পরিচয় করাচ্ছে, ইতিমধ্যেই এই তিনজনের খুব জমে গিয়েছে।

রূপ বলল, "আমি জার্নালিজ়মটাই টার্গেট করেছিলুম। এখন যত খবর নিচ্ছি, মনে হচ্ছে বড্ড টাফ।"

"তুই কি মনে করেছিলি, তোকে কার্পেট বিছিয়ে ডেকে নেবে সব জায়গায়?"

আরিয়ান জবাবে বলল, "দেয়ার ইজ নো সফ্‌ট্‌ জব, ইয়ার। যাই করো, ডাক্তারি, ইঞ্জিনিয়ারিং, আই. টি., পলিটিক্স, এমনকী টিচিং পর্যন্ত, বীভৎস রকমের টাফ হয়ে গিয়েছে।"

"আমি কিন্তু সেই টাফনেসের কথা বলছি না। বলছি, জার্নালিজ়মে ল্যাং মারামারির কথা। তারপর ধরো, এক একটা কাগজের এক একরকম পলিসি। সেই মতো তোকে লিখতে হবে। আমারও তো একটা মতামত থাকতে পারে, সেটাকে চেপে অন্যের বলে দেওয়া কথা আমি কী করে লিখব? কোনও-ই নাকি স্বাধীনতা নেই!" সে হতাশভাবে বলল।

উজ্জ্বল বলল, "তা হলে জার্নালিজ়মে যাওয়াটা বুদ্ধির কাজ হবে না। 'মাসকম'-এ বহু লাইন খোলা পাবি।"

"জার্নালিজ়মে মনটা পড়েছিল রে। যা চাই, তা কেন যে কিছুতেই পাই না!"

"আর কী কী চাইছ গুরু? আরিয়ানের মুখে হাসি। যা চাও, স্ট্রংলি চাও ইয়ার। এ ভাবে হয় না। আমাকে দেখে শেখো।"

"তোকে দেখে কী শিখব, তুই নিজেই তো ডাক্তার হতে চাসনি। নিজের ইচ্ছের বিরুদ্ধে যেতে হচ্ছে না? নিজের জেদ বজায় রাখতে পেরেছিস?

জেদটাও বড় কথা নয়, ডাক্তারি ইজ ফাইন। ভগবান সেজে মাল কামানো, এমন ডিভাইন শয়তানি আর হয় না। সে-কথা বলছি না, কিন্তু হতে চাস তো নটুয়া! আর কী হল?” রূপ বলল।

“হোয়াট ইজ নটুয়া?”

উজ্জ্বল বলল, “রাইমস উইথ বটুয়া, বুঝলে না?”

“মডেল, ক্রিকেটার, ফিল্মস্টার এইসব যে এঁচে রেখেছিলি?” রূপরাজ বলল।

আরিয়ান একটা চোখ ছোট করে বলল, “কে বলল এগোচ্ছি না? এমনও হতে পারে, ডক্টর-অ্যাক্টর হয়ে গেলাম। ফার্স্ট ইন দা ফিল্ম ওয়ার্ল্ড। কোথাও না কোথাও ফার্স্ট হচ্ছিই।”

“উজ্জ্বলের সঙ্গে পারবি?” রূপ বলল।

উজ্জ্বলকে আপাদমস্তক দেখে নিয়ে আরিয়ান বলল, “হেভি সেক্সি গুরু, কিন্তু তুমি নিশ্চয়ই আমার লাইনে আসবে না?”

উজ্জ্বল কফিতে চুমুক দিয়ে সংক্ষেপে বলল, “না। আচ্ছা শুকতারা, বাবাই, দিয়া ওরা আসছে না কেন এখনও?”

“যা বলেছ, এফএম না থাকলে আড্ডা জমে?” আরিয়ান বলল।

“জমে না এমন কথা বলছি না,” উজ্জ্বল বলল। “কিন্তু ওদের আসবার কথা ছিল।”

আরিয়ান বলল, “দেখো গুরু, তোমাদের কাছে হয়তো এফএম জাস্ট একটা অ্যাডিশন্যাল রিপ্রোডাকটিভ সিস্টেম...”

“কিন্তু আমি তো মেডিক্যাল পড়ি না,” উজ্জ্বল প্রতিবাদ করে উঠল, “পড়ো তুমি। তোমার কাছে তা হতে পারে। আমার যন্ত্রপাতি নিয়ে কারবার। আমি মেয়েদের মেয়ে হিসেবেই দেখি।”

“ইউ আর রাইট,” আরিয়ান স্বীকার করে নিল। “মেয়েদের মেয়ে হিসেবে দেখাই ভাল। ছেলে হিসেবে দেখা ভাল নয়।”

সকলেই একটু হেসে উঠল।

এই সময়ে হাই হিল খটখটিয়ে খোলা চুল মেলে ঢুকল শুকতারা।

“আয়, আয়, এক্ষুনি তোর কথাই হচ্ছিল।”

শুকতারা অন্য একটা টেবিলের কাছ থেকে হিড়হিড় করে একটা চেয়ার টেনে বসে গেল।

"এই তো হিড়িম্বা এসে গিয়েছে," আরিয়ান বলল। "শূর্পনখা, তাড়কা এরা কত দূর?"

উজ্জ্বল আশ্চর্য হয়ে বলল, "তুমি রামায়ণ-মহাভারতের ক্যারেকটার্স জানো?"

"কবে কমিকস্-এ পড়েছি," আরিয়ানের গলায় বেশ গর্ব।

"তাই বলো! তা এরা যদি হিড়িম্বা, শূর্পনখা, তাড়কা হয় তা হলে তোমাকেও অলম্বুষ, ঘটোৎকচ, খরদূষণ জাতীয় কিছু হতে হয়।"

শুকতারা বলল, "যেতে দে, যেতে দে। হিড়িম্বা-ফিড়িম্বা বললে আমার কিছুই এসে যায় না। উজ্জ্বল আজকাল ভাল টেনিস খেলছে বুঝলি আরিয়ান। মিক্সড ডাবল্স হল গত শনিবার। একদিকে উজ্জ্বল-দিয়া, অন্যদিকে আমি-বাবাই।"

"তা হলে মিক্সড ডাবল্স হল কোথায়?" আরিয়ান বলল।

"আমি ধর আমাদের গ্রুপে মেল, আর কাউকে না পেলে কী করব?"

"জিতল কে?"

"উজ্জ্বলরা। আসলে ক্রমাগত র‍্যালি হয়ে যাচ্ছিল। আমরা দু'জনেই ক্লান্ত হয়ে গিয়েছিলাম। উজ্জ্বলরা সেই সুযোগটা নিল। ওই তো দিয়ারা আসছে।"

আরিয়ান গিয়ে আরও তিনটে কফির অর্ডার দিয়ে এল। আরও কিছু স্ন্যাক্স। দিয়া একটা লক্ষ্ণৌ চিকনের পাঞ্জাবি পরেছে প্যান্টের ওপর। ওকে খুব রোগা এবং ক্ষুরধার দেখাচ্ছিল। বাবাই স্কার্ট, ওকে একেবারেই স্কুল-বালিকা মনে হচ্ছিল। একমাত্র শুকতারাই তার বড় বড় চোখ, লম্বা নাক, মোটা ঠোঁট, অনেক চুল, বিরাট দৈর্ঘ্য আর লো-ওয়েস্ট জিন্স-টপে প্রচন্ড মড আর গ্ল্যামারাস হয়ে বিরাজ করছিল।

"রিনা এল না?" দিয়া রূপকে জিজ্ঞেস করল।

"রিনা এখন কী সব প্রজেক্ট নিয়ে ব্যস্ত," রূপের জবাবের মধ্যে একটা সাবধান হেলাফেলার ভাব।

উজ্জ্বল বলল, "আমি শুশুনিয়ায় গিয়েছি মাউন্টেনিয়ারিং-এর ট্রেনিং-এ। অযোধ্যা পাহাড় অঞ্চলটাও আমার খুব চেনা। স্কাউটের ক্যাম্পেই গিয়েছি দু'বার। একটু ওয়াইল্ড অথচ বিউটিফুল ল্যান্ডস্কেপের জন্য অযোধ্যা পাহাড়, পুরো ঝাড়খন্ডই একেবারে ঠিক। শুশুনিয়া অঞ্চলটা ড্রাই। তোমরা ন্যাচারালি তোমাদের সাজেসশন বলবে।"

দিয়া বলল, "আমি সিঙ্গাপুর, ব্যাঙ্কক, হংকং গিয়েছি। এখানে কিছু কিছু সি-সাইড আর হিলস্টেশন। নির্জন জায়গা হিসেবে ডালহৌসি বা ল্যান্সডাউন ভাল। তবে ওসব তো যাতায়াতেই অনেকটা সময় যাবে, কী রে আরিয়ান?"

আরিয়ান বলল, "এই রূপ-টুপ আমাকে খুব স্নব-টব ভাববে, কিন্তু ফ্যাক্ট হল আমি অস্ট্রেলিয়া, সুইজারল্যান্ড, লন্ডন গিয়েছি একাধিকবার। বাট আই নো নাথিং অ্যাবাউট ইন্ডিয়া। যাইনি, দেখিনি, সুযোগ হয়নি। তোরা যেখানে ঠিক করবি যাব। আই অ্যাম রেডি। বাবাই কিছু বলো, হিড়িম্বা, তোরই বা কী মত?"

বাবাই বলল, "আমার কোনও আইডিয়াই নেই, দার্জিলিং আর পুরী ছাড়া আমি কোথাও যাইনি।"

রূপ বলল, "যা বলেছিস, টিপিক্যাল মিড্ল ক্লাস হলিডেজ। আমি অবশ্য স্কাউটের সুযোগেই একটু এধার-ওধার গিয়েছি, তবে সে বলবার মতো কিছু নয়।"

"তোরা যা হয় ফিক্স কর, আমার কোনওটাতেই আপত্তি হবে না। খালি অ্যাডভেঞ্চারটা হওয়া চাই। রুকস্যাক, স্পোর্টস শু, নাইক, নাইলন স্ট্রিংস, অ্যান্ড আ' অ্যাম গেম," শুকতারা হাত ছড়িয়ে বলল।

"তা হলে উজ্জ্বল অ্যারেঞ্জ কর," আরিয়ান বলে উঠল। "উই আর আ পার্ফেক্ট সিক্সসাম।"

আরও কিছু গল্পসল্প, হইচই হল। দিয়া আর বাবাই কথা বলছে খুব কম।

আধ ঘন্টা পর বাকিরা উঠে পড়ল। উজ্জ্বল আর রূপরাজ বসল আরও কিছুক্ষণ। যদিও ওদেরই যেতে হবে সবচেয়ে দূর।

রূপ তার সেলফোনটা বার করে একটা নম্বর লাগাল। লাউডস্পিকারটা অন করে দিল।

"হ্যালো, রূপ।"

"এলি না কেন?"

"অড নাম্বার ভাল না।"

"আর কিছু নতুন পেলি?"

"চেষ্টা চালাচ্ছি। একজনের সঙ্গে খুব জমিয়ে নিয়েছি।"

"কে?"

“গেস”

“রণবীর?”

“ও তো হাতের পাঁচ। দি আদার ওয়ান, ভীষণ শেয়ানা।”

“ও কে দেখা হবে।”

ফোনটা বন্ধ করে রূপ বলল, “শুনলি?”

উজ্জ্বলের মুখটা এখন গভীর ভাবনায় আচ্ছন্ন। সে বলল, “শুনলাম, দেখা যাক।”

মিলু উচ্চমাধ্যমিক পরীক্ষা দিতে যাচ্ছে। কমলা পাড় সাদা শাড়ি আর কমলা ব্লাউজ়। মা-বাবাকে প্রণাম করল। সংযুক্তা কপালে দইয়ের ফোঁটা দিলেন। পরীক্ষার সময়ে গভীর মনোযোগ, বিশ্রাম, নিয়মানুবর্তিতা, ভাল খাবার। আবার সব মিলিয়ে চেহারার মধ্যে একটা ভীষণ ‘পবিত্র শ্রী’ আসে। মিলুকে মনে হচ্ছিল, অপাপবিদ্ধ, শান্তবুদ্ধি, সরস্বতীর মেয়ে। সংযুক্তা সস্নেহে বললেন, “পেপার দেখে একেবারে ঘাবড়াবি না। খুব মন দিয়ে লিখিস। রিসেসে তোর বাবা যাবে’খন।”

ধ্রুবজ্যোতি বললেন, “ক’টা কলম নিয়েছিস?”

“তিনটে,” স্মিত মুখে মিলু বলল।

বাড়ি থেকে সামান্য দূরত্বের মধ্যেই স্কুল। তবু ছাতা নিয়ে ধ্রুব ওকে পৌঁছোতে গেলেন। সিট খুঁজে বসিয়ে দিয়ে, জলের বোতলটি পাশে রেখে, মাথায় একবার হাত রাখলেন। মিলু আবার প্রণাম করছে।

“ইতিহাস মানেই যে একগঙ্গা লিখতে হবে তা কিন্তু নয়।” শেষ উপদেশটা দিলেন।

তারপর চারদিকের কিচমিচ-কিচমিচের ভেতর দিয়ে বেরিয়ে এলেন। ফিরছেন, পাড়ারই এক ভদ্রলোক তাঁর ছোট মেয়েকে পৌঁছে দিয়ে, তাঁরই সঙ্গে বেরোলেন।

“কেমন তৈরি হল আপনার ক্যানডিডেট?” ভদ্রলোক বিরস সুরে জিজ্ঞেস করলেন।

“ভালই তো মনে হয়, আপনার মেয়ে তো নিশ্চয়ই খুব ভাল।”

“ভগবান জানেন, ধ্রুববাবু। পড়াশোনায় তো মন নেই, সদা-সর্বদা উড়ছে। আর আবদার, বাবা এই দাও, ওই দাও। তার মা-ও তাকে প্রশ্রয় দিয়ে যাচ্ছেন,

আহা বলছে দাও-ই না। ক্ষণে-ক্ষণে সেলফোনের মডেল পালটাচ্ছে। ওর বন্ধুরা যা ভাল বলবে, যা কিনবে, ওরও তাই চাই। আপনারা আছেন ভাল। ঝিয়ের মেয়ের জন্য যা করছেন, তুলনা হয় না। বরাবর কৃতজ্ঞ থাকবে।"

"ও কিন্তু গৃহস্থ ঘরের মেয়ে, কাজের লোক-টোক বলে আমরা দেখি না।"

"ও-ই হল। কয়লাকে অঙ্গার বললেও সে কয়লাই থাকে।"

ধ্রুবর ভেতরটা চিড়বিড় করতে লাগল। তিনি বললেন, "আপনার বড় ছেলেটি কী করছে?"

"কী আবার করবে? ভ্যারেন্ডা ভাজছে। একটা চাকরিও রাখতে পারে না। ধরছে আর ছাড়ছে। ধরে যখন লাটসাহেবি করে, ছাড়বে তো ভিখিরি। আরে সঞ্চয় কর, আমার সঞ্চয় ছাড়া দাঁড়াতে পারতিস?"

"ধৈর্য ধরুন বিজয়দা। আজকাল চাকরির বাজার অন্য ধরনের হয়ে গিয়েছে। ট্রেন্‌ড লোকের কাজ পেতে অসুবিধে হয় না। তার উপর আজকাল এই লোন-ইকনমির মধ্যে ছেলেরা মাথার ঠিক রাখতে পারে না। সঞ্চয় এখন বুঝবে না। তবে আমার বড় মেয়েটি কল-সেন্টারে কাজ করতে-করতে কীভাবে যে ফারদার ট্রেনিং নিল, খুব ভাল চাকরি পেয়েছে টিসিএস-এ। মেজটি বিয়ে করেছে। কিন্তু ব্যাবসাদার স্বামী, তাকে কাজে সাহায্য করে। রীতিমতো মাইনে পায়। তার সঞ্চয়ে খুব মন, ফিনান্সে খুব মাথা।"

"আপনার মেয়ে, মানে, ওই ঝিয়ের মেয়ে?" বিজয় সুর থতিয়ে গেলেন।

"অমন কথা মুখেও আনবেন না সুর-দা। পলিটিক্যালি ইনকারেক্ট। শীলু টিসিএস-এ প্রোগ্রামার, বিলু বিজনেসওম্যান, আন্ত্রপ্রেনিয়র যাকে বলে।"

"আপওয়ার্ডলি মোবাইল লোয়ার ক্লাস," আলগা-আলগা করে কেমন ভ্যাবলার মতো উচ্চারণ করলেন বিজয় সুর। "কী করে সম্ভব করলেন?" পরে বললেন, আমার মেজটি ভালই করছে। কিন্তু কী বলবো আপনাকে সার, সাঙ্ঘাতিক সেলফিশ। তৃণাকে বরং এই মাধ্যমিকটার পর আপনার কাছে পড়তে পাঠিয়ে দেব।"

ধ্রুবজ্যোতি বললেন, "এটা কিন্তু জাস্ট পড়ানোর ব্যাপার নয় সুর-দা। আপনি ভুল করছেন, জীবনযাপনের ব্যাপার। উই লিভ অ্যান আউটওয়ার্ডলি

আনইনটারেস্টিং লাইফ। প্রাইম টাইমে টিভি দেখা নেই, সমস্ত হিন্দি ছবি দেখতেই হবে এইরকম পিআর-প্রেশার ওরা অনুভব করেনি কোনওদিন। খুব যে একটা বন্ধু-বান্ধবের বিরাট দল ছিল, তা তো নয়ই। আমাদের লাইফে একটা অলিখিত ডিসিপ্লিন আছে। আর একটা ইনওয়র্ডলি ইনটারেস্টিং ব্যাপার আছে।"

"সেটা কী?"

"সেটা আমি ঠিক কাউকে বোঝাতে পারব না। ধরুন, মানুষের তো একটা ইনারওয়র্ল্ড আছে। মানে ভাবজগৎ। ধরুন, আমি কী, আমি কেমন, আশপাশে কী হচ্ছে, ভেতরে সেগুলো কী আলোড়ন তুলছে, বই পড়া হচ্ছে, বইগুলো ভিন্ন সমাজে, ভিন্ন মনোভূমিতে নিয়ে যাচ্ছে আমাদের। এইগুলোতে ভাল লাগা, ইনটারেস্ট তৈরি হয়ে গেলে বাইরের নেশাগুলোর তুচ্ছতা বোঝা যায়।"

"ব্যস, এ তো ফিলজফি সার। এসব আমাদের ছেলেগুলোর কাছে বললে তো হেসে দেবে। ওরা ডিপেন্ডেন্ট, মানে, ঝিয়ের..." কথা শেষ করলেন না বিজয় সুর।

"ওই ডিসঅ্যাডভান্টেজটাই ওদের ক্ষেত্রে অ্যাডভান্টেজ হয়ে দাঁড়িয়েছে ফর্চুনেটলি।"

"তবে কি আপনি বলতে চাইছেন আমরা সবাই মানে, ঝিয়েদের ছেলেপুলেদেরই প্রতিপালন করলে ভাল রেজাল্ট পাব?"

ধ্রুবজ্যোতি হেসে ফেললেন। বললেন, "দূর মশাই, ছাড়ুন তো। কী তখন থেকে ঝিয়ের-ঝিয়ের করে যাচ্ছেন। আপনার ছোট মেয়ে, মানে, ওই তৃণা তো? চমৎকার মেয়ে। কোনও ছেলেমেয়েই আপনার খারাপ নয়। মিথ্যে চিন্তা করছেন।"

কথা বলতে-বলতে তাঁর বাড়ি এসে গিয়েছে। ধ্রুব ঢুকে গেলেন। আপন মনেই হেসে যাচ্ছেন। সংযুক্তার সেকেন্ড হাফ-এ ডিউটি। তিনি চান সেরে হাওয়ায় বসে চুল শুকোচ্ছেন।

"কথাটা ভদ্রলোক খারাপ বলেননি কিন্তু," ধ্রুবজ্যোতি বলে উঠলেন।

"কী কথা? কোন ভদ্রলোক?"

"পালিত ছেলেমেয়ের ওপর কন্ট্রোলটা নিজের ছেলেমেয়ের থেকে বেশি থাকে। তবে পালিতকে জানতে দিতে হবে সে পালিত, কিন্তু নিজের

ছেলেমেয়ের মতোই আমরা দেখি তাদের। বাধ্যতা বেশি পাওয়া যায়। অন্যরা জানে যে, এ পালিত। একজনের দয়ায় রয়েছে, কাজেই বেশি বিরক্ত করে না। 'ওমা ওই সিনেমাটা দেখিসনি? এমা, এই গানটা কে গেয়েছে জানিস না?' এইসব বলবে না এদের। আমরা দেখো, ডিসকভারি, ন্যাশনাল জিওগ্রাফিক আর অ্যানিম্‌ল প্ল্যানেটের উপর রেখেছি ওদের। আর কিছু বাছা বাছা প্রোগ্রাম। রেডিয়ো ছাড়া ওদের হাতের কাছে কিছু নেই। হাতখরচ নিতান্তই সামান্য। পোশাক-পরিচ্ছদ ওদের পছন্দের সঙ্গে আমাদের পছন্দে যা মেলে তাই।"

এতক্ষণে সংযুক্তা ধরতে পারলেন বিষয়টা। যদিও কেন উঠল, কোথা থেকে উঠল, বুঝতে পারলেন না। সংক্ষেপে বললেন, "মেয়ে নয়, কিন্তু মেয়ের মতো," সেই ক্ল্যাসিক উক্তি।

এই মেয়েগুলির প্রত্যেকে অসহনীয় দুর্ভাগ্যের ইতিহাস নিয়ে এই বাড়িতে এসেছে। ওরা জানে বাইরের পৃথিবী কী নিষ্ঠুর, অশ্লীল, ভয়ানক। প্রতি তুলনায় এই বাড়ি কত মমতাময়, নির্ভয়, শালীন। ওইরকম অতীত যদি না হত, সাধারণ দরিদ্র ঘরের মেয়ে হত, তা হলে? তা হলে কি ওরা তাঁদের এই সংযম-শাসন মেনে নিত? যদি মেয়ে না হয়ে ছেলে হত, তা হলেই বা কী হতে পারত?

মিলি মজুমদার আসলে ছিল জাহিরা শেখ। তার ডাক নাম মিলুটাকেই বরাবর রেখে দিয়েছেন তারা। স্কুলে ভর্তির সময়ে তারা জিজ্ঞেস করেছিলেন, "তোর কী নাম দেব?"

ও-ই বলে, "মিলি মজুমদার।"

"কিন্তু তুই যে মুসলিম, তার কোনও চিহ্ন রাখবি না?"

"আমার বাবা তো আমাকে বিক্রি করে দিয়েছিল। তার পদবি, তার নাম আমি নেব কেন? তোমরা যদি ওয়েস্টার্ন ট্রেডিং থেকে একটা ফ্রিজ কেনো, ফ্রিজটা তো তোমাদের হয়ে যায়। আর তো দোকানের থাকে না, কারখানারও থাকে না।"

খুব অদ্ভুত তুলনাটা। কিন্তু একটি সন্তান, এখানে মেয়ে-সন্তান যে আসলে ঘটিবাটির মতো বিক্রেয় সামগ্রী, সমাজের এই ফ্যালাসিটা মিলি যে ধরে ফেলেছিল তাতে কোনও সন্দেহ নেই। ধর্মের জায়গায় কিছু তো লিখতেই হয়। সংযুক্তা সংক্ষেপে বললেন, "অত ভাবছ কেন? আমাদের মেয়ে আমাদের

পদবি, ধর্ম, একটা নাম বসিয়ে দাও। কী মিলি ঠিক আছে?"

তিন বোনের মধ্যে মিলিই সবচেয়ে ফরসা। যত্নে, শরীর চর্চায়, বয়সকালে এখন তাকে আর পাঁচটা ভাল ঘরের মেয়ের থেকে কোনওমতেই আলাদা করা যায় না। অনেক দিন পর্যন্ত একটা ভিতু-ভিতু ভাব ছিল তার মধ্যে। সম্প্রতি সেটা চলে গিয়েছে। চোখ দুটোয় এসেছে প্রশান্তি। গভীরতা। চেহারায় একটা পালিশ। কমপ্লেক্সটা চলে গিয়েছে। জীবনবিজ্ঞান পরীক্ষা দিয়ে সেই মিলি আর বাড়ি ফিরল না। তখনও অ্যাডিশনাল পরীক্ষা বাকি। তার দু'-তিনজন বন্ধুর বাড়ি ফোন করলেন দম্পতি। সকলেই বলল, ওর পরীক্ষা খুব ভাল হয়েছিল। তারপর কখন ও একা-একা বাড়ি ফিরে গিয়েছে কেউ লক্ষ করেনি। ও তো মোটের ওপর একা-একাই যেত।

দু'দিন পর উসকো-খুসকো ধ্রুবজ্যোতি বললেন, "আমি পুলিশে চললুম।"

সংযুক্তা ক্লান্ত গলায় বললেন, "কী দরকার? যে গিয়েছে, সে আপনি গিয়েছে। বিলু কি আপনি যায়নি?"

ধ্রুবজ্যোতি মাথায় হাত দিয়ে বসে রইলেন।

‖ ১৬ ‖

আরও দু'দিন পর টেলিফোনে একটা কর্কশ স্বর বলল, 'পঁচিশ লক্ষ টাকা চাই। নইলে আপনাদের মেয়েকে পাবেন না।'

সারারাত দু'জনে নির্ঘুম বসে। সংযুক্তা বললেন, "কুড়িয়ে-বাড়িয়ে ওই পঁচিশ লাখ টাকাই আমাদের এফডি শেয়ার সব মিলিয়ে আছে। এই অঙ্কটা কার মাথা থেকে বেরোল?"

ধ্রুব বললেন, "ওর সামনে আমরা কি কখনও ফিনান্স আলোচনা করেছি?"

"মনে তো পড়ছে না, বলাও তো কিছু যায় না।"

"তা হলে আর কথা নয়, টাকাটা জোগাড় করি।"

"পুলিশে বলবে না?"

"না। যদি ওর কোনও ক্ষতি করে? সংযুক্তা, তুমিই তো বলেছিলে, ও তোমার

কাছে কান্নাকাটি করেছিল ওকে যেন আমরা কখনও তাড়িয়ে না দিই?"

"কিন্তু পঁচিশ লাখ টাকা! আমাদের সারা জীবনের সঞ্চয়।"

"তোমার মাস মাইনে থাকবে, আমার পেনশন থাকবে।"

"শোনো, একটু ভাবো।"

সুতরাং তাঁরা ভাবতে লাগলেন। ইতিমধ্যে টাকা জমা দেবার তারিখ বলে দেওয়া হয়েছে। সাত দিনের মধ্যে যে-কোনও দিন রাতে বালিগঞ্জ স্টেশনের কাছে যে ওভারহেড ব্রিজ রয়েছে, তার মাঝবরাবর রেখে চলে যেতে হবে।

পঞ্চম দিন মাঝরাতে দরজার বেল বাজল প্রাণপণ জোরে। স্বামী-স্ত্রী একজনের হাতে লাঠি, অন্যজনের হাতে ছুরি। সারা বাড়ির আলো জ্বেলে নীচে নেমে এলেন। ফুটোয় চোখ রেখে কিছুই দেখা গেল না।

"কে?" গম্ভীর গলায় ধ্রুবজ্যোতি বললেন।

"শিগগির খোলো, আমি মিলু।"

চট করে দরজা খুলেই স্তব্ধ দাঁড়িয়ে গেলেন দু'জনে। ছেঁড়া-খোঁড়া রক্তভেজা সাদা কমলাপাড় শাড়ি কোনও মতে জড়ানো, মিলু টলছে। ভেতরে ঢুকেই বসে পড়ল, তারপর ওখানেই শুয়ে পড়ল।

দু'জনে কোনও মতে ধরে-ধরে তাকে তার নিজের ঘরে নিয়ে গেলেন। সংযুক্তা কাপড় ছাড়িয়ে, সমস্ত শরীর মুছে বেশ করে জল দিলেন মাথায়। সামান্য একটু হাঁ করল সে। জল দিলেন এক গণ্ডুষ। ধ্রুব নিজেই বুদ্ধি করে ফ্রিজ থেকে দুধ বার করে এনেছেন। এখন গরম করলেন একটু, এক গ্লাসের মতো দুধ খেল মিলু, তারপর পাশ ফিরে চোখ বুজল।

শরীরময় আঁচড় কামড়ের দাগ। সংযুক্তার গলা কাঁপছে। তিনি কোনও মতে একটা শাড়ি দিয়ে শরীরটা ঢেকে রেখেছেন। ধ্রুব বললেন, "ডাক্তারকে কল দিই?"

সংযুক্তা বললেন, "ফার্স্ট এড বক্সটা আনো, আমরাই পারব।"

ঘন্টাখানেক পরে আবার একটু রাম মেশানো দুধ খাওয়ালেন সংযুক্তা। ধ্রুবকে বললেন, "তুমি পাশের ঘরে শুতে যাও, ডাকলেই যাতে আসতে পারো। আমি এখানেই শুচ্ছি।"

ধ্রুব সব ঘরের আলো নেভালেন একে-একে। টেলিফোন রিসিভারটা ক্রেড্‌ল থেকে নামিয়ে রাখলেন। তারপর কী ভেবে ভারী সদর দরজাটার কোল্যাপসিব্‌ল টেনে তালা দিয়ে দিলেন।

ধ্রুবর শেষরাতের দিকে ঘুম এসেছিল। যখন উঠলেন, তখন সকাল। রান্নাঘরে বাসন মাজার শব্দ পাওয়া যাচ্ছে। তিনি মিলুর ঘরে গিয়ে দেখলেন মিলুর নাকের তলায় হাত রেখে সংযুক্তা ঝুঁকে রয়েছেন। তাঁর পায়ের শব্দে তাড়াতাড়ি মুখ তুলে বললেন, "বেঁচে আছে তো?"

ধ্রুব এগিয়ে গিয়ে নাড়ি ধরলেন, "খুব ক্ষীণ।"! বললেন, "ডাক্তার ডাকা উচিত। কিন্তু সে যদি রটন্তীকুমার হয়, মুশকিল। তার চাইতে ওকে আগে জাগতে দাও।"

শাড়িটা এক ধারে পাকিয়ে রয়েছে। রক্তাক্ত। তিনি বললেন, "এত রক্ত! তারপর শাড়িটা ভাল করে ছোট্ট একটা পুঁটলি করলেন, খাটের তলায় ঢুকিয়ে দিলেন।

বেলা বারোটার পর চোখ মেলল মিলু। সামনে ধ্রুবকে দেখে তাঁর একটা হাত ধরল। মুঠো করে ধরেই রইল। সংযুক্তা রান্না, চান এসব করতে গিয়েছেন।

"এখন একটু ভাল লাগছে?" ধ্রুব জিজ্ঞেস করলেন।

"কিছু খেতে দাও," মিলু বলল।

সংযুক্তা দুধ-ভাত মেখে, মচ্ছ-ভাজা আর আলুভাতে নিয়ে এলেন। বেশ জ্বর মিলুর। তা-ও সবই খেল ভাল করে। সংযুক্তাই খাইয়ে দিলেন। তারপর নির্জীবের মতো পড়ে রইল। প্যারাসিটামল দুটো দিলেন ধ্রুব।

বিকেলে দু'জনে চা নিয়ে নীচেরই বসার ঘরে বসেছেন, মিলু টলতে টলতে এল। বোঝাই যাচ্ছে খুব দুর্বল, মাথা টলছে। ফিসফিস করে বলল, "বাবা, আমি দুটো লাশ ফেলেছি।"

"সে কী রে? কী বলছিস?"

"ওরা আমার গলায় ছুরি ধরে অত্যাচার করতে পারে, আমি খুন করতে পারি না? পাছে ওষুধ দেয়, মদ দেয়, তাই এই ক'দিন কিচ্ছু খাইনি মা। জলটা শুধু শুঁকে নিয়ে খেতুম।"

"কী করে খুন করলি?"

"বিবেকানন্দ পার্কের মোড় থেকে মুখে চাপা দিয়ে একটা সাদা মারুতিতে করে নিয়ে গেল। ক্লোরোফর্ম দিচ্ছিল, আমি ঝটকা দিয়ে তোয়ালেটা ফেলে দিয়েছি। তখন আমারই শাড়ির আঁচল আমার মুখে গুঁজে দিল। হাত দু'টো পিছন দিকে ক্রস করে ধরে বসে রইল। কালীঘাটের গলিতে নিয়ে গেল।

গলায় ছুরি ধরে দু'জন পর-পর অত্যাচার করল। কী গালাগাল দিচ্ছিল।"

"তুই চিনিস না?"

"একটাকে চিনি পটকা। ইস্কুলের সামনে ঘোরাফেরা করত। পিছন-পিছন আসত। অন্যটাকে চিনি না।"

"বোস," ধ্রুব উঠে ওকে বসিয়ে দিলেন। সংযুক্তা চা আনলেন, "খা।" ওর হাত ঠকঠক করে কাঁপছে।

"রোজ মদ খেত, কাল খুব খেয়েছিল। আমার হাত বাঁধা, পা-দুটো খোলা ছিল। পিছলে-পিছলে এগিয়ে গিয়ে ছুরিদুটো জড়ো করে নিলুম। হাতের বাঁধন ছিঁড়তে প্রাণ বেরিয়ে গিয়েছে। তারপর একটু সাড় আসতে দুটো ছুরি দু'জনের ঠিক গলায় বসিয়ে দিয়েছি। উঃ কী রক্ত, মা গো! আমি দোর খুলে ছুটতে ছুটতে..."

তার হাত থেকে কাপটা পড়ে চুরমার হয়ে গেল। চা ছিটকে গেল চারদিকে। বসে বসে কাঁপছে মিলু। "আমাকে পুলিশে ধরিয়ে দিও না বাবা।"

ধ্রুবজ্যোতি ঠোঁটে আঙুল রেখে বললেন, "চুপ, ঘরে চল।" আবার প্যারাসিটামল দিলেন। পাশে বসে মাথায় হাত বুলিয়ে দিতে লাগলেন সংযুক্তা। ট্রাংকুইলাইজার দিয়েছিলেন।আস্তে আস্তে ঘুমিয়ে পড়ল মিলু।

"ও কি সত্যি ওটা করতে পেরেছে?" সংযুক্তা ফিসফিস করে বললেন।

"বুঝতে পারছি না। যদি সত্যি ছুরি গলার মধ্যে ঢুকিয়ে দিয়ে থাকে, আমি জানি না। বেঁচে থাকলে কেলেঙ্কারি হবে।"

"অন্য কেউ যদি জেনে থাকে...পুলিশে যাবে না, রিভেঞ্জ নেবার চেষ্টা করবে। তুমি আমিও বাদ যাবো না। ধরা পড়লে ম্যান স্লটার, সেলফ ডিফেন্সের কেস। অল্প সময়ের জেল, তবু সে জেলই। আর যদি একটাও মরে না থাকে, কি তৃতীয় কেউ জানে, তো জীবনভর রিভেঞ্জের ভয়। এখন ডাক্তার ডাকাও যাবে না। ও ক্রমাগত এই সব বলে যেতে থাকবে।"

কাজের লোকটি আসে যায়। শোনে মিলুদিদির অসুখ করেছে, তাই শয্যাশায়ী। রক্তমাখা কাপড়টা ছাদে নিয়ে গিয়ে কেরোসিন দিয়ে পুড়িয়ে দিলেন ধ্রুব। বলতে লাগলেন, "প্রমাণ লোপ করছি, প্রমাণ লোপ করছি।"

প্রতিদিন খুঁটিয়ে-খুঁটিয়ে খবরের কাগজ দেখেন। তৃতীয় দিন খবরটা বেরোল তৃতীয় পাতার কোণের দিকে। কালীঘাট সেকেন্ড বাইলেনের একটি বাড়ির একতলার ঘরে কটাগোবিন্দ নামে একটি মস্তান থাকত, সে খুন হয়েছে। তার

সঙ্গে আরও একটি মৃতদেহ, অল্পবয়সি একটি ছেলের। তার পরিচয় জানার চেষ্টা হচ্ছে। ঘরে মদের বোতল, দুটি ছোরা পাওয়া গিয়েছে। ছোরা দুটি রক্তে ভিজে গিয়েছে একেবারে। এবং লোক দুটি বদ্ধ মাতাল ছিল।

ধ্রুব বললেন, "ছোরায় আঙুলের ছাপ পাওয়া গিয়েছে কি না বলছে না দেখেছ?"

সংযুক্তার গলা দিয়ে স্বর ফুটল না।

"ভাবো, একটা মেয়ে তার ষোলো-সতেরো বছরের জীবনে কতবার ধর্ষিত হল? সে প্রাণপণে চেষ্টা করছে এর থেকে বেরোতে। আমরা চেষ্টা করছি বার করে আনতে। কিছুতেই পারছে না, পারছি না। এর চেয়ে ভয়ংকর কিছু আছে?"

সংযুক্তা অবশেষে বললেন, "আমি হলেও লোক দুটোকে খুনই করতাম। আমি ওর কোনও দোষ দেখছি না। এইসব মস্তান-গুন্ডাদের পুলিশ প্রোটেকশান দেয়। আমার ধারণা, ও যদি থানায় যেত ওর আরও বিপদ হত। আসলে সেই দারোগাবাড়ির অভিজ্ঞতা ওর মনে আছে। তাই ও থানায় যায়নি ভাগ্যিস!"

"কিন্তু কী কী পাওয়া যেতে পারে সাক্ষ্যপ্রমাণ হিসেবে সেটাই আমাকে ভাবাচ্ছে," ধ্রুব বললেন। তিনি অনবরত পায়চারি করে যাচ্ছেন।

সংযুক্তা বিড়বিড় করে বললেন, "এই সমস্ত নিষ্ঠুর বাস্তবের সামনে এলে তোমাদের সব সাহিত্য-শিল্প কেমন যেন অর্থহীন মনে হয়।"

হঠাৎ ধ্রুবর মনে পড়ে গেল দিয়া আর বাবাইও ধর্ষিত হয়েছিল। ওদের পরিস্থিতি একেবারে আলাদা। হাই-ক্লাস, ডিসকো থেক, স্মার্ট, বুদ্ধিমতী টাকা-পয়সাওয়ালা মেয়ে সব। আর এ? লো-ক্লাস। বিজয় সুরের ভাষায় 'ঝিয়ের মেয়ে'। তাঁদের প্রযত্নে আছে, প্রাণপণে পড়াশোনা করে নিজের পায়ে দাঁড়াবার চেষ্টা করছে। গ্রাহাম্‌স প্লেসের হাই-ফাই ক্লাব আর কালীঘাট বাই-লেনের ঘুপচি ঘর, আকাশ-পাতাল তফাতের হলেও ঘটনাটা এক— ধর্ষণ। অত্যাচার একই, অপমান একই। মেয়েদের সব বয়সের পুরুষই যৌনসামগ্রী বলে দেখছে। ঈশ্বরগুপ্ত-টুপ্তর সময়ে মেয়েরা যখন প্রথম পড়তে বেরোল, তখন ধর্ষণ ছিল না। কিন্তু এই দৃষ্টিই ছিল। তবে তখন যে-বয়সে বিয়ে দেওয়া হত, বিবাহের মধ্যেও ধর্ষণ হত। এবং অনেক মেয়ে মারা যেত। তারপর সহবাসে সম্মতি অ্যাক্ট হল, বিয়ের বয়স বাড়িয়ে দেওয়া হল, বাবুদের

গণিকা-পল্লিতে যাওয়ার ফ্যাশন উঠে গেল। এখন গণিকাবৃত্তি, লালবাতি এলাকা ছাড়িয়ে ছড়িয়ে পড়েছে। যৌন আহ্লাদের জন্য বিবাহবহির্ভূত সম্পর্কও রয়েছে, লালবাতি সহাবস্থান করছে শিষ্ট সমাজের সঙ্গে। চতুর্দিকে বিরাট-বিরাট হোর্ডিং সুন্দরী মেয়েদের, স্বল্প পোশাক- বক্ষবিভাজিকা দৃশ্যমান। এইসব মডেল যে-পোশাক পরে, যে-পোজ দেয়, মুখচোখের ভাষা যা হয়, তাতে করে তো তার সোনাগাছি, হাড়কাটা গলির সন্ধ্যায় পণ্যস্ত্রীদের হাবভাবই মনে পড়ে যায়। সব সময়ে এই সব ছবি ওসকাচ্ছে ছেলে-বুড়ো সবাইকে। গুন্ডা-মস্তানের কথা তবু বোঝা যায়, কিন্তু ভদ্রঘরের ছেলেপুলেদের সাহস হয় তো? প্রবৃত্তিকে সংযত করার সামান্য ক্ষমতাও কি এরা চর্চা করতে উৎসাহ পায় না?

তাঁর ভিতরে হঠাৎ একটা সংকল্পের প্রচন্ড জোর এল। এতদিন প্রজেক্ট হিসেবে নিয়েছিলেন, এখন তিনি মিলুকে একটা পবিত্র দায় বলে নিলেন। নিজের সমস্ত হিতকারী ক্ষমতার শেষ প্রমাণ হিসেবে, কন্যা হিসেবে নিলেন। ভিতর থেকে জোয়ারের স্রোতের মতো স্নেহ এল। কী রকম একটা সেন্টিমেন্টাল বোধ করলেন। জোর কদমে গেলেন মিলুর ঘরে। সে এখনও শুয়ে, পাশে সংযুক্তা বসে একটা বই পড়ছেন। ঘরে মৃদু স্বরে মিউজিক বাজছে, সেতার।

তিনি খাটের প্রান্তে সন্তর্পণে বসলেন। সংযুক্তা একটু অবাক হয়ে চাইলেন। তিনি মিলুর মাথায় আস্তে হাত রাখলেন। জ্বর নেই, কিন্তু কেমন নেতিয়ে আছে। ওকে একটু ট্রাঙ্কুইলাইজার রোজ দেওয়া হচ্ছে তো! সে কারণেও থাকতে পারে। মাথায় হাত অনুভব করে মিলু একটু নড়ে উঠল। অস্ফুটে বলল, "বাবা!"

"হ্যাঁ রে, ঘুম আসছে?"

"আসছে, কিন্তু হচ্ছে না।"

"কেন? এখনও কি ভয় করছে?"

ওদিক থেকে সংযুক্তা ভুরু কুঁচকে চোখের ইশারা করলেন।

"কষ্ট হচ্ছে, ভয় হচ্ছে," মিলু বলল।

"কীসের কষ্ট বুঝতে পারছি, কিন্তু ভয় কীসের?"

"বাবা, খুনি বলে পুলিশ আমায় ধরবে?"

"ধরবে না, নিশ্চিন্ত থাক। আমি আছি, ওটাকে খুন বলে না।

সেলফ-ডিফেন্স বলে। দিজ পিপ্‌ল শুড বি টার্মিনেটেড। দে আর মনস্টার্স অ্যান্ড ভার্মিনস অ্যাট দ্য সেম টাইম। কিন্তু মিলু, তোকে উঠে দাঁড়াতে হবে। এভাবে ভেঙে পড়লে চলবে না। সব সময়ে জানবি, বাবা মা পাশে আছে। সব ভুলে যা।"

"কতবার ভুলতে হবে বাবা? আর তোমরা আছ কিন্তু ভগবান নেই।"

"অ্যাকসিডেন্ট যদি একটা মানুষের জীবনে একাধিকবার ঘটে, কাটিয়ে উঠে দাঁড়াতে চেষ্টা তো প্রত্যেকবারই করবে সে। ট্রমা-ফমা বাজে জিনিস, আমল দিস না। আর ভগবান? তুই-ই ভগবান, আমরাই ভগবান, এখনও বুঝিসনি?"

মিলু আস্তে আস্তে ফিরে শুল। তারপর দুটো হাতে ভর দিয়ে উঠে বসল।

"বাবা! কী বললে আবার বলো।"

"তুই-ই ভগবান। আমরা, এই সংযুক্তা আর আমি তোর মা-বাবা, আমরাই ভগবান।"

"সত্যি বলছ?"

"একদম সত্যি। আমাদের চারদিকে শয়তানের অত্যাচার তাই আরও বেশি।"

"তা হলে তো ভগবান না হওয়াই ভাল বাবা, এত শয়তান! এত শয়তান! কী করে যুদ্ধ করব?"

"প্রাথমিক লড়াইগুলো খুব শক্ত ছিল, সেগুলোতে জিতে এসেছিস। আর এরকম লড়তে হবে না। এবার অন্য রকম লড়াই, আনন্দের লড়াই।"

"কীরকম?"

"তোকে কবিতা পড়তে হবে, গান শিখতে হবে, যা-যা ভালবাসিস তা করতে হবে।"

"বাবা, আমাকে গান শেখাবে সত্যি?"

"আমার মনে হয় তোর শেখা উচিত।"

"আমার ভীষণ ইচ্ছে বাবা।"

"শিখবি, কী শিখবি ভাব। গানের কথা ভাব। তাড়াতাড়ি, খুব তাড়াতাড়ি সেরে ওঠ।"

তিনজনে চুপচাপ বসে রইলেন অনেকক্ষণ। তারপরে খাবারগুলো গরম করে একটা ট্রলি ঠেলে সংযুক্তা মিলুর ঘরে নিয়ে এলেন। তিনজনেই

ওখানে বসে বসে খেয়ে নিলেন। লুচি, আলু-ছেঁচকি, মাংস আর ছানার লেবু সন্দেশ।

"তোর কী মনে হচ্ছে সায়েন্স নিবি না হিউম্যানিটিজ?"

"হিউম্যানিটিজ, সায়েন্স পাব না।"

"সায়েন্স পাবি না বলেই কি হিউম্যানিটিজ নিতে চাইছিস?"

"না, সায়েন্সও ভাল লাগে, কিন্তু আর্টস আরও ভাল লাগে।"

"মিশিয়ে নেওয়া গেলে নিস। গানটাও এখুনি শুরু করে দে। কার কাছে শিখতে পারিস, কোনও আইডিয়া আছে?"

"ভারতীদি শেখান এখানে। গীতবিতান আছে, দক্ষিণী আছে।"

"না, আগে বাড়িতে একটু বেস তৈরি কর। ক্ল্যাসিক্যাল শেখা দরকার। আমি দেখছি।"

॥ ১৭ ॥

এ বছরটা একটা স্পেশ্যাল বছর— বাবাই ভাবছিল। ঠান্ডা আর যেতেই চাইছে না। একটু গরম পড়লেই বৃষ্টি চলে আসছে। আবার চারদিকটা এমন আরামদায়ক ঠান্ডা হয়ে যাচ্ছে! বাবাই নাম কে ওয়াস্তে হস্টেলে ফিরেছে বটে, কিন্তু তাকে দিয়াদের বাড়ি থাকতেই হয়। আর এখন কোনও অস্বস্তি নেই। সত্যি-সত্যিই বাবাইয়ের মনে হয় সে নিজের বাড়িতে রয়েছে। কত কথা দিয়ার। মুখে কথা, ডায়েরি ভর্তি কথা, খাতা ভর্তি কথা, বাবাই শোনে, পড়ে। দিয়া ভীষণ উৎকণ্ঠিত হয়ে জিজ্ঞেস করে, "তোর কী মনে হয়, ঠিক ভাবছি?" নানারকম জীবনদর্শন নিয়ে আলোচনা হয় দু'জনের। বাবাই কখনও ভাবেনি ধনীর দুলালি, আপাতদৃষ্টিতে অপরিণত দিয়া এত কথা ভাবে।

একদিন সে বলল, "দেখ বাবাই, মা-বাবাকে আমি প্রচণ্ড ভালবাসি, ভীষণ নির্ভরও করতাম। কিন্তু ওদের বিচ্ছেদের পর, আমার উপর দিয়ে এইসব ঘটে যাওয়ার পর আস্তে-আস্তে আমি বুঝতে পারছি আমি একটা আলাদা মানুষ। আমার জীবনটা একটা আলাদা জীবন। আমাকে শেষ পর্যন্ত একাই বাঁচতে হবে, একাই মরতে হবে। আমার বাঁচাটা কেউ বেঁচে দিতে পারবে না।"

উজ্জ্বল ছিল, কফি মাঝখানে নিয়ে তিনজনের আড্ডা চলছিল। সে বলল,

"ধুর এটা আমি বহুদিন আগে বুঝে গিয়েছি। ঠিক এইভাবে বলতে হয়তো পারিনি কাউকে, কিন্তু বুঝে গিয়েছি। বেশিরভাগ ছেলেই বুঝে যায়। মানে, ভিতরে-ভিতরে ইন্ডিপেন্ডেন্ট হয়ে যায়। তোরা পারিস না। ওটা বহুযুগের অভ্যাসের ফল, কী করা যাবে! আজ যদি বিয়ে করিস আবার বরের উপর নির্ভর করতে শুরু করবি।"

বাবাই বলল, "বাজে কথা বলিসনি। ওটা মিউচুয়াল নির্ভরতা, পারস্পরিক। একটা নতুন ইউনিট গড়তে হচ্ছে। দু'জনের সহযোগিতা, সহমর্মিতা না থাকলে হওয়া সম্ভব?"

উজ্জ্বল বলল, "তুই একটা আইডিয়াল সিচুয়েশনের কথা বলছিস। রিয়্যালিটি তা বলে না। রিয়্যালিটি বলছে, মেয়েরা সব ব্যাপারে একেবারে বসের উপর নির্ভরশীল হয়ে পড়ে। বরের কথাই বসের কথা। যারা উপার্জন করে সেসব মেয়েও বরকে জিজ্ঞেস না করে কিছু করে না।"

"অথচ ছেলেরা যা ইচ্ছে তাই করে। করার যুক্তিও খুঁজে নেয়।"

উজ্জ্বল বলল, "দিয়া, এই স্বাধীনচিত্ততার একটা দায়দায়িত্বও আছে কিন্তু। আমার কাজের জন্য আমি, একমাত্র আমিই দায়ী এই মনোভাবটা মানুষকে দারুণ সিরিয়াস করে তোলে।"

"হ্যাঁ", বাবাই বলেছিল "ওই বদমাশ ছেলেগুলো তো বড়দের সঙ্গে পরামর্শ করে আমাদের উপর অত্যাচারটা করেনি, করেছে নিজেদের মর্জিতে। দায়িত্ব বৈকি, সিরিয়াসনেসও অবশ্যই।"

তার গলাতে তিক্ততা, তীক্ষ্ণ বিদ্রূপ ফুটে উঠছিল।

উজ্জ্বল তার দিকে তাকিয়ে রইল। রানাঘাটের ডিস্ট্রিক্ট স্পোর্টস মিটে যে-মেয়েটির সঙ্গে তার একদা আলাপ হয়েছিল সে ছিল যেমন সরল, তেমনই প্রতিক্রিয়াহীন। বাবাই নিজের কাজটুকু মন দিয়ে করে যেত। কিন্তু যেসব অন্তর্নিহিত পলিটিক্স, রাক্ষুসে প্রতিযোগিতা, খেয়োখেয়ির চোরাস্রোত এসব জায়গায় সর্বদা বয়, সে হালকা পায়ে সেখান থেকে সরে দাঁড়াত। কোনও অভিযোগ ছিল না। লং জাম্পে ওজন আর হাইট নিয়ে সেবার কী একটা কারচুপি হয়েছিল। বাবাই তার পাওনা পেল না। কিন্তু সে নির্বিকার। প্রাণতোষদার উপর সে কথা বলবে না। তবে হ্যাঁ, সে ছিল অবিসংবাদী স্প্রিন্ট কুইন। শেষের ল্যাপে যখন ক্যানটার করত সে একটা দেখবার জিনিস। পাঁচ তিন-এর বেশি হাইট নয়। অথচ ক্যানটার করছে রেসের ঘোড়ার মতো।

শিল্প একটা, নিজের শিল্পে বিভাবরী নিজেই মগ্ন। কোথায় কে কী অন্যায় করল তার উপর তা নিয়ে তার মাথাব্যথা নেই। এখনও আপাতদৃষ্টিতে সেই ঝগড়াবিমুখ ঠান্ডাস্বভাব বাবাইয়ের কোনও পরিবর্তন অন্যে টের পাবে না। কিন্তু উজ্জ্বল স্ফুলিঙ্গ দেখছে, রাগের স্ফুলিঙ্গ, তার মধ্যে অপমানের ক্রুদ্ধ অশ্রু মিশে আছে। তার খালি আফশোস হয় কেন বাবাই তাকে সেদিন ডাকল না। নতুন কিছু করলেই সে উজ্জ্বলকে বলে থাকে, অথচ সেঁদিনই...।

বাবাই লক্ষ করছিল উজ্জ্বলের ভাবান্তর। তার হঠাৎ কেমন মনে হল মফস্‌সল থেকে চলে এসে সে কি ভুল করেছে? বারবার সেইজন্যেই ঠেকে যাচ্ছে ভালবাসাহীন, নীতিহীন, বিবেকহীন একটা চোরা জালে? দূর, তা-ও আবার কখনও হয় নাকি? উচ্চশিক্ষার জন্য, চাকরির জন্য, মানুষ ক্রমাগত যাতায়াত করছে গ্রাম থেকে গঞ্জে। গঞ্জ থেকে শহরে। আরও বড় শহরে, স্বদেশ ছেড়ে বিদেশে। এক জায়গায় থেকে গেলে হয়তো একটা নিরাপদ জীবন পাওয়া যায়, কিন্তু সেটা কুয়োর ব্যাঙেরও জীবন। আসলে সে যে কোথাও একটা হেরে যাচ্ছে, তাকে লোকে ঠকাতে পারছে, ঠকিয়ে পার পেয়ে যাচ্ছে এই ব্যাপারটাই ক্রমাগত তার আত্মসম্মানে ঘা দিয়ে যাচ্ছিল। আর একটা জায়গায় এসে আত্মসম্মান আর আত্মবিশ্বাসে তেমন কোনও তফাত থাকে না। বাবাইয়ের আত্মবিশ্বাসটা তার অজান্তেই চুরচুর হয়ে যাচ্ছিল। যেহেতু আপাতদৃষ্টিতে দিয়া আরও ভঙ্গুর এবং তাকে ক্রমাগত মরাল সাপোর্ট দিয়ে না গেলে সে ভেঙে পড়তে পারে, তাই বাবাইয়ের নিজের ভঙ্গুরতা যেন মুলতুবি থাকছিল সমস্ত সময়টা। মানে, কাউকে সে বুঝতে দিচ্ছিল না তার কথা। সে যেন বরাবরের মতোই স্প্রিন্টকুইন, জিতবেই। একটুর জন্যে জয় ফসকে গেলেও কান্নাকাটির বান্দা নয়। উজ্জ্বল কি বুঝতে পারছে? কেউ যদি পারে, একমাত্র উজ্জ্বলই পারবে। কেননা ক্রীড়াজগতের নোংরা পলিটিক্সের মধ্যে তাকে দেখেছে একমাত্র উজ্জ্বলই। উজ্জ্বলই বোঝে তার স্বভাব। অনেকবার বলেছে, মাঝে মাঝে ফোঁস কর, সব সময়েই যদি সদাশিব আশুতোষ হয়ে থাকিস, বরাবর কিন্তু লোকে তোরটা লুটে নিয়ে যাবে। বস্তুত তার স্বভাবের মধ্যেই এই প্রশান্তি, স্থিরচিত্ততা আছে বলেই মা-বাবা তাকে কাছছাড়া করতে সাহস পেয়েছেন। দিদি যখন সংশয় প্রকাশ করেছিল মা বলেন, "না রে ও খুব ধীরস্থির, চট করে ভড়কাবার, ভেঙে পড়বার মেয়ে নয়।"

উজ্জ্বল, উজ্জ্বল তুই কী ভাবছিস জানি না, কিন্তু আমার প্রশান্তি টুটছে,

কোথাও-কোথাও একটা ঘোর পরিবর্তন আসছে, সেটা শেষ বিচারে ভাল কি মন্দ তা আমি জানি না। কিন্তু বদলটা যে আসছে, আমি হাজার মলম লাগিয়েও তার জ্বালা যে আটকাতে পারছি না, এ-কথা তুই অন্তত বুঝিস।

ঠিক সেই সময়েই রিনার গোয়েন্দাগিরির প্রত্যক্ষ ফলাফল পৌঁছে যাচ্ছিল রূপরাজের কাছে। এক নং, দু নং, তিন নং করে করে যতদূর সে বার করতে পেরেছে। শক্ত হয়ে যাচ্ছিল রূপরাজের ঠোঁট, চোয়াল। সংকল্প জমছিল ভিতরে। লৌহ-কঠিন সংকল্প। রিনা ভয় পাচ্ছিল, "রূপ, নিজেকে সামলা, এমন দেখাচ্ছে কেন তোকে?"

"দেখ রিনা, প্রথম কথা তুই যেন পুরোটা আমায় ফ্যাক্স করেছিস, আমার মুখের কী ভাব হল না হল তোর দেখার কথা নয়। দ্বিতীয়ত, এরপরও আমাকে কার্তিক ঠাকুরটির মতো দেখাতে হবে? বাঃ, আপাতত তুই ফোট্, আমায় একা থাকতে দে। অনেক কিছু ভাববার আছে, থ্যাঙ্কস্।"

"একটা বিদ্রোহ দরকার। একটা অজানা জায়গা, যেখানে কেউ তোমাকে খুঁজে পাবে না। কিছুটা নিশ্চিন্ত অবসর। সম্পূর্ণ একটা একলা, কারও উপর অ-নির্ভর নিজস্ব পৃথিবী, যেখানে নিজের সমস্ত বুদ্ধিবৃত্তি পরিষ্কার কাজ করে। একমাত্র বন্ধুদের নিয়ে কোনও ঝামেলা নেই। পৃথিবীতে এরকম কোনও জায়গা আছে যেখানে মানুষ নেই বা থাকলেও সম্পর্কের মধ্যে আসে না, বা আসলেও বিরক্তি উৎপাদন করে না, অনাবশ্যক কৌতূহল দেখায় না।"

"আছে, আছে, সব আছে। আমি এক ডজন জায়গার ন।ম করতে পারি," রূপ বলল।

"আই নিড ইট ভেরি মাচ," আরিয়ান বলল।

কথা হচ্ছিল, শুকতারার বাড়িতে একটা জোর টেনিস সেশনের পর। প্রত্যেকেরই কাঁধে সাদা তোয়ালে, সামনে লম্বা গ্লাস শরবত।

শুকতারা বলল, "উই আর আ পার্ফেক্ট সিক্স-সাম। তিন ছেমরি, তিন ছ্যামরা। চল কেটে পড়ি।"

"আর একটু বেশি হলে জমত ভাল," উজ্জ্বল বলল। "আরিয়ান দেখ না তোদের ক্লাব থেকে যদি আরও জনা চার পাওয়া যায়।"

"ক্লাব, আরে ধুস ইয়ার! ওই ফান্টুস ক্লাবটার কথা তোর কী করে মনে

এল? ওরা তো সব ব্যাবসাদার, টাকা-আনা-পাই ছাড়া কিছু বোঝে না। ওরা করবে অ্যাডভেঞ্চার?"

"ঠিক আছে, এবারে ছোট করে হোক পরে সার্কল বাড়লে দেখা যাবে।"

রূপরাজ বলল, "কিন্তু তোরা মেয়েরা বাড়িতে না বলে যাওয়ার সাহস দেখাতে পারবি?"

"আরে ক'টা দিনের জন্য তো!" শুকতারা বলল। "ম্যানেজ করে নেব।"

দিয়া বলল, "আমার মা-বাবা কেউই এখানে নেই, স্রেফ বাসুদিকে বলে বেরিয়ে যাব।"

বাবাই কাচুমাচু হয়ে গেল, "আমি অনায়াসেই মা-বাবাকে না বলে যেতে পারি। প্র্যাক্টিক্যাল ডিফিকাল্টি কিছু নেই। কিন্তু টাওয়ার থাকলে ফোন করব রে।"

আরিয়ান বলল, "একেই বলে 'যেতে যেতে চায় না যেতে ফিরে ফিরে চায়।'"

বাবাই অবাক, "তুমি রবীন্দ্রনাথের গান-কবিতা জানো?"

"মানে, হোয়ট ডু ইউ মিন? আমার মা বাড়িতে থাকলে সারাক্ষণ রবীন্দ্রসঙ্গীত চালিয়ে রাখে।"

"রিয়্যালি," শুকতারা বলল। "তুই বোর হোস না?"

"হলে কী করা! শি ইজ ডেড সিরিয়াস। আর শুনতে-শুনতে লাগসই লাইনগুলো কেমন মুখস্ত হয়ে গিয়ে কাজে দিচ্ছে বল? আই ক্যান ইমপ্রেস লটস অব পিপল। শুক্‌স, তুই সে জায়গায় একটা রবি-লাইন বল জনগণ ছাড়া, বন্দেমাতরম ছাড়া।"

সবাই হেসে উঠল।

"কী ব্যাপার, হঠাৎ এত হাসি?"

"তুমি কি ভেবেছিলে, বন্দেমাতরমটাও রবীন্দ্রসংগীত?"

"নয়? আয়াম সরি, রিয়্যালি সরি। কার ওটা?"

"বঙ্কিমচন্দ্রের।"

"দেবদাসের রাইটার?"

"ওঃ আরিয়ান তুই এবার ক্ষান্ত দে," শুকতারা বলল।

"'দেবদাস' শরৎচন্দ্রের, আর 'বন্দেমাতরম' বঙ্কিমচন্দ্রের, যিনি 'রাজসিংহ', 'আনন্দমঠ', লিখেছিলেন।"

"ওঃ হো সেই কমিউন্যাল রাইটার?"

উজ্জ্বল বলল, "তোর মাথা, এইভাবেই কি তুই লোকজনকে ইমপ্রেস করিস?"

"আরে রাম, লোকজন ইজ অলরাইট, এই বন্ধুবান্ধবরাই দেখছি বড্ড টাফ।"

আবার একদফা হাসি উঠল।

॥ ১৮ ॥

ট্রেনটা যখন ছাড়ল তখন বন্ধুরা ছড়িয়ে-ছিটিয়ে। কোনও তিনজনের এক জায়গায় দাঁড়ানোর উপায় নেই। সেকেন্ড ক্লাস কামরা ঠাসাঠাসি ভিড়। ধ্রুবজ্যোতি চশমাটা একবার ভাল করে মুছে নিলেন। সেকেন্ড ক্লাস রিজার্ভেশনহীন। এখন সব সিট বোঝাই। শুকতারাকে বলতে শুনলেন, "আমি খড়্গপুরে নেমে যাব। এইরকম শুধু-শুধু গাদাগাদি—একে অ্যাডভেঞ্চার বলে না, এর নাম ম্যাডভেঞ্চার।"

আরিয়ান বলল, "আমিও তো এসি-তে থাকি। তুই না টেনিস খেলিস তোর স্ট্যামিনা এত কম হবে কেন?"

"স্ট্যামিনার কোয়েশ্চেন এটা নয়। কথা হচ্ছে শুধু-শুধু কেন এই নোংরা ঘেমো-ভিড়ে পিষতে-পিষতে যেতে হবে? দিস ওয়জ আননেসেসারি।"

কখন উজ্জ্বল তার জায়গা থেকে বেরিয়ে এসেছে, ওরা লক্ষ করেনি।

সে বলল, "ডোন্ট ওয়ারি শুকতারা। প্রয়োজনটা পরে বুঝতে পারবি, কখন যে মানুষের কোন অভিজ্ঞতাটা কাজে লেগে যায়!"

শুকতারা টয়লেটের দিকে যাচ্ছিল, ট্রেন স্পিড নিয়েছে। উজ্জ্বলও দু'পকেটে হাত ঢুকিয়ে দ্বিতীয় টয়লেটের দিকে গেল। শুকতারা কাছাকাছি হতেই সে আস্তে গলায় বলল, "ব্যাকিং আউট?"

"নট রিয়্যালি।"

উজ্জ্বলের পুরো ব্যাপারটাই কেমন রহস্যময় লাগল। ও কি আগেই ঠিক করে নিয়েছিল যাবে বলে যাবে না, কেন? ও এর মধ্যে থাকতে চায় না? না-ই থাকল, সে কথা বলতে দোষ কী? এই সমস্ত আপার ক্লাস মড মেয়েরা

বড্ড খেয়ালি হয়। যা খুশি তাই করার লাইসেন্স নিয়েই যেন জন্মেছে, দায়িত্বজ্ঞান বলতে কিছু নেই। খুব বিরক্ত লাগছে তার। সে টয়লেটের ভিতরে গিয়ে ভাবতে লাগল। শুকতারা আবার কোনওরকম বিশ্বাসঘাতকতা করবে না তো?

ঈশ্বর জানেন, শুকতারা কিন্তু খড়্গপুরে নামল না।

দিয়া তন্ময় হয়ে বাইরের দিকে তাকিয়ে আছে, যদিও তখন রাতে তেমন কিছু দেখা যাচ্ছে না। উলটো দিকে দাঁড়িয়ে রূপরাজ। বাবাই পাশের সিট পেয়েছে। আরিয়ানকে উলটোদিক থেকে আসতে দেখল উজ্জ্বল। শুকতারাও বসার জায়গা পায়নি। নাঃ, কাজটা রূপের ভাল হয়নি। এত কষ্ট করার দরকার কী ছিল? নামেই 'এক্সপ্রেস' ট্রেন, বড্ড টিকিস-টিকিস করে চলেছে। তার উপর এইরকম রিজার্ভেশনহীন কামরা। পৌঁছতে রাত সাড়ে দশটা, লেট করলে ক'টা কে জানে!

দিয়া এইসময়ে উঠে দাঁড়াল, বলল, "শুক, বোস। আমি তো কিছুক্ষণ বসলাম।"

বাবাইও তার সিটটা ছেলেদের কাউকে দিতে চাইল। উজ্জ্বল হেলাফেলার সঙ্গে বলল, "তোরা বোস, আমরা ঠিক আছি। একেবারে ফিট।"

"যা বলেছিস," আরিয়ান বলল।

"ছেলে বলে কি মাথা কিনে নিয়েছিস নাকি?" বাবাই বলল।

"মাথা তো প্রায় বিক্কিরি করে দিলুম রে," ওদিক থেকে রূপরাজ বলে উঠল। আস্তে-আস্তে সবাই মোটামুটি জায়গা পেল। পাশের লোক বিড়ি খাচ্ছে বলে দিয়া আরিয়ানের সঙ্গে জায়গা বদল করল। শুকতারার পাশে এক দেহাতি মহিলা ছেলে কোলে নিয়ে বসেছিলেন। শুকতারা গিয়ে উজ্জ্বলের সঙ্গে জায়গা বদল করল। মহিলাও গন্ধমাদন।

রূপরাজ বলল, "এইভাবেই তবে আমাদের ট্রেকিং শুরু হল, এক সিট থেকে আর এক সিটে?"

"যা বলেছিস!" উজ্জ্বল, শুকতারা একসঙ্গে হেসে উঠল।

কামরাটা যাকে বলে লোকে লোকারণ্য। দুটো সিটের মাঝখানে ফাঁকা জায়গাটায়ও ছোট বাচ্চাদের বসিয়ে দিয়েছে লোকে। অনেকেই পরস্পরকে চেনে, গল্প জুড়ে দিয়েছে। সারা কামরাটা মানুষের এই গল্পগাছার আওয়াজে ঝমঝম করছে। উজ্জ্বল, বাবাই লম্বা-দৌড়ের বাসে উঠে অভ্যস্ত। এই ভিড়,

এত আওয়াজ ওদের কাছে তেমন কোনও ব্যাপারই নয়। কিন্তু বাকিরা? বিশেষত, দিয়া, শুকতারা আর আরিয়ান একেবারে আনকোরা। কিন্তু বিরক্তি দেখা যাচ্ছে একমাত্র শুকতারারই। আরিয়ান একরকম উপভোগ করছে জিনিসটা। আর দিয়া লক্ষ্মী মেয়ের মতো চুপ করে আছে। মাঝে-মাঝে অন্যমনস্কভাবে হাসছে। মাঝে মাঝে আবার তার কপালে ভাঁজ পড়ছে। কিন্তু কী ভাবাচ্ছে তাকে?

একটা দেহাতি লোকের সঙ্গে আরিয়ান খুব জমিয়েছে। লোকটি বলছে, "আপ তো ফিল্মস্টার যৈসা।"

আরিয়ান বলল, "ফিল্মস্টারই তো হুঁ!"

লোকটি সসম্ভ্রমে বলল, "টলিউড কা?"

আরিয়ান মুচকি হেসে বলল, "উও হম নহি বাতাউঙ্গা।"

"তো আপ এয়হি কামরে পে...কিঁউ জি?"

"উও ভি হম কিসিকো নহি বাতাউঙ্গা।"

রূপের সঙ্গে এক মাঝবয়স ভদ্রলোকের কথাবার্তা হচ্ছে, ভদ্রলোক বললেন, "না, ঠিক মাউন্টেনিয়ার নই, কিন্তু ট্রেকিং আমার নেশা ছিল। তোমাদের বয়সে ভাই নন্দাঘুণ্টি-টুন্টি কিছুদূর গিয়েছি। এভারেস্টেও ট্রাই করেছিলাম। বেস-ক্যাম্প থেকেই ফিরিয়ে দিল।"

"সে কী, কোনও ট্রেনিং না নিয়েই?"

"ট্রেনিং ছিল বই কী। শুশুনিয়ায়, তারপর অযোধ্যা পাহাড়ে। হিমালয়ের ট্রেনিং ছিল না। অভিজ্ঞতা আর উপদেশের উপর নির্ভর করেই, তোমরা কি অযোধ্যা পাহাড়ে যাচ্ছ?"

"ছাড়লেন কেন?" এড়ানে উত্তর দিল রূপ।

"সংসারে জড়িয়ে পড়লুম, আর রিস্ক নেওয়াটা ঠিক হত না। তোমরা যদি সিরকাবাদ দিয়ে যাও তো প্রাকৃতিক শোভা একটু কম দেখবে, বুঝেছ? প্রাকৃতিক শোভাটাই ট্রেকিং-এর বিশল্যকরণী। তোমার যত কষ্টই হোক, ঝরনা, পাহাড়ি ফুল, উঁচু-উঁচু গাছ, এসব দেখতে-দেখতে ক্লান্তি ভুলে যাবে ভাই। যদি বাঘমুণ্ডি পার হয়ে ট্রেকিং শুরু করো, ঘণ্টা ন'য়েকের পথ। সুন্দর, ভারী সুন্দর। তবে কী জানো, ভীষণ মশা! মশার জন্যে তোমাকে প্রিকশন নিতেই হবে, নইলে...।"

উজ্জ্বল এতক্ষণে বাবাইয়ের উলটো দিকের সিটটা পেল। একবার তাকাল

রূপ আর আরিয়ানের দিকে। ওরা এখনও গল্পে মত্ত, ট্রেন এবার খানিকটা ভদ্রস্থ স্পিড নিয়েছে। সে বসে পড়ল।

"কী রে বাবাই ঘুমোতে-ঘুমোতে চলেছিস?"

"ঘুমিয়ে নেওয়াই তো ভাল।"

"ভিতরে-ভিতরে জেগে আছিস তো?"

বাবাই হাসল শুধু।

"দিয়াও বোধহয় ঘুমোচ্ছে।"

বাবাই আস্তে বলল, "ভিতরে-ভিতরে জেগে আছে।"

"মেয়েটা খুব পালটে গিয়েছে, না?"

"আপাতদৃষ্টিতে," বাবাই উত্তর দিল।

"কেন, ভিতরে পালটায়নি?"

"তুই কি ওর পালটে যাওয়ার ওপর নির্ভর করছিস?"

"শি টু হ্যাজ আ ভাইট্যাল রোল টু প্লে।"

"আমি কিন্তু অন্য অর্থে কথাটা জিজ্ঞেস করেছিলুম।"

"আমি তোদের মতো অর্থবিদ নই," উজ্জ্বল যেন একটু অপ্রস্তুত হয়েই বলল।

বাবাই ভাবল, ছেলেরা বড্ড জটিল এবং আত্মম্ভরি।

উজ্জ্বল ভাবল, মেয়েরা বড্ড জটিল এবং হিংসুটে ফর নাথিং।

বাবাই ভাবল, উজ্জ্বলও! সে-ই উজ্জ্বল!

উজ্জ্বল ভাবল, বাবাইও। সে-ই বাবাই!

খুব আশ্চর্যের বিষয়, দিয়াই একমাত্র যে-পারিপার্শ্বিককে প্রায় পুরোপুরি টা-টা বাই-বাই করে নিজেকে তার মনের ভিতর বেশ গুটিয়ে নিয়েছিল। এবং এক ধরনের জাগর স্বপ্ন দেখছিল। এই প্রথম তার স্বপ্নে মা নেই, বাবা নেই, তার চিরসাথী সেই দুঃখ বা ডিপ্রেশন নেই। সে সম্পূর্ণ স্বাধীন। একটা স্বাধীন রাজ্যের বাসিন্দা, তার পাশে একটা ছায়া আছে অবশ্য, জ্যোতির্ময় ছায়া। যতই অদ্ভুত হোক কথাটা, সেই ছায়া সব সময়ে তার ক্লান্তি, অবসাদ, রুক্ষ মেজাজ শুষে নিচ্ছিল। সে হয়ে উঠছিল শক্তিময় কর্মক্ষম, ভারসাম্য সমেত, বাস্তববোধসম্পন্ন অথচ ভাবুক এক মানুষ। এই দিবাস্বপ্ন এত আরামের যে, দিবাস্বপ্ন থেকে সে চলে গেল গভীর ঘুমে। কামরার কাঠে মাথা রেখে সে ঘুমোতে লাগল। চারপাশের কলরোল একটু ঝিমিয়ে এসেছে, আলো কিন্তু কটকট করে জ্বলছেই।

শুকতারা আবার বসতে পেয়েছিল দরজার পাশের সিটে। কিছুক্ষণ পর রূপ তার পাশে এসে বসল।

শুকতারা হঠাৎ বলল, "একটা জিনিস লক্ষ করেছিস রূপ?"

"কী?"

"এই যে আমরা, আমরা যে একদম এই কামরায় বেমানান, সেটা কিন্তু কেউ মার্ক করছে না। আমাদের দিকে তাকাচ্ছেই না। আমার কীরকম একটা অড ফিলিং হচ্ছে, উই আর ইনভিজিবল।"

রূপ হেসে বলল, "বন্যেরা বনে সুন্দর, শুকতারা টেনিস কোর্টে।"

শুকতারা বলল, "তোর কান মুলে দিতে ইচ্ছে করছে। আমি সুন্দর-টুন্দরের কথা বলছি না। ইন্ডিয়ানরা স্বভাবতই কৌতূহলী অথচ এরা আমাদের সম্পর্কে কৌতূহল দেখাচ্ছে না।"

"দেখিয়েছে ইয়ার। আরিয়ানকে জিজ্ঞেস করেছে সে-ও ফিল্মস্টার কিনা, আমাকে কী করতে, কোথায় যাচ্ছি জিজ্ঞেস করেছে। মেয়েদের সঙ্গে আগবাড়িয়ে কথা বলাটা তো ইন্ডিয়ান সভ্যতা নয়, তাই-ই মনে হয়। তবে ঘাবড়াসনি শুক, মনে ওদের যথেষ্ট কৌতূহল। কোনও মহিলার পাশে বসলে টের পেতিস।"

"যাই বল, আমরা বড্ডই কনসপিকুয়াস। এখানে আমাদের তুলে তুই ভাল করিসনি।"

"তোদের একটু হার্ডন করতে চেয়েছিলুম, এখন মনে হচ্ছে হয়তো ঠিক করিনি।"

॥ ১৯ ॥

বর্ষা আর আসছেই না। ছোটখাটো বৃষ্টি হচ্ছে, কিন্তু বর্ষা নয়। জুন শেষ হতে চলল। এই শোনা যাচ্ছে, সে আন্দামানে এসে গিয়েছে, এই শোনা যাচ্ছে কেরলে। কিন্তু কোথায় কী! তবে ঝড় উঠছে বিনা নোটিসে। প্রবল গরম তিন কি চার দিন, তারপরেই ঝটপট, ধেয়ে আসে গোঁয়ার ঝড়। বেশ কিছু গাছ পড়ে, যানজট হয়, কিছু মানুষ মারা যায়, তারপর আবার যথারীতি তাপমাত্রা উঠতে থাকে। অথচ ধ্রুবজ্যোতি এবারে ভীষণ ব্যগ্র প্রকৃত বর্ষার

চেহারা দেখতে। অকাল বর্ষা বা বৃষ্টি আর বর্ষাকালের বৃষ্টির তফাতটা ঠিক কোথায়, তিনি সরেজমিনে তদন্ত করতে চান। লোককে বললে হাসবে। লোকটার ষাটের বেশি বয়স হয়ে গেল, এতগুলো বর্ষা দেখল, ফাল্গুন কিংবা আশ্বিনের হঠাৎ-বাদলও বহুবার এঁর দেখার কথা, আসল আষাঢ়ে, শ্রাবণী, ভাদুরে বর্ষার তো প্রশ্নই ওঠে না ঠিকই। কিন্তু ধ্রুবজ্যোতি তবু মনে করছেন, তাঁর সেভাবে অকালবাদল আর আসলবাদল দেখা হয়নি।

হায়ার সেকেন্ডারিতে মিলু বেশ ভালই করেছে। যদিও সংযুক্তা মনে করেন, ওর বাংলা পেপারের প্রতি পরীক্ষক সুবিচার করেননি। তবু বাংলা অনার্স নিয়ে জেইউ-তে ভর্তি হতে ওর অসুবিধে হল না। ভাল হবে এখন এম-এ পর্যন্ত নিশ্চিন্তে চলে যাবে।

সংযুক্তা প্রথমেই বলে দিলেন, "কো-এড, মিলু নিজেকে 'সাবধান সাবধান' বলবি।"

মিলু রীতিমতো তিরস্কারের দৃষ্টিতে তাকাল সংযুক্তার দিকে। যেন বলতে চাইছে, কী ভাবো তুমি আমায়? এত কিছুর পরও আমি...

মিলু যে পুরুষজাতীয় কাউকে বিশ্বাস করে না, তাদের প্রতি যে তার সীমাহীন ঘৃণা, একমাত্র বাবা ছাড়া, এ-কথা ধ্রুবজ্যোতি আন্দাজ করতে পারেন। সংযুক্তা এখনও পারেন না। তাঁর ভয় 'বয়সকাল'কে। বয়সকালের হরমোন মানুষকে বড্ড বিভ্রান্ত করে, বিধ্বস্ত করে। এই ভাবনায় তিনি মিলুর সঙ্গে বেশ একটা সমবয়সিসুলভ দোস্তি পাতিয়ে ফেলেছেন, যাতে মিলু তার মনের-প্রাণের কথা তাঁকে বলে। রকম দেখে ধ্রুবজ্যোতি হাসেন, কিন্তু মিলুকে নিয়ে তিনিও একটু ত্রস্ত, অন্য কারণে। পটকা এবং কটাগোবিন্দর খুনের কিনারা পুলিশ করতে পারেনি। কিন্তু ঘরে কোনও তৃতীয় ব্যক্তির উপস্থিতির প্রমাণ তারা পেয়েছে। তৃতীয় ব্যক্তি সম্ভবত মেয়ে, কেননা তারা ঘরে একটি মেয়ের ক্লিপ পেয়েছে। হাতের ছাপ নেই, পায়ের ছাপও কোথাও নেই। কিন্তু তাঁর ভয় হচ্ছে, সত্যিই কি নেই? পুলিশ সব প্রমাণের কথা তো বলে না! মেয়েটা যে পালিয়ে এল কাপড়ে অত রক্ত নিয়ে, পথে কি তার কোনও চিহ্ন ফেলে আসেনি? আসলে খুনটা আবিষ্কৃত হয়েছে তিনদিন পর, তার মধ্যে সব চিহ্ন ধুয়েমুছে গিয়েছে রাস্তাঘাটে। কিন্তু ঘরে? এবং পুলিশ ছাড়া, গুন্ডাগুলোর কোনও লোক যদি জেনে থাকে?

দুটো কুখ্যাত গুন্ডা খুন হয়েছে, ওম শান্তি। এ নিয়ে পুলিশের এত মাথা

ঘামাবার দরকারই বা কী! কটাগোবিন্দ তিনবার খুনের দায়ে জেল-খেটেছে। প্রত্যেকটা খুনই অনিচ্ছাকৃত বলে রায় দিয়েছে আদালত। ইচ্ছাকৃত হলেই বা কী! সাংঘাতিকের চেয়েও সাংঘাতিক নয় বলে কতজনেরই তো মৃত্যুদণ্ড হচ্ছে না। কটাগোবিন্দর পিছনে কোন রঙের পলিটিক্স রয়েছে, তা-ও তো জানা যাচ্ছে না। মরেছে আপদ গিয়েছে, কাঁহাতক আর জনগণের পয়সায় খুনে পোষা যায়! কিন্তু ভয় তো তবু যায় না। মিলু আপত্তি করলেও তিনি শোনেন না। তাকে কম্পিউটার ক্লাসে পৌঁছে দেওয়া আর নিয়ে আসা তাঁর একটা কাজ হয়েছে। মেন গেটে মিলু নেমে যায়, তিনি আর একটা স্টপ গিয়ে নেমে পড়েন, ফেরত বাসে ফিরে আসেন। ছুটির সময় উল্টো দিকে বাসস্টপে দাঁড়িয়ে থাকেন। মিলু রাস্তা ক্রস করলেই দু'জনে প্রথম বাসে উঠে পড়েন। এগুলো মিলুকে বন্ধুবান্ধবদের কাছে লজ্জা থেকে বাঁচাতে। এ ছাড়াও একটি কাজ তিনি সংযুক্তার সঙ্গে মিলে যুক্তি করে করেছেন। মিলুর ঝাঁকড়া চুল ছোট, প্রায় বয়কাট করে দেওয়া হয়েছে। তার চোখে পাওয়ার নেই কিন্তু পাওয়ারলেস মোটা ফ্রেমের চশমা পরছে সে। কলেজে যায় ঘাঘরা, মিডি-স্কার্ট কিংবা জিনস-টপ পরে। তাকে সত্যিই আর পুরনো মিলু বলে চেনা যাচ্ছে না। আগে সে শাড়ি আর সালোয়ার ছাড়া কিছু পরত না। স্কুলেও শাড়িই ইউনিফর্ম ছিল। এই পরিবর্তনে মিলুরই সবচেয়ে কম সায় ছিল, বিশেষ করে জিন্‌স পরে হাঁটার সাহসই সে অনেকদিন পায়নি। অনেক বুঝিয়ে-সুজিয়ে, বাড়িতে প্র্যাকটিস করে, জিনিসটা চালু করতে হয়েছে। তবে ক্রমশ স্বচ্ছন্দ হয়ে উঠছে সে।

বিজয় সুর তাঁর সেই প্রতিবেশী, একদিন খপাত করে ধরলেন তাঁকে।

"বুঝলেন দাদা, এদের লাই দিতে নেই।"

"কাদের কথা বলছেন?"

"এই ধরুন, ঝিয়ের মেয়ে-টেয়ে...ফ্যাশন কী ধরেছে, খেয়াল করেছেন? আপনার ওই..."

"কী, ঝিয়ের মেয়ে? প্লিজ বিজয়বাবু, ও কথাটা আর বলবেন না, বিশ্রী লাগে। মেয়েটিকে আমরা নিজের মেয়ের মতো পালন করছি। আবার যদি কথাটা বলেন, আমি অফেনস নেব। কী ফ্যাশন দেখলেন?"

"বাঃ চুলের কাট কী! চশমা পরে, প্যান্টুলুন পরে, যখন হেঁটে যায়, আমার-আপনার মেয়ের সঙ্গে তফাত ধরতে পারবেন না।"

"বাংলায় কত পেয়েছে জানেন? বাহাত্তর পারসেন্ট। ওর মা বলছে, আরও বেশি পাওয়া উচিত ছিল।"

"বলেন কী? তবে ইংরিজি, নিশ্চয় ধেড়িয়েছে?"

"সেভেনটি পার্সেন্ট।"

"বলেন কী? ও তো তৃণাকে ছাড়িয়ে গেল তা হলে। কবে থেকে বলছি দাদা, আমার মেয়েটাকে একটু কোচ করে দিন।"

"আরে আপনার তৃণা চমৎকার মেয়ে। পিছনে লেগে থাকাটা একটু বন্ধ করুন, দেখবেন সব ঠিক হয়ে যাবে।"

মিলুর বাংলা ও ইংরেজি উচ্চারণ নিয়ে সংযুক্তা এমন পড়লেন যে, ধ্রুবজ্যোতি জিজ্ঞেস করতে বাধ্য হলেন, "কী গো, ওকে দিয়ে কি খবর পড়াবে?"

উত্তরে সংযুক্তা একটা রহস্যময় হাসি দিলেন।

গানের জন্য বাড়িতেই এক উচ্চাঙ্গ সংগীতের ট্রেনারকে রেখে দিলেন ধ্রুব। অতবার নিয়ে যাওয়া, নিয়ে আসার হাঙ্গামা পোষায় না। মিলুর একটা গুণ হল, সে খুব বাধ্য। গান, লেখাপড়া দুটোই সে ভালবাসে, উপভোগ করে, তাতে কোনও সন্দেহ নেই। সে রবীন্দ্রসংগীত শিখতে চাইছিল অথচ বাবা তাকে এক ক্ল্যাসিক্যাল ট্রেনার এনে দিলেন। কিন্তু বাবা যখন তাকে বোঝালেন যে, গানের ভিত্তি আগে তৈরি করে নিতে ক্ল্যাসিক্যাল মিউজিক দরকার, তখন ভাল না লাগা সত্ত্বেও সে মেনে নিল এবং অচিরেই দেখা গেল সে রাগসঙ্গীতে মজেছে। ভাল পারছে না। কিন্তু রেডিও খুলে শুনছে। মিলুর গলার আওয়াজ খুব পরিষ্কার নয়, অথচ ভাব আছে খুব। মাস্টারমশাই তাকে ক্রমাগতই পালটা সাধাচ্ছেন। জিনিসটা ক্লান্তিকর কিন্তু মিলুর অধ্যবসায় দেখার মতো।

ভোল, ভোল মিলু, ভুলে যা কোথায় জন্মেছিলি। কে তোকে বিক্রি করে দিয়েছিল, সেখানকার ক্লিন্ন অভিজ্ঞতা, ভুলে যা। দারোগার বুটের লাথি, দারোগা-গিন্নির চাবির বাড়ি, ভুলে যা। সব ভোলবার পর জীবনের প্রথম গুরুত্বপূর্ণ পরীক্ষার সময়ে আবার ফিরে-ফিরে আসা সেই একই চেহারার পৃথিবীতে। সবচেয়ে জরুরি ভুলে যাওয়া, তুই দুটো মানুষকে খুন করতে বাধ্য হয়েছিলি।

তবু কোনও-কোনও রাত্তিরবেলায় মিলু ঘুমোতে-ঘুমোতে হঠাৎ কঁকিয়ে

ওঠে। সংযুক্তা বলেন, "দুঃস্বপ্ন দেখছিস, পাশ ফিরে শো।"

"না, বাবাকে ডাকো," মিলু এমন করে বলে যেন, তার দম বন্ধ হয়ে আসছে।

ধ্রুব আসেন। "কী হল?"

"বলো আগে আমায় ধরিয়ে দেবে না?"

"প্রশ্নই নেই, মিলু আমি মনে করি তুই ঠিক কাজ করেছিস।"

"পুলিশে যদি আমায় খুঁজে বার করে?"

"চান্স নেই," নিজের মনের সংশয় সত্ত্বেও ধ্রুব বলেন।

মিলু আস্তে-আস্তে ঘুমিয়ে পড়ে। ওকে প্রায়ই একটা হালকা ঘুমের ওষুধ দিতে হয়। মিলুর জন্যে যোগব্যায়ামের শিক্ষকও রেখে দিলেন ধ্রুব। মহিলা। এবং অবশেষে এই বুড়ো বয়সে একটা গাড়ি কিনলেন, ছোট গাড়ি। তিনজনে আরামসে ঘুরে বেড়ানো যাবে।

অবশেষে বর্ষা এলেন, ভোরবেলা লেকের ধার থেকে ভদ্রমহিলাকে দেখলেন ধ্রুবজ্যোতি। ভুষো কালির রং। প্রবল মোটা। থাকে থাকে চর্বি। পেট, পিঠ, কোমর আলাদা করা যায় না। গম্ভীর, কতটা রাগী এখনও বোঝা যাচ্ছে না। পশ্চিমদিক থেকে আস্তে আস্তে উঠে আসছেন। দেখতে-দেখতে ছেয়ে গেল গোটা আকাশ। বিদ্যুৎ চিড়িক মারতে লাগল। মনু দীক্ষিত বললেন, "ফিরুন দাদা। ওরে ব্বাপ! মেঘ তো নয়, পাহাড় একটা।"

টপটপ করে জল পড়তে লাগল। ঠিক যেন কেউ কাঁদছে। ছাতা নেই, বাড়ির দিকে পা বাড়ালেন ধ্রুবজ্যোতি। রাস্তা পার হতে না হতেই আকাশ ভেঙে পড়ল। কাকভেজা হয়ে বাড়ি ফিরলেন তিনি। গরম জলে চান, আদা দিয়ে চা। কিছুতেই কিছু না। মাথা টিপটিপ করছে, চোখে জ্বালা, নির্ঘাত জ্বর আসছে। আরও এক কাপ দিবি মিলু? মিলু কিছুক্ষণের মধ্যেই নিয়ে আসে, "কেন যে ছাতা নিয়ে বেরোও না।"

"আরে তুক আছে, আমি ছাতা নিলে বৃষ্টি পড়ে না।"

"কী জানি বাবা, আমি তো বরাবর উলটোটাই শুনেছি," সংযুক্তা বললেন।

"আমি আসলে বর্ষার বৃষ্টি আর এই চৈত-ফাগুনের বৃষ্টির তফাতটা ধরতে চাইছিলুম," কেন কথাটা বললেন, কেন এ-তফাত ধরতে চান ধ্রুব নিজে জানেন। আর কেউ তো জানে না।

তাই সংযুক্তা হেসে কূল পান না, "তার জন্যে ভিজতে হল, তুমি যে কী বোকা।"

মিলু বলল, "চৈত-ফাগুনের বিষ্টি খুব লোক্যালাইজড হয়, বাবা। ঘনঘটা থাকে না। যখন হল, খুব বীরবিক্রমে হল। তারপর যেই হয়ে গেল, আকাশ যেমনকে তেমন। দিনের বেলা হলে রোদ-ঝিকমিক, রাত হলে তারা-চিকমিক। জমি সে জলটুকু শুষেও নেয়।

ধ্রুব সংযুক্তার সঙ্গে চোখ চাওয়া-চাওয়ি করলেন। কী সুন্দর বলল।

যেমনকে তেমন। রোদ ঝিকমিক, তারা চিকমিক!

ওপার বাংলার অখ্যাত সেই গ্রাম কি ভাবতে পেরেছিল তার অবহেলা, নির্যাতনের পাঁশকুড়ো থেকে এমন আকাশ দেখা যাবে? আকাশটা কি তাঁরা মিলুকে দিলেন না, সেটা ওর ভেতরেই ছিল? মনে পড়ে যায়, সেই শিল্পীর কথা—কেমন করে অত বড় পাথরে মূর্তিটা গড়লেন? শিল্পী বললেন, "মূর্তিটা পাথরেই ছিল, চারপাশে থেকে অতিরিক্তটুকু খালি ছেঁটে দিয়েছি।"

"নাঃ, বেশ ফ্যাঁচফ্যাচানি হচ্ছে, ধ্যাত্তেরি।"

"ভাপ নাও একটু," সংযুক্তা বললেন।

"আবার ভাপ?"

মিলু গরম জলের কেটলি নিয়ে এল, সংযুক্তা তোয়ালে বার করলেন। পাঁচ মিনিট ভাপ নেওয়ার পর গরম লুচি আর আলু-মরিচ এল। কোনওমতে খেয়ে নিয়ে বিছানায় কাত হলেন ধ্রুব। ঝিমঝিম করছে শরীর, মাথাটা যেন আর এখানে নেই, বনবন করে ঘুরতে-ঘুরতে কোথায় চলে গিয়েছে।

॥ ২০ ॥

পাহাড়ে ওঠার ভাল রাস্তা আছে। সবাই সেই পথ দিয়েই যায়। কিন্তু যদি নতুন কিছু করতে চান, দেখতে চান তা হলে জঙ্গলের মধ্যে দিয়ে ট্রেক করাই ভাল। কী দেখবেন না দেখবেন আমি বলে দিচ্ছি না, নিজেরা আবিষ্কার করুন, আনন্দ পাবেন। তবে ওই পাহাড়ের মাথাটা তো ফ্ল্যাট, মালভূমি যাকে বলে, মজা নেই। বড় জন্তুজানোয়ার নেই, বরা ছাড়া। ভয়ের কিছু নেই, মশা

থেকে সাবধান। হিল ম্যালেরিয়া অবশ্য এ সময়টায় হয় না, তবু সাবধানের মার নেই। ট্রেকিং-এর যাবতীয় সরঞ্জাম বুঝিয়ে দিতে-দিতে পরেশ মাহাতো বললেন।

'পুরুলিয়া ট্রেকার্স অ্যাসোসিয়েশন' ওদের সঙ্গে তিনটি মেয়ে আছে দেখে, প্রথমটা ওদের নিবৃত্ত করবারই চেষ্টা করছিল। একজন টেনিস প্লেয়ার, স্টেট লেভেলে খেলে, আর একজন ডিস্ট্রিক্ট লেভল স্প্রিন্ট চ্যাম্পিয়ন শুনে আর কিছু বলেনি। তবে মাল বইবার ও কিছুটা গাইডগিরি করবার জন্য একজন লোক দিতে চাইলে ওরাও আপত্তি করল না।

জিপে করে মাইল পঞ্চাশেক রাস্তা, বাঘমুণ্ডি পেরিয়ে একেবারে পাহাড়ের তলা থেকেই ওরা চড়তে শুরু করবে। এতটা আরাম অবশ্য রূপরাজদের প্ল্যানে ছিল না। কিন্তু দিয়া জেদ ধরে বসল। বলল, "এইটা আমি ফিনান্স করছি, না বলবি না। আসল সময়ের জন্য এনার্জি থাকবে না, অন্তত আমার।" সত্যিই দিয়াটা দুবলি, ডেলিকেট-ডেলিকেট একটা ভাব আছে ওর। খেলাধুলো একটু-আধটু করলেও, অন্যদের সঙ্গে এ-ব্যাপারে তুলনাই হয় না। নাচেও অবশ্য যথেষ্ট পরিশ্রম লাগে এবং দিয়া যেভাবে নাচটা অবলীলায় করে দেখাল, মনে হয় খুব সহজ। কিন্তু ততটা নমনীয়তা তো আর এক দিনে, কোনও ব্যায়াম ছাড়া সম্ভব হয়নি। ঠিক আছে, বলছে যখন পারবে না, জোর করার দরকার নেই।

একটু এগোতেই পাহাড় তার সমস্ত সৌন্দর্য নিয়ে ঝাঁপিয়ে পড়ে মানুষের উপরে। ঝোপঝাড়ই বেশি কিন্তু গাছ যা আছে, তাদের গাছ বলে মনে হয় না। যেন মশালমানুষ। ইতস্তত পলাশ গাছে ফুল ফুটে পাহাড় আলো হয়ে রয়েছে। গাইড দেখিয়ে দিল, ওইগুলো কুসুমগাছ। পাতাগুলো লাল হয়ে ছোট-ছোট অগ্নিশিখার মতো জ্বলছে। ওরা বেশিদিন এমন থাকবে না। ভাগ্য ভাল, এই কুসুমবন এখনও তার আগুনে রূপ ধরে রেখেছে। কেঁদ, মহুয়ার কালচে সবুজ, পলাশ-কুসুমের দু'রকম লাল, শিরীষের হালকাতর সবুজ, সেগুনের বড় বড় পাতার মধ্যে থেকে মাথা উঁচিয়ে থাকা মঞ্জরী। যতই ওঠে, এপাশে ওপাশে ঝোরা দেখতে পায়। খুব সামান্য জল কিন্তু কাচের মতো স্বচ্ছ জলের প্রতিভাই আলাদা। বনময়, পথময় বিছিয়ে আছে মহুয়ার ফল। কোলরা কুড়োচ্ছে কোথাও-কোথাও। মাতাল হয়ে আছে হাওয়া।

"কীরকম লাগছে?" রূপরাজ জিজ্ঞেস করল। তার পছন্দ করা জায়গা, তাই তার আলাদা খাতির এখন।

আরিয়ান বলল, "ফ্যানটাস্টিক। হ্যাটস অফ টু ইউ, রূপরাজ।"

উজ্জ্বল যোগ করল, "বনরাজ, ট্রেকরাজ, থ্রি চিয়ার্স।"

দিয়ার মুখে একটা মুগ্ধ, বিহ্বলভাব। সে সেই চোখ-মুখ উঁচু করে পলাশ দেখছে।

বাবাই পাথর টপকে-টপকে খেলতে-খেলতে যাচ্ছে। সে-ও কিছু বলল না।

শুকতারা বলল, "রূপ তোর স্টকে এরকম আর ক'টা আছে রে!"

বড় বড় পায়ে এগিয়ে যায় সবাই। আস্তে আস্তে উঠতে থাকে।

ঠিক হল, ক্যাম্প এক জায়গাতেই খাটানো হবে। সেটাকে ঘিরে কাছাকাছি জায়গাগুলো এক্সপ্লোর করা হবে। পথটাই লক্ষ্য, অযোধ্যা পাহাড়ের মালভূমির উপর কারও তেমন টান নেই। গাইডটি ক্যাম্প করবার মতো জায়গা খুঁজে দিল দুপুর সাড়ে বারোটা নাগাদ। একটা মুণ্ডা বসতির মধ্যে দিয়ে উঠে এল ওরা। কিছু দূরে জঙ্গলের আড়ালে একটা ঝোরা আছে। সমতল, চওড়া, লম্বাটে জায়গাটা। ঝোপঝাড় কেটে ফেলল গাইডসহ বাকি তিনজন। একটা পাথরের উপর বসে লম্বা একটা সিগারেট ধরাল শুকতারা।

এই সুন্দর জঙ্গল আর মহুল গন্ধের সঙ্গে সিগারেট যায় না বলতে শুকতারার মন্তব্য হল, 'মিক্স অ্যান্ড ম্যাচ।'

"দেখিস, আবার গাঁজা টানছিস না তো?" আরিয়ানের মন্তব্য। প্রথমে শুকতারা জবাব দিল না। একটু পরে বিদ্রূপের সুরে বলল, "ওগুলো তোদের আর তোদের ওই ফক্কড় ক্লাবটার সমস্যা, আমার না। ইনফেমাস ক্লাব একটা।"

দিয়া কিছুই শুনছে না, সে পাখি খুঁজে বেড়াচ্ছে। ডাক শোনা যাচ্ছে, অথচ পাখি দেখা যাচ্ছে না। বাবাই একটা গাছে ঠেস দিয়ে নোটবই বার করল। সে খুঁটিনাটি লিখে রাখছে ভ্রমণের, কিন্তু কাউকে দেখাচ্ছে না।

একটাই ক্যাম্প, মিলিটারি সবুজ রঙের। রান্না বাইরে হবে। গাইড বলল, কাঠকুটোর অভাব হবে না। তবে ওরা তো সঙ্গে কেরোসিন-স্টোভ এনেইছে। ক্যাম্পের মধ্যে একধারে ওদের জিনিসপত্র নামানো হল, নেহাত কম নয়। শুকতারা মাঝখানে দাঁড়িয়ে হেঁকে বলল, "এইটুকু জায়গা, ছ'টা স্লিপিং

ব্যাগ সেফ ডিসট্যান্সে ফেলে পাতবার জায়গা হবে? তোরা যদি আমাদের শ্লীলতাহানি করিস, বিশ্রী ব্যাপার হয়ে যাবে। কেননা আমার দুটো আঙুল স্রেফ তোদের দু'চোখে ঢুকে যাবে। নখগুলো দেখেছিস তো?" আঙুল ছড়িয়ে নখ দেখাল শুকতারা।

আরিয়ান হাসতে লাগল, "আরে ইয়ার, তুই আমাদের শ্লীলতাহানি করবি কিনা সেই গ্যারান্টি দে আগে।"

বাকিরা একটু-আধটু হাসলেও দিয়া অন্যমনস্ক। বাবাই তার নোটবুক নিয়ে ব্যস্ত হয়ে রইল। সে একটু গম্ভীর, যতক্ষণ পেরেছে বাবা-মা'র সঙ্গে যোগাযোগ রেখে গিয়েছে। বাঘমুণ্ডি থেকে আর টাওয়ার পাওয়া যাচ্ছে না।

উজ্জ্বল একটা বড় চাদর বের করল নিঃশব্দে। তারপর ক্যাম্পের এ-প্রান্ত থেকে ও-প্রান্ত পর্যন্ত সেটা পর্দার মতো খাটিয়ে ফেলল ঠিক মাঝখানটায়। বলল, "সিনেমা দেখিস না? এ-সব সিচুয়েশনে শাড়ি খুব কাজে লাগে। তোরা তো শাড়ি কী জিনিস ভুলে গিয়েছিস। কাজেই এই চাদরটা দিয়ে চালিয়ে নে। ও-পাশটা তোদের প্রাইভেসি, এ-পাশটা আমাদের।"

রূপ রাঁধল খিচুড়ি। সে তার স্কাউটিং দিনগুলোর মকশো করছে। চাল, ডাল, আলু, পেঁয়াজ একসঙ্গে চাপিয়ে দিয়েছে। হলুদ আর নুন, অনেকটা ঘি ছড়িয়ে দিয়ে নামাল।

"ভাল শেফ", আরিয়ান বলল।

উজ্জ্বলের মন্তব্য, "খাসা রেঁধেছিস।"

শুকতারা বলল, "এত ঘি রোজ দু'বেলা খাওয়াবি নাকি। তবে তো আমার টুয়েলভ ও' ক্লক বেজে যাবে রে!"

"কী রে তোরা কিছু বলছিস না?" রূপ একটু চিন্তিত। বাবাই আর দিয়া কেন যে এত চুপচাপ।

আরিয়ান বলল, "ওরা সামহাউ ডেফ অ্যান্ড ডাম্ব হয়ে গিয়েছে।"

দিয়া বলল, "এই জায়গার সঙ্গে এই খিচুড়ি ছাড়া আর কিছুই মানাত না।"

বাবাই হেসে বলল, "চলে যায়" এতক্ষণে সে একটু হাসল।

খাওয়া শেষ হতে হতে চারটে বেজে গেল। সবাই যার যে-দিকে ইচ্ছে ছিটিয়ে পড়ল এবার। প্রত্যেকের হাতে টর্চ। একটা করে লাঠি। সূর্য লুকোচুরি খেলছে গাছগুলোর সঙ্গে। খেলতে-খেলতে একেবারে লুকিয়ে পড়ল।

তাকে দেখা যাচ্ছে না। অথচ একটা মৃদু মোমআলোয় ছেয়ে রয়েছে চরাচর। সেই আলোয় ঘুরতে-ঘুরতে উজ্জ্বল এসে বলে গেল ওদের, "আর কিছু না থাকলেও শেয়াল আর হায়না আছে, অন্ধকারে খুব বেশি ঘুরিস না। ক্যাম্পের পাশে একটা কেঁদ গাছের ডালে একটা লণ্ঠন ঝুলিয়ে রাখল ওরা। অন্ধকার ভারী হয়ে নামতে লাগল।"

কী অদ্ভুত অন্ধকার! বাদুড়ের ডানা যেন ক্রমশ মুড়ে ফেলছে তাদের, আকাশে কৃষ্ণপক্ষের পাখসাট। ছিটকে যাচ্ছে তারার ফুলকি। গাছপালা, ঝোপঝাড় সব যেন মুণ্ডা-জুয়াংদের সাসানদিরি কিংবা তাদের নানা রকমের বোঙা, সব জীবন্ত। কিন্তু খালি অর্ধেকটা। চট করে জানান দেবে না কেউ যে তারা জ্যান্ত। বোঁ-বোঁ করে ঘুরছে বুনো পোকার এরোপ্লেন। গায়ের মলমের গন্ধে তারা ছিটকে বেরিয়ে যায় ঝোপঝাড়ে অন্য প্রাণীর সন্ধানে। ঝিঁঝি কোমল ধা-এ ঐকতান শুরু করে। ক্রমশ চড়ে, আরও চড়ে, তারপর পঞ্চমে গিয়ে অবশেষে ঝমঝম করে বাজতে থাকে ঘুঙুর। সাবধান, খুব সাবধান, ফিসফিস করে কে কাকে বলে। শহরের ক্লাবের হঠাৎ-অন্ধকারের থেকে এই প্রাকৃতিক অন্ধকার অনেকগুণ নিবিড়। কিন্তু...ওইরকম অশালীন কী, অশ্লীল? মনে তো হয় না। এই অন্ধকারের একমাত্র বিশেষণ হয়, 'সাবলাইম।' কিন্তু যে যেভাবে নেয়। টর্চের শহরে আলোর বিন্দু যত্রতত্র ঘুরে বেড়ায়। জোনাকির চেয়ে জোরালো, স্থায়ী আলো। একমাত্র মালিকের ইচ্ছেতে নেভে, একদম মানায় না। এই জঙ্গুলে আঁধারে হায়নার জ্বলজ্বলে চোখই বেশি মানানসই। মুণ্ডা বসতি থেকে হল্লার আওয়াজ, অস্পষ্ট গান, হাওয়ায়-হাওয়ায় ছড়িয়ে যায়। কখনও নিকট, কখনও দূর। টর্চের খেলা চলে। দুটো বিন্দু একত্র হয়, তিনটে। তারপর টুক করে নিভে যায়। একটা টর্চ পাহাড়ের ঢাল বেয়ে নীচের দিকে চলে যায়। যেখানে মিটমিটে হলেও মানুষের আলো, মানুষের হল্লা। জংলি হলেও মানুষ-গলার গান একঘেয়ে সুরে, ধামসা মাদল কখনও, অনভ্যাসের এবং দিশি হলেও মহুল মদ।

"আমি এত রিস্ক নিতে পারব না," অন্ধকারের মধ্যে একজনের চিন্তা ডানা মেলে উড়ে গিয়ে ঝুপ করে বসে পড়ল কেঁদ গাছের নীচের ডালে।

"প্ল্যানটা কার মাথা থেকে বেরিয়েছে, সেটাই এখনও জানা গেল না," আর একজনের ভাবনা জোনাকিদের সঙ্গে উড়ে বেড়ায়। দপ করে জ্বলে উঠছে এখানে, ওখানে।

"আগাপাশতলা কিছুই তো জানি না। বিগিনিং, মিডল আর এন্ড।"

"এত ভয় জীবনে কখনও করেনি।"

"বেশ একসাইটিং লাগছে আমার। জীবনটা কী? একটা বাঁধা পথে চলা আর চলা, যতক্ষণ না বাঁধা পথ শেষ হয়। তার চেয়ে এরকম অন্ধকার, রহস্য, এরকম সাসপেন্স ভাল।"

"কীভাবে ওকে একা পাওয়া যায়।"

"কোথায় গেল ও, যাকে নজর রাখতে বলেছিলাম সে কি রাখছে?"

"একজনের পক্ষে বিশ্বাসঘাতকতা করা খুব সহজ। কিন্তু তার উপর নজর রাখা হয়েছে।"

"কী করে ওকে একা পাওয়া যায়?"

"এত ভয় আমি জীবনে পাইনি।"

"এতটা রিস্ক নেওয়া কি ঠিক হচ্ছে?"

জোনাকি উড়ে যায়, তারা খসতে থাকে, রাতের আকাশ খণ্ড-খণ্ড আলোর দীপিকা হয়ে তাদের আয়ত্তের বাইরে থেকে যায়।

ধামসা-মাদল বাজতে থাকে, গান হতে থাকে অনেক রাত পর্যন্ত। মহুয়ার উৎসব বাঁধনছাড়া হয়ে যায়, তারপর তারায় ভরা আকাশের তলায় ঘুমন্ত দেহগুলি ছড়িয়ে থাকে।

কে যেন তার কানে কানে বলতে থাকে, "আরে ইয়ার বোল তো দো, কিসকো আচ্ছা লাগতা?"

সে বলে, "উও জো খিলাড়ি সেক্সি বেব হ্যায় না, উও মেরি দিল কী আগ।"

"দিল কী আগ তো, দিল কী বাত করো।"

"আগ হ্যায় না আগ আগ!"

॥ ২১ ॥

ঘষা কাচের মতো ভোর। একটা নীলচে কুয়াশা ছড়িয়ে রয়েছে চারদিকে। অদ্ভুত শান্ত, নির্জন ভোর। শীত-শীত করছে। দিয়া উঠে বসল। সে, সে-ই একমাত্র গাঢ় ঘুম ঘুমিয়েছে। শুয়েছিল মাঝখানে। একদিকে শুকতারা, আর এক দিকে বাবাই। এত চমৎকার ঘুম সে বহুদিন ঘুমোয়নি। বাবাইকে ঠেলল, বাবাই ভোরের দিকে ঘুমিয়েছিল, জাগল না। তখন সে শুকতারাকে ঠেলল।

শুকতারা চোখ কচলে উঠে বসল, "হিসি, পটি নাকি?"

"আহ্, চেঁচাস না," দিয়া বিরক্ত হয়ে বলল।

দু'জনে ছোট ঝোলা ব্যাগ নিয়ে বাইরে বেরিয়ে এল। চোখে পড়ল ঘষা কাচের মতো সেই ভোর, নীলচে কুয়াশা, ঘাসের ওপর টুলটুলে শিশির, পাখিদের ঘুমভাঙা গলার আধো-আধো ডাক। কাঠবেড়ালি ছুটে গিয়ে একটা শিরীষ গাছে উঠে পড়ল তুরতুর করে। বোঁ-বোঁ করে একটা গাঢ় হলুদ বোলতা ঘুরছে। সোঁদা-সোঁদা গন্ধ উঠছে মাটি থেকে।

দিয়া বলল, "পৃথিবী একদিন এমনই ছিল। দ্যাখ শুক, আমরা পৃথিবীর শৈশব দেখছি।"

"হল কী তোর?" শুকতারা আড়চোখে চেয়ে বলল।

ধুপধাপ শব্দ। দু'জনেই চমকে ওঠে, বাঁদর নাকি?

বাবাই ছুটতে-ছুটতে এসে উপস্থিত হল, "আমাকে ডাকিসনি?"

"কতবার ঠেললাম তুই চোখ চাইলিই না," দিয়া বলল।

"কী করব বল, সারারাত ঘুমোইনি। এরকম অদ্ভুত পরিস্থিতিতে ঘুমোনোর অভ্যেস আছে নাকি?"

"আমি তো খুব ঘুমোলাম," দিয়া চোখেমুখে একটা আরামের ভঙ্গি করল।

"সে তুই মাঝখানে ছিলি বলে।"

বাবাই আরও কিছু বলতে গিয়ে সামলে নিল।

তিনজনে উপর দিকে উঠতে লাগল জলের সন্ধানে।

ওদের প্রাতঃকৃত্যে রেখে আমরা ফিরে আসি তাঁবুর ভেতরে। জেগে গিয়েছে উজ্জ্বল, রূপ। খালি আরিয়ান অঘোরে ঘুমোচ্ছে।

"এই কি ট্রেকিং-এর নমুনা?" আড়চোখে আরিয়ানের বাঁকাচোরা শরীরটার

দিকে চেয়ে উজ্জ্বল বলল, "মুণ্ডা বস্তিতে গিয়ে নাচা-গানা-পিনা।"

"ওর মুখোশটা খুলে দিতে চাইছিলুম," রূপ বলল। "এসব জায়গায় এসে আদিবাসীদের নাচ-গান দেখতে অনেকেই যায়। আমরাই হয়তো যেতুম, অন্য সময়ে। সেটা কিছু না, পাল্লায় পড়ে এরকম মহুয়া গেলাও হয়ে যেতে পারে। কিন্তু ও একা-একা চুপিচুপি গেল কেন? আমাদের সঙ্গে যাচ্ছে, একেবারে আমাদের মতোই হাসিঠাট্টা করছে, যেন..."

উজ্জ্বল ঠোঁটে আঙুল রাখল, রূপ থেমে গেল। উজ্জ্বলের ইশারায় তাঁবু থেকে বেরিয়ে এল।

বাইরে ভোরের গায়ে একটু রোদ-রোদ রং লেগেছে।

"ছেমরিগুলো গেল কোথায়?" উজ্জ্বল এদিক ওদিক চাইতে লাগল, "ও কিন্তু ভাল অ্যাক্টিং করতে পারে রূপ। মহুয়া গিলে ঘুমোচ্ছে বলে মনে করিস না ও সেফ, সামনে কোনও কথা বলবি না।"

রূপ বলল, "তোকে বলতে চাইছিলুম ও অ্যাক্টিংটা ভালই পারে, আই নো দ্যাট। আমি অনেকদিন ধরে চিনি, ফান্টু একটা। ও যে এখানে আমাদের সঙ্গে এল, এইভাবে কথাবার্তা বলছে, যেন আমাদেরই একজন, এসব কাউকে ইমপ্রেস করার জন্যে।"

"ইজ হি রিয়্যালি ইন লাভ?"

রূপ সঙ্গে সঙ্গে উত্তর দিল না। একটু পরে দাঁতে নখ কাটতে কাটতে বলল, "তুই আমাকে বলতে পারিস উজ্জ্বল, হোয়াট দ্যাট ওয়র্ড রিয়্যালি মিন্স!"

উজ্জ্বল একটু যেন ভাবুক। বলল, "সে যাই হোক, উদ্দেশ্য যদি ভাল না হয় তো?"

"উদ্দেশ্য ভাল নয় মানে?"

"মানেটা তুমি জানো না, ভড়কি দিচ্ছ উজ্জ্বল মিত্তিরকে?"

"না, না, বিয়ে-টিয়ের কথা বলছিস?"

"অতদূর না ভাবলেও অনেস্টলি মেলামেশা কর। হ্যাভ সাম রেসপেক্ট ফর হার। সিম্পলি পজেসিভ না হয়ে প্রোটেকটিভ হও। প্রধান হচ্ছে, ভাল লাগাটা কমন গ্রাউন্ডস-এর উপর কিনা।"

"দু'জনকে এক রকম হতে হবে বলছিস? এ নিউজিল্যান্ডকে সাপোর্ট করে বলে, ওর শ্রীলঙ্কাকে সাপোর্ট করা চলবে না?"

"ভাবালি তুই," উজ্জ্বল হেসে ফেলল।

এই সময়ে উপর থেকে শুকতারাকে পাথর টপকে-টপকে আসতে দেখল ওরা।

মুখে জল চিকচিক করছে, চুল খোলা, ফ্রেশ দেখাচ্ছে। শর্টস আর ঢোল্লা টপ পরে, শুকতারাকে এই শিরীষ-মহুল বনে বিদেশি গাছের মতো দেখায় যেন। ওদের দেখেই শুকতারা গলা সপ্তমে চড়িয়ে একখানা ইংরিজি পপ গান ধরল।

উজ্জ্বল বলল, "প্রাণে পুলক জেগেছে রে, কী ভাগ্য অযোধ্যা পাহাড়ের!"

নেমে এল শুকতারা। বলল, "তোদের স্পটটা চমৎকার, ট্রেকিং দুর্ধর্ষ হবে। খিচুড়িটাও ব্যাপক বানাচ্ছিস। কিন্তু হিসু-পটি পেলে মাইল-মাইল পাহাড় ভেঙে ঊর্ধ্বশ্বাসে দৌড়ানো শুকতারার পোষাবে না।"

রূপ বলল, "তা তুমি কি ভেবেছিলে, এখানে তোমার জন্যে ওয়েস্টার্ন স্টাইল ডব্লু সি কোলে নিয়ে বসে আছে প্রকৃতি?"

"আজ্ঞে না, কিন্তু নিজেরা যেখানে-সেখানে ছেড়ে দিতে পারো বলে আমাদের অসুবিধে বুঝবে না? অন্য দুই মক্কেলও আসছে তাদের জিজ্ঞেস কর। আমি কিন্তু আজকেই নেবে যাচ্ছি" গলা নামিয়ে বলল। "মোটামুটি স্পটটা আমার জানা হয়ে গেল, আই'ল ওয়েট ফর ইউ।"

"না না শুক, তা হয় না। দিস ইজ আনএক্সপেক্টেড, এভরিবডি ইজ নিডেড।"

"আরে বাবা, আই নো। কিন্তু ফিরে গিয়েও আমি তোদের যথেষ্ট সাহায্য করতে পারব।"

শুকতারা সাঁ করে টেন্টের মধ্যে ঢুকে গেল।

রূপ বলল, "চেষ্টা করে লাভ নেই। ওকে আটকাতে পারবে না।"

"বাট দিস ইজ বিট্রেয়াল।"

"আজ্ঞে না, বিট্রেয়াল নয়। আরিয়ানকে বলে দিবি শুকের শরীর খারাপ, পেট খারাপ তাই নেমে গিয়েছে। ইট ইজ পার্টলি ট্রু," শুকতারা টেন্ট থেকে বেরিয়ে এসে বলল। তারপর আবার ঢুকে গেল। মিনিট পাঁচেকের মধ্যে নিজের ব্যাকপ্যাক, ঝোলাঝুলি সব গুছিয়ে পোশাক পরে তৈরি।

"এই যদি তোর মনে ছিল তো এলি কেন," রূপ বলে ফেলল।

"ইউ জাস্ট ট্রাস্ট মি ইয়ার," শুকতারা দু'জনের দিকে তাকাল। তারপর

তরতর করে এগিয়ে গেল। নামতে-নামতে বাঁকের মুখে অদৃশ্য। দু'জনে আপাদমস্তক হতাশ ভঙ্গিতে দাঁড়িয়ে আছে, এমন সময়ে কলকল শোনা গেল। বাবাই আগে, দিয়া পিছনে আসছে। তাদের চান সারা। জামাকাপড় বদলানো হয়ে গিয়েছে, দু'জনেই ট্র্যাক্স পরেছে। মুখ খুশিতে উজ্জ্বল।

বাবাই উচ্ছ্বসিতভাবে বলল, "বাঁকের মুখে ঝরনাটা কী সুন্দর, কী সুন্দর। বলে বোঝাতে পারব না, ফিরতে ইচ্ছে করছিল না।"

"যাক, বাবা-মায়ের দুলালির মুখে হাসি ফুটেছে," রূপরাজ বলল।

দিয়া হাত ছড়িয়ে বলল, "এত বড় আকাশটা আমাদের, জঙ্গলটা আমাদের, ঝরনাটা, সব, স—ব আমাদের। না, আমার একার।"

বাবাই হঠাৎ টেন্টে ঢুকে চেঁচাতে লাগল, "আরিয়ান, এই আরিয়ান ওঠো। আমরা সবাই কিন্তু তৈরি হয়ে গিয়েছি।

তড়াক করে উঠে বসল আরিয়ান, "এক কাপ কালো কফি দিতে পারো হানি, ওহ্ সরি।"

"বাইরে বেরিয়ে আয়। আকাশের তলায় বসে খাব আমরা। খোলা আকাশ দেখেছিস কখনও?"

একটু পরে ওদের খেয়াল হল শুক কোথায় গেল?

উজ্জ্বল বলল, "ওর খুব পেট খারাপ হয়েছে, মাইল-মাইল চড়াই ভেঙে অনবরত যাওয়া-আসা নাকি অসম্ভব, তাই ওকে আপাতত ওষুধটষুধ দিয়ে নীচে পাঠিয়ে দিয়েছি।"

আরিয়ান একটু রেগে বলল, "মানে, ও তো ওষুধ খেয়ে এখানেই শুয়ে থাকতে পারত। কে বলেছে, ওকে তিন মাইল দূরে যেতে হবে?"

"আমিও তাই বলেছিলুম," রূপ বলল। "কিছুতেই রইল না। বলল, রাত্তিরে যাওয়ার দরকার হলে কী করব?

দিয়া বলল, "ছাড়, শুক ওরকমই। ভীষণ খেয়ালি। কোনও প্ল্যান ওর জন্যে করা যায় না।"

বাবাই বলল, "যাঃ, ভীষণ আনস্পোর্টিং। আমি ভাবতেই পারছি না, শুক চলে গিয়েছে।"

"চলে না-ও যেতে পারে, নীচে তো আপাতত নেমেছে। দেখা যাক।"

"এতটা বাস জার্নি করে যাবে অসুস্থ অবস্থায়?" আরিয়ান যেন গজরাচ্ছে।

"আরে না না, মাঠাবুরুতে একটা ডাকবাংলো আছে না? ওখানে দু'দিন থেকে ঠিকঠাক হয়ে চলে আসবে। যদিও তখন আমাদের চলে যাওয়ার সময় হয়ে যাবে।"

"আসলে শুক্স এত কষ্ট করতে পারে না। কষ্ট বলতে ফিজিক্যাল নয়, লিভিং-এর কষ্ট। ওর হট এন কোল্ড শাওয়ার, ওর এসি সুইমিং পুল... ওর নানান রকম আউটফিটস," আরিয়ান বলল।

"তা হলে তো কোনও দিনই অ্যাডভেঞ্চার করতে পারবে না। নতুন নতুন জায়গা দেখাও হবে না," বাবাই আশ্চর্য।

"কেন হবে না? ফাইভ স্টার ফোর স্টার হোটেলে থাকবে, স্কুবা ডাইভিং করবে কোরালরিফে, ওয়াটার স্কিয়িং করবে...এইসব অ্যাডভেঞ্চার।"

হতাশ গলায় বাবাই বলল, "ও কি ন্যাশনাল জিওগ্রাফিক্স-এর অ্যাডভেঞ্চারগুলো দেখে না? ফার্স্ট ওয়র্ল্ডে জন্মালেই পারত। তবে সেখানেও স্কুল ডে'জ় থেকেই বাচ্চাদের নানা এক্সকারশনে নিয়ে যায়। সেগুলো বুনো, পাহাড়ি, জংলি জায়গাতেই হয়।"

আরিয়ান তার দিকে তাকিয়ে কালো কফিতে চুমুক দিল, "আমি কিন্তু ওর মতো নই।"

উজ্জ্বল বলল, "স্বাভাবিক, তুই আফটার অল একটা পুরুষমানুষ। কিছু হল না হল, পালিয়ে যাওয়ার কাপুরুষতা তোর কাছ থেকে এক্সপেক্ট করা যায় না।"

"দেখ, আমরা কে কতটা কাপুরুষ, কে কতটা মিন, কার অ্যাডজাস্ট করার ক্ষমতা কতটা, দায়িত্ববোধই বা কীরকম, সবটারই কিন্তু পরীক্ষা হয় এইরকম পরিস্থিতিতে।" বাবাই এত কথা বলে ফেলবে কেউ ভাবেনি।

দিয়া বলল, "শুধু তা নয়, আমরা কে কতটা ওপ্ন, একটা ছোট দল তারই মধ্যে পরস্পরের প্রতি কতটা দায়িত্বশীল, এগুলো খুব জরুরি। ওই সব ডিস্কোথেক-টেক কিন্তু এসব শেখায় না। তফাতটা এখানে এসে আমার আরও মনে হচ্ছে। থ্যাঙ্কিউ উজ্জ্বল, থ্যাঙ্কস রূপ। শুকস ঠিক করল না, ভেরি আনস্পোর্টিং।"

"ডিস্কোথেকের অন্য দিক আছে," আরিয়ান বলল। "মডার্ন ওয়র্ল্ডের সঙ্গে তাল মিলিয়ে চলতে তো হবে? সে দিক থেকেও অ্যাডাপ্টেবল হতে হবে। তুই গেলি বিদেশে, নাইট ক্লাব-টাবে, জগন্নাথ হয়ে বসে রইলি, চলবে?"

উজ্জ্বল বলল, "বেশ তো। বহু বিদেশি, আমি হিপি-টাইপদের বাদ দিচ্ছি, বহু বিদেশি বাউলমেলায় যায়, তারা কি এসব আসরে নাচে?"

"সে তো এ দেশিরাও নাচে না। কেন বল তো? নাচ আমাদের ট্র্যাডিশনে নেই। নেচে-গেয়ে মজা করাটা আমরা জানি না।"

"বাজে কথা বোলো না," বাবাই হঠাৎ ঝেঁঝে উঠল। "আমরা যখন দল বেঁধে এক্সকারশনে যাই, পিকনিকে যাই, গান গাই না কোরাসে? গান গাই, তালি দিই। প্লাস আছে আমাদের আড্ডা কালচার। প্রত্যেক দেশেরই কিছু-কিছু নিজস্ব জিনিস থাকে। শান্তিনিকেতনে দোলের দিনে ছেলে-মেয়েরা নাচে না? মাঠে ঘাটে যেখানেই খানিকটা জায়গা পাবে নাচবে, গাইবে। বাইরের লোকও তাতে যোগ দেয়। তাই বলে কি সারা বছর যখন-তখন ধেই-ধেই করা নাচতে হবে?"

"ফ্যান্টাস্টিক," আরিয়ান সংক্ষেপে বলল।

"কোনটা," রূপ পাশে বসে ছিল আস্তে প্রশ্নটা রাখল।

"হার প্যাশন," উত্তর হল। একটু পরেই আরিয়ান বলল, "তোমরা তো নাচতে জানো, আমিও জানি। নাচ-গান একটু না হলে জমে?"

অমনি উজ্জ্বল বলল, "আমি একটা গান জানি," বলেই সে ধরল, 'খর বায়ু বয় বেগে, চারি দিক ছায় মেঘে, ওগো নেয়ে, নাওখানি বাইয়ো।'

টপ করে উঠে নাচ ধরল প্রথমে দিয়া। তারপর বাবাই, তারপর আরিয়ান। দিয়ারটা যাকে বলে মডার্ন বা ক্রিয়েটিভ ডান্‌স, বাবাইয়েরটা কত্থক। আরিয়ানেরটা ব্রেক। একটু পরে বেশির ভাগই গানে গলা লাগাল। রূপও দাঁড়িয়ে উঠে তালে-তালে একটু-আধটু কোমর দোলাতে লাগল। সবচেয়ে আশ্চর্য করল উজ্জ্বল, এদিক থেকে ওদিক লাফিয়ে, হাত-পা কারাটের ভঙ্গিতে ছুড়ে এমন জমিয়ে দিল যে, ঘুরে-ঘুরে গানটা হতে লাগল। এবং ওদের ঘিরে বেশ কিছু মেয়ে-পুরুষ জমা হয়ে গেল। হাতের ঝুড়ি, কাস্তে, কোদাল নামিয়ে রেখে ওরা তালে তাল দিয়ে দুলে-দুলে দারুণ উপভোগ করতে লাগল।

আরিয়ান বলে উঠল, "হোয়াই ডোন্ট ইউ জয়েন আস?"

সবাই হেসে উঠল, ওরা কিন্তু ঠিকই বুঝেছে। উঠে দাঁড়িয়ে নিজেদের ভঙ্গিতে ওরা যথাসাধ্য নাচল। ওদের ছেলেগুলো উজ্জ্বলের মতো লাফিয়ে-লাফিয়ে, এদিক থেকে ওদিক, নানান মোচড় দিতে লাগল।

শেষকালটায় দাঁড়াল, এরা সবাই হাতে তাল দিয়ে গান করছে, আর উজ্জ্বল ও মুণ্ডারা নাচছে।

শেষ হলে একমুখ হাসি নিয়ে মুণ্ডারা তাদের কাজে চলে গেল। আরিয়ান সবার দিকে তাকিয়ে বলল, "এটা কী হল?"

বাবাই বলল, "মুণ্ডারা ছৌ-এর স্টেপ দিচ্ছিল। মার্শাল ডান্স।"

আরিয়ান বলল, "ওরা দুর্দান্ত। বাট আয়াম ইন্টারেস্টেড ইন উজ্জ্বল'স পার্ফম্যান্স, ওটাকে কী বলে?"

উজ্জ্বল একমুখ হেসে বলল, "অ্যাডাপ্টেবিলিটি।"

॥ ২২ ॥

সংযুক্তা আস্তে বারান্দা থেকে ঘরে এলেন। ধ্রুবজ্যোতি কাগজ পড়ছিলেন, সংযুক্তা তাঁর কাঁধে হাত রাখলেন। "রিঅ্যাক্ট কোরো না, পুলিশ আসছে।"

চমকে মুখ তুললেন ধ্রুব। তৃতীয় ঘর থেকে মিলুর এবং তার মাস্টারমশাইয়ের মিলিত গান ভেসে আসছে। দেশ রাগ শেখাচ্ছেন। হার্মোনিয়াম ও তানপুরার সংগতসুদ্ধ কর্কশ পুরুষ গলা ও ভাবগম্ভীর মেয়ে গলার গান রীতিমতো শুদ্ধ করে তুলেছে রবিবারের সকালটাকে। আকাশে পুঞ্জ-পুঞ্জ মেঘ।

ধ্রুব বললেন, "মাথার ঠিক রাখবে।"

সংযুক্তা বললেন, "আনএক্সপেক্টেড, ওকে কী করে সাবধান করব বুঝতে পারছি না।"

ধ্রুব বললেন, "পারবে, ঘাবড়িয়ো না।"

নীচে বেলটা বেজে উঠল, একবার, দু'বার। ধ্রুব চশমার কাচ মুছতে-মুছতে নীচে নামলেন। সংযুক্তা উপরের ঘরে বসে। হাতে খবরের কাগজ, হাতের কাঁপুনি থামাবার চেষ্টা করছেন।

দরজা খুলে, সামনে দু'জনকে দেখলেন ধ্রুব। একজন ইউনিফর্ম পরা, অন্যজন সাধারণ শার্ট-প্যান্ট।

"কী ব্যাপার, ভেতরে আসুন।"

ওঁরা পরিচয় দিলেন। একজন স্থানীয় থানার ইন্সপেক্টর, অন্যজন সি আই ডি থেকে।

"সরি আপনাদের বিরক্ত করছি। কয়েকটা প্রশ্ন ছিল। আপনাদের বাড়ির কোনও মেয়ে কি কমলিনী গার্লস স্কুলে পড়ে?"

"পড়ে না, পড়ত। এখন তো পাশ করে গিয়েছে। কেন বলুন তো?"

পলিথিনে মোড়া একটা শাড়ির ছেঁড়া কোণ ব্যাগ থেকে বের করলেন ইন্সপেক্টর, "এটা চিনতে পারেন?"

"একটা শাড়ির অংশ।"

"না, এটা ওই গার্লস স্কুলের ইউনিফর্ম।"

ধ্রুব বললেন, "হ্যাঁ, ওদেরও তো এই রঙেরই বোধহয় বর্ডার শাড়ির। একেবারে সেম কালার কি? আমার অত খেয়াল নেই, কেন বলুন তো?"

"এটা একটা মার্ডারের অকুস্থলে পাওয়া গিয়েছে। আমরা কমলিনী গার্লস স্কুলের মেয়েদের মধ্যে খোঁজ করছি।"

"বলেন কী মশাই, ওই অত মেয়ে প্রত্যেককে...সে তো বিশাল।"

সিআইডি বললেন, "না, ওই সময়ে হায়ার সেকেন্ডারি পরীক্ষা চলছিল। আমাদের অনুসন্ধান, ওই ক'টি মেয়ের মধ্যেই। লেক গার্লস-এ সিট পড়েছিল।"

"আপনাদের সাহায্য করা আমাদের কর্তব্য। বলুন, কী করতে পারি।"

"ফার্স্ট অফ অল, মেয়েটিকে একটু ডাকুন। ও কোথায়?"

"গান শিখছে, ওর গুরু এসেছেন।"

সেই মুহূর্তেই রাগ দেশের একটি তানতোড়া ঘুরতে-ঘুরতে বারান্দার পথে এবং সিঁড়ির পথে নেমে এল। গুরু গাইছেন, মাঝে-মাঝে ছাত্রীর গলা শোনা যাচ্ছে।

"কাইন্ডলি একটু ডাকুন।"

"শিয়োর।"

ধ্রুবজ্যোতি সিঁড়ি দিয়ে উঠে গেলেন। সংযুক্তা এগিয়ে এলেন, "কী?"

"ওকে ডাকছে, তেমন কিছু নয়।"

"সত্যি বলছ?"

"যদি না ও নার্ভাস হয়ে যায়, তুমি নীচে নেমো না। বেশি-বেশি কৌতূহল দেখানো ঠিক না।"

"প্রফুল্লবাবু, ছাত্রীকে একটু ছাড়বেন? দরকার আছে। ধরুন দশ মিনিট।" দরজার গোড়ায় দাঁড়িয়ে তিনি বললেন, "মিলি আয়।"

বেরোলে বললেন, "পুলিশ এসেছে। শাড়ির টুকরো পেয়েছে, তোদের ইউনিফর্ম। তাই সব কমলিনী গার্লদের খোঁজ নিচ্ছে। আগে-আগে তোকে পুলিশের সামনে প্রশ্নোত্তর যা শিখিয়েছি, সেইমতো কথা বলবি। ঘাবড়াবি না।"

সি আই ডি বললেন, "তুমি? ও, কী নাম? তিনি যেন ঠিক এই রকম একটি মেয়েকে আশা করেননি।"

"মিলি।"

"কী পড়ছ এখন?"

"বিএ, বাংলা অনার্স।"

"কোথায়?"

"যাদবপুর ইউনিভার্সিটি।"

"এপ্রিলের সতেরো-আঠারো কোথায় ছিলে মা, একটু মনে করে বলবে?

"সতেরো-আঠারো, এপ্রিলের? একটু ভাবি। তেরোয় পরীক্ষা শেষ হল, তা হলে সতেরো-আঠারো বাড়িতেই। আর কোথায় থাকব? কেন, কী হয়েছে সার?" উদ্‌বিগ্ন মুখে বলল সে।

"সি আই ডি ভদ্রলোকটি ভালমানুষের মতো মিলুর দিকে তাকিয়ে বললেন, "আমরা একটা খুনের কিনারা করতে এসেছি, এইটা চেনো?" ফোল্ডারে শাড়ির টুকরোটা বের করলেন ইন্সপেক্টর। হাত বাড়িয়ে দিলেন তাকে। হাত পেতে নিল সে।

"উলটেপালটে দেখে বলল, "আমাদের স্কুলের ইউনিফর্ম এই রকমের শাড়ি। সার, আমাদের স্কুলের কোনও মেয়ের?"

"কোনও মেয়ে...কী?" সিআইডি বললেন।

"আপনি বললেন, খ্‌খুন, খুন হয়েছে, কোনও মেয়ে?"

"না, না, খুন হয়েছে দু'জন গুন্ডা। এই শাড়ির টুকরোটা ঘরের চৌকাঠের ফাঁকে আটকে ছিল।"

"ওহ্।"

"দু'জনেই ঠিক গুন্ডা নয়, বুঝলে! একজন শিক্ষানবিশ গুন্ডা বলা যায়। দেখো তো, এই ছবিটা চিনতে পারো কি না?"

পটকার একটা পরিষ্কার ছবি তার নাকের সামনে তুলে ধরলেন ইন্সপেক্টর।

“হ্যাঁ-হ্যাঁ, একে চিনি তো। যে-সব ছেলে ছুটির সময়ে স্কুলের কাছে ঘুরঘুর করে তাদের মধ্যে একে দেখেছি।”

“তোমার পিছনেও লেগেছে?”

“ওই ঘুরঘুর করল, কী একটা কমেন্ট করল, ইস্‌স এই ছেলেটাই...”

আর একটা ছবি বের করলেন ইন্সপেক্টর, “একে চেনো?”

“নাঃ, একে দেখেছি বলে... নাঃ। এ তো অনেক বড়, একে ওদের সঙ্গে দেখিনি তো।”

“তোমার স্কুলের শাড়ি আছে না কি?”

“থাকতে পারে, মা সাধারণত কাজের লোকেদের দিয়ে দেয়।”

“তুমি নিজেই তো একটি কাজের লোক,” ইন্সপেক্টর দুম করে বলে উঠলেন।

মিলু একদম চুপ করে গেল। একটু পরে, ধ্রুবজ্যোতির দিকে চেয়ে বলল, “বাবা, তুমি এঁদের সঙ্গে কথা বলো, আমি যাচ্ছি।”

চোখের জল চাপতে-চাপতে সে একরকম দৌড়েই বেরিয়ে গেল।

ধ্রুবজ্যোতি অত্যন্ত আহত গলায় বলে উঠলেন, “এটা আপনারা কী করলেন? এসব কথা...”

“আপনার প্রতিবেশী বিজয় সুর আমাদের ইনফর্মেশনটা দিয়েছেন, ভুল নাকি?”

“ও, বিজয়বাবু? বাঃ! দেখুন, কথাটা ভুল। কাজের মেয়ে বলতে যা বোঝায়, সে রকম কিছু ও নয়। আমরা ওকে পালন করছি। ও আমাদের মেয়ে। পুলিশ বলে কী আপনাদের মায়া-মমতা থাকতে নেই? এভাবে আঘাত দেওয়া... ছি! ছি! আমি বৃদ্ধ মানুষ। নিঃসন্তান। কাউকে পালন করছি, মানুষ করছি, এটা আমার আনন্দ।”

“সরি! বুঝতেই তো পারছেন, খুনের কেস। আপনার স্ত্রীকে দেখছি না?”

“দেখতে চান?”

“নাঃ থাক, উনি তো প্রোফেসর। না?”

“প্রোফেসর কথাটা ঠিক না, উনি রিডার এখন। আমিও তাই ছিলাম, রিটায়ার করেছি। আর কিছু?”

“নাঃ, সরি প্রোফেসর মজুমদার, মেয়েটিকে সত্যিই খুব ভাল মানুষ

করেছেন। বিজয় সুর মশাই না বললে আমাদের সাধ্য ছিল না বুঝি। ওঁর মেয়ের সঙ্গেই পড়ত?”

“হ্যাঁ, ওঁর নিজের মেয়ের চেয়ে আমার পালিত মেয়ে অনেক ভাল রেজাল্ট করত। কোথায় উৎসাহ দেবেন, তা নয় ঈর্ষা, ছিঃ।”

“ঠিক আছে, আমরা চলি। পরে কোনও প্রয়োজন হলে...”

ধ্রুবজ্যোতি বললেন, “ইটস অল রাইট। আচ্ছা, একটা কথা বলব?”

“বলুন।”

“আমি জাস্ট আমার কমন সেন্স থেকে বলছি, এই পাড়ের শাড়ি কি আর কেউ পরে না? খুবই তো অর্ডিনারি, চলতি জিনিস।”

“ঠিকই বলেছেন, কথাটা আমাদের মাথায় আছে। সরি, আর কিছু বলতে পারব না।”

“নাঃ আমার মনে হল তাই বললুম। ঠিক আছে, আসুন।”

উপরে উঠতে সংযুক্তা বললেন, “শেষ কথাটা আবার বলতে গেলে কেন? ওরা নির্ঘাত ভাববে, তুমি সাফাই গাইছ, কিংবা ভেতরের খবর বের করে নিতে চাইছ।”

“কথাটা যদি না বলতুম, তা হলেও কিন্তু ওদের সন্দেহ হতে পারত। কেন আমি এই সামান্য কথাটা বললুম না, কেন আমার কৌতূহল অত কম! ইট কাটস বোথ ওয়েজ সংযুক্তা। কী করা যাবে, আমি একটা বেছে নিলুম। মিলু কী করছে?”

“ওই তো, গানের ঘরে ফিরে গিয়েছে।”

“ভাল, তুমি পাঠালে না নিজেই গেল?”

“আমাকে সব বলল। বলে নিজেই চলে গেল।”

রাত্রের খাওয়ার সময়ে মিলু হঠাৎ বলল, “বাবা, আমি যদি ধরা দিই!” চমকে উঠলেন দু’জনেই।

“মানে?”

“এই টেনশন আমি সহ্য করতে পারছি না।”

“শুধু-শুধু একটা জেতা যুদ্ধে হার স্বীকার করবে কেন সেটা আমার মাথায় ঢুকছে না। এর চেয়ে অনেক বেশি বিপদের মধ্যে দিয়ে তুমি আগে গিয়েছ।”

“তখন আমার কিচ্ছু ছিল না বাবা, কিছু হারাবার ছিল না, তাই সব

রিস্ক নিয়েছি। এখন তো তা নয়। তোমরা আছ, আমার কেরিয়ার আছে, পড়াশোনা, গান। আর বাবা, সত্যিই তো আমি একটা অন্যায় করেছি।"

ধ্রুবজ্যোতি রাগ করে বললেন, "উলটোপালটা বকছ কেন মিলু, বারবার যে বলছি, তুমি যেটা করেছ সেটা অন্যায় নয়। এখন আমি তোমাকে শান্ত করার জন্যে মোটেই গীতা আওড়াতে পারব না," তিনি খাবার ফেলে উঠে গেলেন।

সংযুক্তা চুপচাপ রুটি ছিঁড়ে যাচ্ছেন, মুখ বিষণ্ণ।

একটু পরে মিলু উঠে পড়ল। বলল, "বাবাকে ডেকে আনছি, তুমি খাও মা।"

ধ্রুবজ্যোতি শোওয়ার ঘরের বারান্দায় চুপচাপ দাঁড়িয়ে আছেন।

মিলু পিছন থেকে ডাকল, "বাবা।"

তৎক্ষণাৎ বারান্দা থেকে ঘরে চলে গেলেন ধ্রুব। বললেন, "বলো।"

"খাবে এসো। আমি আর ওসব বলব না, ভাবব না।"

"কথা দিচ্ছ?"

"দিচ্ছি।"

ধ্রুব ফিরে এলেন। যেন কিছুই হয়নি এমনভাবে খেতে খেতে জিজ্ঞেস করলেন, "প্রফুল্লবাবু যে তোকে ইমন শেখাচ্ছিলেন, আজকে অন্যরকম কি শুনছিলুম যেন?"

"দেশ বাবা। বর্ষা পড়ে গিয়েছে বলে মাস্টারমশাই আগের দিনই দেশ ধরলেন। কী অপূর্ব সুর বাবা। সমস্ত ভুলিয়ে দেয়। মনে হয়, গেয়েই যাই, গেয়েই যাই।"

"বেশ। খাওয়া-দাওয়ার পর তুই আবার তানপুরা নিয়ে বোস। গেয়েই যা, গেয়েই যা, আমরা শুনব।"

"তোমরা কিন্তু তোমাদের ঘর থেকে শুনবে। আমি আলো নিবিয়ে গাইব। কে জানে বাবা, কত ভুল হবে।"

মিলির চলাফেরায় আগেকার ছন্দটা ফিরে এসেছে মনে হল। তবু সাবধানের মার নেই। তিনি সংযুক্তাকে নির্দেশ দিলেন, আজ মিলির সঙ্গে শুতে। উপরন্তু যেন আজকে ওকে ট্রাঙ্কুইলাইজার দেওয়া হয়। ধ্রুবর কেমন মনে হল, মিলু তাঁদেরও পরীক্ষা নিচ্ছে। তাঁরা ওকে কতটা ভালবাসেন, সত্যি-সত্যি তার জন্যে বিব্রত বোধ করেন কি না, সত্যি-সত্যি তার জন্যে স্যাক্রিফাইস করতে

১৩৫

রাজি কি না, এইসব সে জানতে চাইছে। হয়তো সচেতনভাবে নয়, কিন্তু তার হৃদয় চাইছে ভালবাসার নিরাপত্তা। সত্যিই তাঁরা মিলুকে কতটা ভালবাসেন, এটা একটা প্রশ্ন। নিজের সন্তানের মতো কি? নিজের সন্তান হয়নি, কী করে জানবেন, সে কী জিনিস? তাঁদের দুই বাড়িতে যে সামান্য ক'জন আত্মীয় আছেন, সংযুক্তার দাদা-বউদি, দিদি-জামাইবাবু, এঁদের ছেলেমেয়েদের কোনওরকম বাৎসল্য দেখাবার সুযোগ পাননি তাঁরা। সংযুক্তার দাদার একটিই ছেলে। ওঁর বদলির চাকরি বলে বরাবর বোর্ডিং স্কুলে মানুষ হয়েছে। দিদি-জামাইবাবু অনেক বড়। তাঁদের ছেলেমেয়েদের বাল্যাবস্থায় দেখেনইনি ধ্রুব। তিনি নিজে তো একমাত্র সন্তান। তাঁর বাবাও এক সন্তান। কাজেই মামাতো-মাসতুতো ছাড়া তাঁর গতি ছিল না। সে সব সম্পর্কের ঘনিষ্ঠতা কবে চলে গিয়েছে। অপত্য স্নেহ খানিকটা ছাত্র-ছাত্রীদের উপর পড়ে ঠিকই। কিন্তু শিশুকাল থেকে দেখলে যে-মায়াটা হয়, সেটা সম্ভবত আলাদা। শীলুকে বড় করে, চরে খেতে শিখিয়ে ছেড়ে দিয়েছেন। টান আছে, কিন্তু সেটা এমন কিছু নয়। বিলুর বেলায় টানটা আরও কম। কিন্তু মিলু? মিলু কোথাও চলে যাবে, মিলুকে পাওয়া যাচ্ছে না এরকমটা ভাবতে গেলে তাঁর বুকের কোথায় একটা ব্যথা শুরু হয়ে যাচ্ছে। তবে কি মিলুই তাঁদের প্রকৃত সন্তান হয়ে উঠছে? তাঁরা কি মিলুর প্রকৃত বাবা-মা হয়ে উঠতে পারছেন? সংযুক্তা আজকাল অনায়াসে মিলুর পাশে শুচ্ছে। কিন্তু তিনি তো মেয়েটাকে জড়িয়ে ধরে আদর কোনও দিনই করতে পারবেন না!

ও ঘর থেকে দেশ-এর আলাপ ভেসে আসছে। কাঁচা গলার আলাপ, কিন্তু ভীষণ মিষ্টি লাগছে। চোখে জল ভরে আসছে। সংযুক্তা চুপচাপ আরামচেয়ারে বসে শুনছেন। তিনি বিছানায়, একটা হাত চোখের ওপর। সংযুক্তা ধীর গলায় বললেন, "এবার বারান্দার দরজাটা বন্ধ করে দিই?"

তিনি আরও আস্তে বললেন, "একটা লোক এখনও পায়চারি করছে কিনা, খুব ক্যাজুয়্যালি দেখে নিয়ো।"

"দেখেছি। এখনও আছে, আমাদের বারান্দার নীচে এখন জলবিয়োগ করছে। এক বালতি জল ঢেলে দেব?"

"দিতে পারলে ভাল লাগত। কিন্তু তোমার মেয়ের কেস ঘেঁটে যেতে পারে, ছেড়ে দাও।"

সংযুক্তা বারান্দার দরজা বন্ধ করে আলো নিবিয়ে দিলেন।

"আমরা যে শীলু, বিলু এদের কাউকে এই বিপদের কথা বলিনি, সেটা এক পক্ষে ভাল বুঝলে।"

তিনি বললেন, "ফোনে এ নিয়ে কোনও কথা চালাচালি না হয় এটা মিলুকে বলে দিয়ো। বি অ্যাবসল্যুটলি নমার্ল।"

"কিন্তু ওরা আবার পিছনে লোক লাগাল কেন?" সংযুক্তা চিন্তিত গলায় বললেন।

মিলুর অতীতটা যদি জানতে পেরে থাকে তা হলে ওদের ধারণা হতে পারে এই সব লোকেদের সঙ্গে মিলুর সম্পর্ক থাকা স্বাভাবিক। এটা আমার একটা ধারণা। প্লাস্টিকের খামটা মিলুর হাতে দিল, আমার হাতে কিন্তু দেয়নি। যদি কোনও আঙুলের ছাপ-টাপ পেয়ে থাকে মিলিয়ে দেখবে।"

আঁক করে একটা শব্দ করলেন সংযুক্তা, "সে কী?"

"মিলু যেভাবে নিল, তাতে আঙুলের ছাপ উঠবে না। তবে অকুস্থলে ছাপ পেয়ে থাকলে যেমন করে হোক, ছাপ ওরা নেবেই।"

সারারাত কারওই ঘুম হল না। মিলুই একমাত্র ট্রাঙ্কুইলাইজার খেয়ে ঘুমোল। সকালে তার ঘুম ভাঙলে সংযুক্তা সন্তর্পণে জিজ্ঞেস করলেন, "মিলু তোর কি মনে আছে ঘরটায় ছিটকিনি ছিল, না খিল?"

"কেন মা?"

"খুব মনে করে বল তো ঠিক কীভাবে পালালি? পাঁচদিন ছিলি কীভাবে?"

"কেন মা, কত পায়ের ছাপ পেয়েছে?" মিলু নিভন্ত গলায় বলল।

"সব সম্ভাবনাগুলো আমাদের খতিয়ে দেখতে হবে। ভয় পাওয়ার কিছু নেই, মাথা পরিষ্কার করে ভাবতে হবে।"

সকালবেলার চা-বিস্কুট খেতে খেতে মিলু বলল, "নিয়ে গিয়ে ঘরটাতে ফেলে দিল। একটা তক্তাপোশে, পাতলা চিরকুটে ময়লা বিছানা। তারপর দু'জনে পরপর অত্যাচার করল। পটকাটাকে ফেলে দিয়েছিলাম, কিন্তু অন্যটার গায়ে ভীষণ জোর, ভীষণ নিষ্ঠুর। আমার হাত-পা বেঁধে আঁচড়ে-কামড়ে কী বলব শেষ করে দিয়েছে।

"রাত্তিরে খেতে দিল কিছু?"

"শুধু দুধ, আমি টাচ করিনি।"

"জল?"

“একটা কুঁজো ছিল তা থেকে কাগজের গেলাসে করে জল দিত। শুঁকেটুকে খেতাম। তারপর ওরা গেলাসগুলো দুমড়ে-মুচড়ে ফেলে দিত।”

“সকালে চা?”

“সে-ও কাগজের গ্লাসে, আমার তো হাত বাঁধা। পটকাটা গলায় ঢেলে ঢেলে দিত। বলত, “চা না খেলে টানবি কী করে? পাঁচদিন·আর কিচ্ছু খাইনি।”

“বাথরুম?”

“একটা বালতি রেখে দিয়েছিল। ওরা যে কী নোংরা মা ধারণা করতে পারবে না।”

“তা হলে বলছিস কিছু হাতে করে ধরার সুযোগই হয়নি?”

“না মা। তারপর শেষ দিনে যখন দেখলাম মদ খেয়ে একেবারে অজ্ঞান, দুটো ছুরি পড়ে আছে, পা খোলা ছিল, গিয়ে পা দিয়ে ছুরিগুলো জড়ো করলাম। হাত দুটোর দড়ি কামড়ে ছিঁড়ে মরিয়ার মতো টানাটানি করে খুলতে পেরেছি। তারপর ছুরিদুটো সোজা ওদের গলায় বসিয়ে দিয়েছি। কীরকম ঘড়ঘড় শব্দ হল, রক্ত ছিটকে লাগল আমার কাপড়ে। তাড়াতাড়ি ছুটে গিয়েছি দরজার দিকে। অনেক উঁচুতে খিল মাথার ধাক্কা দিয়ে খিল খুলেছি। তারপর দৌড়োতে-দৌড়োতে বেরিয়ে গিয়েছি।”

“হাত, পায়ে রক্ত ছিল না?”

“না, রক্তটা ছিটকে আমার কাপড়ে লেগেছিল। মেঝেতে বোধহয় পড়েনি। কাপড় থেকে কি রক্ত পড়তে পারে? আমি জানি না। মাথা দিয়ে ঢুঁ মেরে খিলটা খুলেছিলাম, তারপর ছুটেছি। কাপড়ের কোণ আটকে গিয়েছে এ খেয়ালও আমার হয়নি,” মিলু চুপ করল। তারপর তাঁর দিকে ফিরে শুল।

কলেজ গেল মিলু সঙ্গে ধ্রুব, যেমন যান। দু'জনেই চুপচাপ। ধ্রুব স্বাভাবিকভাবে কথা বলবার চেষ্টা করছেন। মিলুও আপ্রাণ চেষ্টা করছে, কিন্তু পারছে না। নরক যন্ত্রণায় কাটল ক'দিন। মিলু ক্লাসে অন্যমনস্ক হয়ে বসে আছে। কিছুই মাথায় ঢুকছে না। চন্দনা লক্ষ করেছে। বলল, “মিলি তোর কী হয়েছে রে?”

মিলু বলল, “ক'দিন মাথায় কেমন যন্ত্রণা হচ্ছে।”

“তো চোখ দেখা, নিশ্চয়ই পাওয়ার বেড়েছে।”

“ভাবছি তাই, বাবাকে বলতে হবে।”

এখানে মিলুর একটা স্বস্তি যে, তার স্কুলের কেউ আসেনি। ফলে সে যে পালিতা মেয়ে, সে কথা কেউই জানে না। তার নতুন চেহারা তার একটা স্বস্তির কারণ। মিলু নিজেই নিজেকে আয়নায় দেখে চিনতে পারে না। কারণ, ভিতরে ভিতরে সে এখনও শাড়ি পরে একটা বিনুনি করে রুটির আটা মাখছে, চা করছে। ভিতরে তার একটা বদল আসে, একমাত্র যখন সে গান গায়, মাস্টারমশাই আসেন। রাগ-রাগিণীর অথৈ গভীরে সে তার আইডেন্টিটি ভুলে যায়। কে জাহিরা শেখ, কে মিলি মজুমদার, এ সমস্ত অবান্তর হয়ে যায়। বান্ধবীরা আজকাল কেউ কেউ বাড়ি আসতে শুরু করেছে।

"ইস্‌স মিলি তোর বাড়িটা কী ভাল, বাবা-মা কী ভাল।"

"কেন, তোদের বাড়ি ভাল নয়? বাবা-মা ভাল নয়?"

"বাড়ি তো নয় ফ্ল্যাট, এত স্পেস আছে নাকি? আর বাবা-মা দিন-রাত খিটির-খিটির।"

একজন বলল, "তুইও কী গুণী, কী সুন্দর খাবার করে খাওয়াস আমাদের, উপ্‌মাটা কী করে করেছিলি? দইবড়াটাও খুব ভাল করিস।"

"সব আমার মা শিখিয়েছেন।"

"আমাদের মা'রা তো সংসারের কোনও কাজই করতে দেয় না, এসব দেখতে হবে না, পড়াশোনা কর গিয়ে। জানিস, এখনও সেতার নিয়ে পড়ে আছে পিছনে। ভাল লাগে না, হবে না বুঝতে পেরে গিয়েছি। তবু কর। প্র্যাক্টিস কর।"

মিলির গান তার একটা অতিরিক্ত গুণ। বন্ধুরা খুব প্রশংসা করে। মিলি তার রেকর্ড থেকে তোলা রবীন্দ্রসংগীত, সারের কাছে শেখা ভজন শোনায়। বন্ধুরা খুশি হয়ে যায়।

এত সুখ কি তার সইবে, বিষণ্ণ মনে সে ভাবে। যতবারই গুছিয়ে বসতে গিয়েছে একটা না একটা বিপদ এসে বুঝিয়ে দিয়েছে, সুখ-শান্তি তার জন্য নয়।

সিআইডি অফিসারটি একদিন সংযুক্তার কলেজে হাজির। ভিজিটার্সরুমে কেউ তাঁর জন্যে অপেক্ষা করছে শুনে সংযুক্তা গিয়ে দেখেন মক্কেল বসে আছে।

"আপনাকে তো ঠিক চিনতে পারছি না, অ্যাডমিশন?"

"আজ্ঞে না, আমি আপনার মেয়ে সম্পর্কে একটাই ইনফর্মেশন চাই। বুঝতেই পারছেন কোথা থেকে আসছি।"

"আশ্চর্য! আপনারা তো বাড়িতে খোঁজ করে গিয়েছেন। আবার কী? এত উত্যক্ত করলে তো মুশকিল। আমার কলেজে ধাওয়া করেছেন!"

"সরি, আসলে আমরা জানতে চাইছিলাম ১৩ এপ্রিল মেয়ের জন্য বেশ কয়েকটি বাড়িতে উদ্‌বিগ্ন হয়ে ফোন করেছিলেন আপনারা, কেন?"

"কী মুশকিল, সময়মতো বাড়ি না ফিরলে উদ্‌বিগ্ন হব না? আজকাল মেয়ের মা হওয়া কত জ্বালা তা জানেন না?"

"মেয়ে ফিরেছিল?"

"ন্যাচারালি। সেদিন শেষ পরীক্ষা, হয়তো একটু মেতে ছিল। আড্ডাটাড্ডা মেরেছে। ওর বায়োলজি ভাল লাগে না, পরীক্ষাটা নিয়ে আমরা একটু চিন্তিত ছিলুম আসলে।"

"আপনার মেয়ে কিন্তু অ্যাডিশন্যাল পেপার দেয়নি।"

"সে খোঁজও নিয়েছেন? নমস্কার আপনাদের ভাই," সংযুক্তা একটু তেতো হাসি হাসলেন। "এই যে শুনি পুলিশ আজকাল কাউকে প্রোটেকশন দিতে পারে না, কোনও কম্মের নয়। কোন মেয়ে অ্যাডিশনাল পেপার দিল না সে নিয়েও আপনারা মাথা ঘামান?"

"ম্যাডাম, আপনার মেয়ে অ্যাডিশনালে অ্যাবসেন্ট কেন? পড়ুয়া মেয়ে, তাই না?"

"অ্যাডিশনালে ওর ম্যাথস ছিল, আমাদের জোরাজুরিতে নিয়েছিল। বলল কিছ্ছু পারবে না। পরীক্ষাটা দেওয়াও যা না দেওয়াও তা। আমরা আর জোর করিনি। দোষটা তো আমাদেরই, জোর করে চাপিয়েছি। আর কিছু?"

"না, ঠিক আছে। ম্যাডাম। আপনারা নমস্য ব্যক্তি, কিন্তু কী আর বলব, এই মন্ত্রীদের জ্বালায় আমরা পাগল হয়ে যাচ্ছি। কটাগোবিন্দ একটা দাগি খুনে গুন্ডা। বুঝতেই পারছেন কোনও মন্ত্রীর ডানহাত। উপর থেকে প্রেশার আসছে।"

সংযুক্তা চুপ করে রইলেন। কোনও মন্তব্য করা ঠিক নয়। লোকটি আবার ঘরের কথা বলতে শুরু করল, কী মতলবে কে জানে!

এতক্ষণে বোঝা গেল এঁরা কোন সূত্র ধরে মিলুকে টিপ করছেন। কমলিনী গার্লসের যে ক'টি মেয়ে হায়ার সেকেন্ডারি দিচ্ছে, প্রত্যেকের সঙ্গে যোগাযোগ করেছে। চেকিং ও ক্রসচেকিং-এর মধ্যে দিয়ে বেরিয়ে এসেছে। তেরোই তাঁরা

দু'তিনজন বন্ধুর বাড়িতে ফোন করেছিলেন। ভাগ্যে মিলুর বন্ধু বেশি নেই, জনা তিনেকের বাড়িতে ফোন করেছিলেন তাঁরা। যত দূর মনে পড়ছে সাত সাড়ে সাত নাগাদ। ভাগ্যিস, বেশি রাতে করেননি। করলে মিলু পরীক্ষা শেষে হই-হল্লা করে ফিরে এসেছিল এ গল্প টিকত না।

ধ্রুবজ্যোতি সমস্ত শুনে বললেন, "একেই বলে পুলিশের জাল। সংযুক্তা, আমি মলিনার কথা ভাবছি।" মলিনা তাঁদের কাজের লোক। সে যে ক'দিন মিলুকে নিঃসাড়ে শুয়ে থাকতে দেখেছে, তার অসুখ শুনেছে, তাঁদেরও খুব ব্যস্ত থাকতে দেখেছে, এগুলো যদি পুলিশের কাছে বলে তা হলে?

আবার একদফা জ্বালাতন।

"সাবধান সংযুক্তা," ধ্রুব বললেন। "মিলুর হারিয়ে যাওয়া আর পাঁচদিন পর ফিরে আসা ছাড়া আর কোনও ব্যাপারে সত্য গোপন করবে না।"

"সে আমি জানি," সংযুক্তা বললেন। "কিন্তু আগ বাড়িয়ে কোনও খবর দেওয়ার দরকারও নেই। এখন মনে হচ্ছে মিলুর অতীতটা ওরা জানে না। হাসনাবাদ থেকে ওকে পেয়েছি আমরা। আশা করা যায়, বিশেষ কোনও সূত্র ছাড়া..."

হঠাৎ সংযুক্তা বলে উঠলেন, "এই রে!" পড়িমরি করে ছুটে গেলেন তিনি।

"কী হল রে বাবা?"

ওঁদের রান্নাঘর নীচে হলেও ছোট একটা ব্যবস্থা উপরে আছে। চা-কফি, জল-খাবার, রাত্রে কিছু ভাজবার দরকার হলে সেখানেই হয়। ধ্রুব ভাবলেন, কিছু কি চাপিয়েছিল সংযুক্তা দুধ-টুধ? একটু এগিয়ে দেখলেন, দালানে মা ও মেয়ে দাঁড়িয়ে।

মিলু বলছে, "হ্যাঁ, রাখি তো, কিন্তু এসব কথা কিছু লিখিনি এখনও।"

"আগেকার কথা তো লিখেছিস," মা অধৈর্য হয়ে বলল।

"তাতে কী?"

"তাতে অনেক কিছু মিলু। ধর, বাড়ি সার্চ করল। ডায়েরিটা পেলে ওরা অনেক কিছু ভেবে নিতে পারে। ফাঁসাতে পারে।"

"কিন্তু ওটা আমি নষ্ট করব না মা, ওতে আমার সব কিছু আছে। আমি নিজে মরে গেলেও কেয়ার করি না-ডায়েরিটা থাকবে," গোঁ ভরে মিলু বলল।

"কী ব্যাপার?" ধ্রুব এগিয়ে গিয়ে জিজ্ঞেস করলেন।

"শুনলে তো। ওর ডায়েরিটা একটা প্রবলেম হতে পারে," সংযুক্তা কালো মুখ করে বললেন।

মিলু বলল, "ডায়েরিটা আমি নষ্ট করব না বাবা, কিছুতেই না।"

"ঠিক আছে, নষ্ট কেন করবি? আমাকে দিয়ে দে, আমি ওটা লুকিয়ে রাখবার ব্যবস্থা করছি।"

"কোথায় লুকোবে বাবা?" হঠাৎ মিলুর চোখদুটো জলে ভরে গেল। "আমার সমস্ত জীবন, কত ভাবনা-চিন্তা, সে-সব আমার কাছে খুব দামি, সব ওতে আছে।"

"আমাকে কি বিশ্বাস করতে পারছিস না?"

"কোথায় রাখবে?"

"ব্যাঙ্কের লকারে। গয়নাগাঁটি, দলিলপত্রের সঙ্গে।"

"ধরো ওরা তোমাকে ফলো করল কিংবা যদি সার্চ ওয়ারেন্ট বের করে, লকার কি তার বাইরে?"

সংযুক্তা বললেন, "ওটা সিল করে আমার কলেজের লকারে রেখে দিতে পারি।"

"সার্চ ওখানেও করতে পারে মা।"

ডায়েরি-ডায়েরি করে যখন তিনজনেরই মাথা খারাপ হওয়ার জোগাড় তখন ধ্রুব বললেন, "দেখি তো, তোর ডায়েরিটা একবার।"

ডায়েরি মানে তিনটে একসারসাইজ বুক। এক, দুই, তিন... এইভাবে সাজানো। কিন্তু স্টেপল করাও নেই, নাম পর্যন্ত নেই।

ধ্রুব হেসে বললেন, "হার্ড বাউন্ড নয় কিছু নয়, এটা তো কোনও প্রবলেমই নয় রে। তোর মায়ের কোনও ছাত্রীদের খাতার সঙ্গে দিব্যি থাকবে। উপরে একটা কাল্পনিক নাম বসিয়ে দে ব্যস।

সংযুক্তা বললেন, "আমাদের সিস্টেম হল কেজের চাবির ডুপ্লিকেট পর্যন্ত আমাদের কাছে থাকে। রিটায়ার করার সময়ে কেজ খালি করে চাবিটা জমা দিয়ে আসতে হয়।"

পরদিন কাগজে একটি রাগী চিঠি বেরোল। লিখছেন, কমলিনী গার্লস-এর হেড মিসট্রেস, অন্যান্যদের সই আছে।

পুলিশ এক গুন্ডার হত্যায়, সামান্য একটা সাদা কমলাপাড় শাড়ির ছুটকো

অংশ পেয়ে কীভাবে তাঁর স্কুলের মেয়েদের হয়রান করছে, জনগণকে জানিয়েছেন এবং তীব্র প্রতিবাদ করেছেন তিনি। এই শাড়ি কি আর কেউ পরে না? তাঁর ক্ষুব্ধ প্রশ্ন। কটাগোবিন্দ জাতীয় খুনে গুন্ডারা যদি নিজেদের মধ্যে মারামারি করে মরে, তবে কার ক্ষতি? সমাজ তো হাঁফ ছেড়ে বাঁচে! তবে কি উপরতলার কোনও পুলিশ, কি মন্ত্রীসান্ত্রীর পোষা খুনে লোকটি? ক্ষমতাবানরা কী ভাবেন নিজেদের? তাঁদের ব্যক্তিগত বা দলগত স্বার্থে খুনোখুনির চক্র গড়ে উঠেছে, তার সুরক্ষার জন্য স্কুলের মেয়েদের উত্যক্ত করবেন তাঁরা?

এর পরে চিঠির স্রোত বইতে লাগল। নীরব মশাল মিছিল দেখা গেল দু'দিন শহরের রাস্তায়। সাংবাদিকরা ডজনে-ডজনে কমলাপাড় শাড়ি পরা মহিলাদের ছবি বের করতে লাগলেন। একটি সাহসী দৈনিক কোনও রাজনৈতিক নেতার পেটোয়া গুন্ডা কে কে, নামধাম জানিয়ে এবং তাদের কীর্তিকাহিনি ছেপে রাতারাতি বিখ্যাত হয়ে গেল। বিক্রি তুঙ্গে। অনেক নেতা মানহানির মামলা করবেন জানালেন। কিন্তু করলেন না। অনেকে বিবৃতি দিলেন, পাগলে কী না বলে, ছাগলে কী না খায়! সেই নিয়েও অনেক চিঠি বেরোল। পাগল মানে কি সাংবাদিকরা? জনগণকে কি নেতা ছাগল বললেন? তাঁরা নিজেরা তা হলে কী?

তারপরে শুরু হল প্রবল বর্ষা। টানা তিনদিন বৃষ্টির পর কলকাতাকে আর কলকাতা বলে চেনা গেল না। প্রায় সারা শহর জলবন্দি। বজ্রপাতে মৃত্যু, তড়িৎ-তারে মৃত্যু, ম্যানহোলে পড়ে মৃত্যু। জায়গায়-জায়গায় রাবারের নৌকো চলল। জল সাপ্লাই তো দিতে হলই। শুকনো খাবার পৌঁছে দিতে হল অনেক জায়গায়। আপাতত শান্তি।

এই ডামাডোলে ধ্রুবজ্যোতি মজুমদার, উজ্জ্বলদের কথা সম্পূর্ণ ভুলে গিয়েছিলেন। নিজের মেয়ে আর পরের ছেলের এই তফাত। তিনি ভাবলেন, মনে মনে। তাঁদের বাড়ির সামনে জল জমে না, কিন্তু আশপাশ একেবারে জলমগ্ন। চতুর্থদিন আকাশের মেজাজ ভাল হল। ষষ্ঠ দিনে আবার তুমুল বর্ষণ। বম্বেতে কেলেঙ্কারি কাণ্ড। যানবাহন বলে কিছু নেই। মানুষ যেখানে-সেখানে আটকা পড়েছে। এর মধ্যে কটাগোবিন্দ, পটকা, বেঁটে গোপাল, খটকা সব ভেসে গেল।

এই রকমই হয়। জনগণের সেন্টিমেন্ট কিছু একটা উপলক্ষ করে ফেটে

পড়ে। তারপর কোনও দুর্যোগ, এখানে-ওখানে, সবাই সব ভুলে যায়। খালি পুলিশ ভোলে না, অবশ্য যদি মনে করে। কাজেই সামান্য স্বস্তি পেলেও ধ্রুব পুরো স্বস্তি পেলেন না। সাবধানতার কথা নিজেও ভুললেন না, অন্যদেরও ভুলতে দিলেন না।

"প্রঃ মজুমদার, ও ধ্রুবজ্যোতিবাবু?" পিছন থেকে বিজয় সুর ডাকছেন। "কী মশাই শুনতে পাচ্ছেন না?"

ধ্রুব বললেন, "শুনতে পাব না কেন? শুনতে ইচ্ছে করছে না।" বলে হনহন করে চলে গেলেন। জীবনে কখনও কারও সঙ্গে এত কঠোর ব্যবহার তিনি করেননি। কোনও-কোনও ব্যাপারে ধৈর্যচ্যুতি হচ্ছে তাঁর। প্রচণ্ড রাগ হয়ে যাচ্ছে।

॥ ২৩ ॥

ঝোরাটা সবার প্রিয়। ঝিরঝিরে গোড়ালি ডোবা। পৌঁছে গেছে ট্রেকাররা। ফাল্গুন মাসের পরিষ্কার আকাশ। চাঁদের আলো ঝরে পড়ে জলে হিরের কুচি অভ্রের কুচি ভাসছে। এত জোরালো চাঁদের আলো যে, রাতের খাওয়া চন্দ্রালোকেই হয়ে যায়। আজকে বাবাই একটা পোলাও রেঁধেছে। কাজু, কিশমিশ, পেস্তা, টিনের মটরশুঁটি, আলু সব দিয়ে একটা সরল পোলাও। কে জানত, সেটা এত ভাল হবে!

কাগজের প্লেটে সবাইকে পরিবেশন করল দিয়া। একটা চমৎকার আমের আচার তার সঙ্গে। মুখে দিয়েই সবাই 'আহা-আহা' করে উঠল।

"কী রেঁধেছিস রে?" উজ্জ্বল বলল। "তোর এ গুণ আছে তা তো জানতাম না!"

"দূর, আমি রান্নার কী জানি! করে দিলাম একটা। সেই বিগিনার্স লাক বলে একটা কথা আছে না, বোধহয় তাই," বাবাই বলল লাজুক মুখে।

বলল বটে, কিন্তু বাবাই মোটেই রান্নায় অত আনাড়ি নয়। তার মা মফস্সলের মেয়ে, কন্যা যতই পড়াশোনা করুক, আর খেলোয়াড় হোক, রান্না, ঘর গোছানো, কাপড় কাচা এগুলোর একটাও বাদ যায়নি তার শিক্ষা থেকে।

১৪৪

দিয়া বলল, “আমিও পারি, আমায়ও একটা চান্‌স দে।”

“হিংসে হচ্ছে, নাকি?” আরিয়ান বলল।

“তা তো একটু একটু হচ্ছেই। আমি বরাবর বাবাইকে হিংসে করি তো,” সাফ জবাব দিয়ার। “একে স্প্রিন্ট কুইন, তার ওপরে ডিস্ট্রিক্ট স্কলারশিপ, পার্সন্যালিটি দ্যাখ... যাই হোক, কু—ল। আমার মতো ফ্যাঁচফ্যাঁচে নয়। এখন আবার দেখা যাচ্ছে, ফ্যান্টাস্টিক কুক। হিংসেটা আরও বেড়ে যাবে না?”

দিয়ার কথায় ছোটখাটো হাসির হাওয়া বয়ে গেল সবার উপর দিয়ে। শিরীষ-সেগুন মাথা নাড়তে থাকে। হাওয়াতে কীসের যেন রেণু গুঁড়ো-গুঁড়ো উড়তে থাকে। দিয়ার মনে হয়, ওগুলো চাঁদেরই গুঁড়ো। জ্যোৎস্না থেকে ভেঙে-ভেঙে তৈরি হয়েছে। পাথর ভেঙে-ভেঙে যেমন বালি হয়। বন যেখানে গভীর হয়েছে, সেখানটা যেন পাহাড়ের ভুরু। সেখান থেকে একটা ভীষণ সেক্সি বুনো গন্ধ আসছে। গন্ধটা তাকে এমন মাতাল করে দিচ্ছে, কী করে সে নিজেকে প্রকাশ করে। ভেতরটা টগবগ করে ফুটছে যেন। মনে হচ্ছে, সেই একজন। একটি মাত্র বুকের ওপর ঝাঁপিয়ে পড়ে। এ রকম অর্থহীন ব্যাকুলতা তার আগে কখনও হয়নি। হঠাৎ দিয়া উঠে পড়ল, তারপর জ্যোৎস্না মাড়িয়ে মাড়িয়ে ওপর দিকে উঠতে লাগল।

“বলা নেই, কওয়া নেই, হঠাৎ ও ওদিকে যাচ্ছে কেন?”

“এন সি বোধহয়,” আরিয়ান বলল।

“এন সি-ই হোক, আর যাই-ই হোক, একা এভাবে যাওয়া তো ঠিক নয়।” বাবাই বলল, “উজ্জ্বল তুই যা। প্লিজ়, একটু নজর রাখ।” আরিয়ান বলল, “যা-যা, শিগগির যা।”

বাবাই বুঝতে পারছিল, নেচার্স কল-টল নয়, কিছু একটা হয়েছে দিয়ার। মান-অভিমান! তার রান্নার প্রশংসার সঙ্গে জড়িত কি? চরিত্রের জটিলতার দিক দিয়ে এইসব মেয়েদের কোনও তফাত নেই। শুকতারা আর দিয়া এখানে এক। একজন সবাইকে গাছে তুলে দিয়ে বাই-বাই টুকুও না করে স্রেফ পালিয়ে গেল। আর একজন এখন বনের দিকে যাচ্ছেন। উজ্জ্বল ছাড়া আর কেউ ওকে সামলাতে পারবে না। কী ঝামেলাই হয়েছে!

রূপ চুপচাপ ছিল। বলল, “চল বাবাই, আমরা এই প্লেট-ফ্লেটগুলো ঝরনার জলে ফেলে আসি।”

“পলিউশন হবে না?” বাবাই জিজ্ঞেস করল।

"প্লাস্টিক তো আর নয়, কী বল আরিয়ান।"

আরিয়ান কিছু বলল না।

দু'জনে প্লেট, গ্লাসগুলো কুড়িয়ে জড়ো করল। ভুক্তাবশেষ বলতে বিশেষ কিছু নেই। যেটুকু আছে, একটু দূরে গিয়ে ঝেড়ে ফেলে দিল রূপ।

বলল, "পাখিগুলোকে পোলাও থেকে বঞ্চিত করি কেন, বল বাবাই?"

বাবাই হাসল, "পাখিদের বঞ্চিত করতে তুই চট করে পারবি না। প্রকৃতি নিজেই ওদের সহায়। রান্না করতে হয় না, লেখাপড়া শিখতে হয় না, সবটাই এক্সট্রাকারিকুলার। খুঁটে-খুঁটে খাওয়া সারাদিনের কম্মো।"

বলতে বলতে ওরা ঝরনার কাছাকাছি এসে পড়েছিল। বাবাই একটা গোল থালা, টেনি কয়েটের মতো ঘুরিয়ে ছুড়ে দিল জলে। সেটা হেলতে-দুলতে খানিকটা চলে, লাফিয়ে নামল জলের সঙ্গে, তারপর অদৃশ্য হয়ে গেল।

রূপ বলল, "আমার মনে হয় এগুলো টুকরো-টুকরো করে ছিঁড়ে ফেলা ভাল। দেখ, জল বেশি নেই। স্রোতও তেমন নেই।"

বাবাই সায় দিয়ে জিনিসগুলো ছিঁড়তে লাগল। দাঁড়িয়ে একেবারে জলের পাশে, হঠাৎ পা হড়কে গেল বাবাইয়ের। রূপ তাড়াতাড়ি তাকে হাত ধরে ওঠাতে গেল। এত কম জায়গা, এত পিছল যে, বাবাই এসে পড়ল সোজা রূপের বুকের ভেতর। দু'জনেই দু'জনের বুকের ধুকপুকুনি শুনতে পাচ্ছে। মাথার উপর নীলচে চাঁদ, শরীরময় জলকণার মতো জ্যোৎস্নাকণা লেগে রয়েছে, পায়ের নীচে জল। রূপ ধরা গলায় বলল, "একটু দাঁড়া, আমি তোকে টেনে তুলছি।"

পিছন থেকে কর্কশ গলা শোনা গেল, "হোয়াট দা হেল আর ইউ ডুয়িং হিয়ার? আমাকে একলা বসিয়ে রেখে কৃষ্ণলীলা হচ্ছে? একটা কাপল গিয়েছে ওদিকে, আর একটা আমার চোখের সামনে, বাঃ!"

রূপের কলার ধরে এক ঝাঁকুনি দিল আরিয়ান। বাবাই ছিটকে পড়তে গিয়ে কোনওমতে দু'জনের পিছন দিক দিয়ে উঠে এল। প্রাণপণে ছাড়াবার চেষ্টা করতে লাগল দু'জনকে। আরিয়ান এক ঘুঁষি মারল রূপকে। রূপ বাঁ চোখটা ঢেকে কোনওক্রমে ঘুঁষিটা ফিরিয়ে দিতে চেষ্টা করল, পারল না। আরিয়ান আবার খ্যাপা ষাঁড়ের মতো এগিয়ে আসছে। রূপ সরে যাওয়ার চেষ্টা করছে।

পিছন থেকে হঠাৎ একটা গম্ভীর গলা, "কী হচ্ছে? কী হচ্ছে কি এটা?"

উজ্জ্বল শরীরের সমস্ত জোর দিয়ে দু'জনকে ছাড়াল। দু'জনে দু'দিকে ছিটকে পড়েছে।

"ব্যাপার কী, আরিয়ান?" আরিয়ান ঝেড়েঝুড়ে উঠে দাঁড়াচ্ছে। এবার খুব খারাপ কয়েকটা গালাগাল দিল। উজ্জ্বল এক চড় মারল তাকে। "হোয়াট ননসেন্স! ব্যাপারটা কী? বল। ঠিকঠাক বল।"

"কাকে বলব?" আরিয়ান মাটিতে থুতু ফেলল। আরও একবার গালাগালি দিয়ে উঠল আরিয়ান। আরও একটা থাপ্পড়।

"শি ইজ় মাইন," সে বাবাইয়ের দিকে আঙুল দেখাল।

"ইন হোয়াট সেন্স?" উজ্জ্বল বলল।

রূপরাজ উঠে আসতে আসতে বলল, "তাই কি ওকে ড্রাগ খাইয়ে রেপ করেছিলি?"

আরিয়ান প্রথমে হকচকিয়ে গেল। চাঁদের আলোয় মুখের রং বোঝা যাচ্ছে না। তারপর বলল, "কোন সোয়াইন বলেছে? কে? রণবীর? দেব?"

"সমস্ত বলে দিয়েছে," দিয়া বলে উঠল। "তুই ভাবছিস তোর 'ক্রাশ' ক্লাবের ওই লম্পটগুলো তোকে প্রোটেকশন দেবে? ইউ আর স্যাডলি মিসটেকন ইয়ার।"

হিংস্র মুখ করে আরিয়ান বলল, "ও নিজে কী করেছে? জিজ্ঞেস করিসনি তো?"

"সব জানি। বিচার হবে ওয়ান বাই ওয়ান, কেউ বাদ যাবে না। তবে ওর বিরুদ্ধে তোর সাক্ষ্যটা দরকার।"

"সাক্ষ্য? ও-ই তো নাটের গুরু। দ্যাট সোয়াইন। ও বলেনি, তুই তোরটা পাবি, যদি আমি আমারটা পাই। ওরটা মানে, তুই দিয়া ঘোষাল।" উচ্চারণের অযোগ্য কিছু ইংরেজি শব্দ উচ্চারণ করল আরিয়ান।

"ব্যস আমাদের কাজ কমপ্লিট," উজ্জ্বল শান্ত গলায় বলল।

"যথেষ্ট এভিডেন্স বলে গ্রাহ্য হবে আশা করি ক্যাসেটটা," দিয়া বলল আরও শান্ত গলায়।

হঠাৎ আরিয়ান ছুটে গেল দিয়ার দিকে। উজ্জ্বল দু'পা এগিয়ে গিয়ে তাকে দিল এক ধাক্কা। রূপ আর এক ধাক্কা দিয়ে বলল, "জঘন্য কদর্য এই কাজটা দ্বিতীয়বার করিস না। মনে রাখিস লেসনটা। রেপের জন্য ক'বছর আর জেল হয়! ও কিছুই না। ওটা কেটে যাবে। কাটবে না যেটা, সেটা হল দুর্নাম।

মা-বাবা আত্মীয়স্বজনের কাছে মুখ দেখাবি কী করে ভাব।"

আরিয়ান উঠে এসে উজ্জ্বলকে আক্রমণ করল। উজ্জ্বল তার পাটাতনের মতো কাঁধ দিয়ে ওকে ঠেকিয়ে বলল, "আমরা তোকে মিছিমিছি মারধর করতে চাই না। জাস্ট আইনের হাতে তুলে দেব। দু'জন দু'দিক থেকে ঠেলতে ঠেলতে তাকে ঝোরার দিকে নিয়ে গেল। রূপ বলল, "বেশি ত্যান্ডাই-ম্যান্ডাই করিসনি।" তারপর অন্যদের দিকে ফিরল, "চল আমরা ফিরি। আজকের রাতটা কোনওমতে কাটিয়ে, কাল সকালবেলাই ফিরব। গোছগাছ কমপ্লিট করে রাখিস সবাই।" তাঁবুতে ফিরে গেল চারজন।

উজ্জ্বল বলল, "দিয়া ক্যাসেটটা আমার কাছে দে। আর একটা কথা, ও যদি রাত্রে আবার এটার ওপর ডাকাতি করবার চেষ্টা করে, করবেই, আমাদের পালা করে জেগে পাহারা দিতে হবে।"

বাবাই বলল, "কিন্তু ও তো তাঁবুতে ফিরবেই। ওর জিনিসপত্তর রয়েছে। শোবেও নিশ্চয়। আমার মনে হয়, এরপর ও কাকুতি-মিনতি করবে আমাদের কাছে। এই ধরনের কাপুরুষরা কিন্তু শেষ পর্যন্ত তাই-ই করে। সে পথটা খোলা রাখ।"

"মানে?" দিয়া চড়া গলায় বলে উঠল। "তুই কি ওকে মাফ করে দেওয়ার কথা চিন্তা করছিস?"

"না, না। আমি বলছি ডাকাতিটা ভিতরে এসে ইমোশন্যাল চেহারায় করবে, কাজেই সবাইকে সাবধান থাকতে হবে।"

একটু পরে আরিয়ান সত্যিই দুপদাপ করে তাঁবুতে ফিরে এল। নিজের মালপত্রের ভেতর থেকে একটা বোতল বের করল। তারপর আবার দুপদাপ করে ফিরে গেল।

"মাল নিয়ে এসেছে, আমি অনেক আগেই টের পেয়েছি," রূপ বলল।

বিরাট শব্দে কোথাও একটা বাজ পড়ল। উজ্জ্বল তাঁবুর বাইরে থেকে ঘুরে এল। বলল, "বৃষ্টি হবে, মনে হচ্ছে।"

কোথা থেকে ঠান্ডা হাওয়া আসছে। উপরের দিকে ইতিমধ্যেই বৃষ্টি হয়েছে কি না কে জানে! তাদের তাঁবু খাটানো হয়েছে মোটামুটি সমতল জায়গায়। কিন্তু বেশি বৃষ্টি পড়লে কী হতে পারে ভেবে, সবাই মালপত্র নিয়ে বসেই রইল।

ঘুমোব না, ঘুমোব না করেও ঘুম এসেই যায়। সকলেরই ঢুল এসেছে।

দিয়া একেবারে ঘুমিয়ে পড়েছে। বাবাই স্বপ্ন দেখছে, সে হিমালয়ে চড়ছে। তেনজিং নোরগে সঙ্গে আছেন, সামনের উপত্যকায় নাকি মানস সরোবর। পৌঁছে দেখে, ও মা এ তো ওদের রোগাসোগা চূর্ণী নদী! মা-বাবা দু'জনেই নদীর জলে চান করে উঠে এল... নাঃ মা-বাবা তো নয়! শুকতারা আর আরিয়ান! এইরকম চলছেই চলছেই।

রূপ হাঁটুর মধ্যে মুখ গুঁজে বসে বসে ঘুমোচ্ছে। কিন্তু ও ভাবছে, ও জেগে আছে। পাহারা দিচ্ছে। কে যেন তাকে ঝাঁকাচ্ছে ঝাঁকাচ্ছে।

"কী রে?" উজ্জ্বল সামনে।

"সর্বনাশ হয়েছে!"।

"কী?"

"আরিয়ান ঝোরার জলে পড়ে গিয়েছে।"

"পড়ে গিয়েছে মানে?"

উজ্জ্বল বিরক্ত হয়ে বলল, "পড়ে গিয়েছে মানে পড়ে গিয়েছে। যাচ্ছিল তো। হামাগুড়ি দিতে গিয়ে পড়ে গিয়ে থাকবে।"

"তুই কী করে জানলি?"

"এত কথা না বলে শিগগির বের হ। তোর কাছে নাইলন রোপ আছে না? নিয়ে আয়। আমি এগিয়ে যাচ্ছি।"

ওদের কথাবার্তায় দিয়া আর বাবাইয়েরও ঘুম ভেঙে গিয়েছিল। সকলেই বেরিয়ে এল।

বাইরে ঝিপঝিপ করে বৃষ্টি পড়ছে। ঝোরার ধারে পৌঁছোতে পৌঁছোতেই ভিজে গেল সব।

ভোর হয়ে এসেছে। আকাশে যতই মেঘ থাক, সূর্য উঠলে চরাচরে একটা ঘোলাটে, সাদাটে ভাব আসেই। ওরা একটা অদ্ভুত দৃশ্য দেখল। ঝোরার মধ্যে একটা বোল্ডারের ওপর আরিয়ান বসে, বোতলটা ওর কোলে, আরিয়ান গলা ছেড়ে গান গাইছে। কী গান, কী বৃত্তান্ত এখান থেকে শোনা যাচ্ছে না।

"তার মানে পড়ে যায়নি," উজ্জ্বল বলল। "আমি যখন দেখেছি, ও কীরকম গুঁড়ি মেরে ওই বোল্ডারটায় যাওয়ার চেষ্টা করছিল।"

"আরিয়ান, আরিয়ান। চলে আয় ম্যান," রূপ চেঁচাল প্রাণপণে।

আরিয়ান শুনতে পেল বলে মনে হল না। পরক্ষণেই ওরা একটা অবিশ্বাস্য দৃশ্য দেখল। হুড়মুড় করে একটা শব্দ। ঝোরাটার ওপর দিক থেকে ঝাঁপিয়ে

আসছে জল। মুহূর্তে জল বেড়ে তো গেলই। ওরা দেখল আরিয়ান একটা পাক খেয়ে স্রোতে ভেসে যাচ্ছে।

উজ্জ্বল পাড় ধরে দৌড়ে নামতে-নামতে দড়িটা ছুড়ে দিচ্ছে। "আরিয়ান ধর ধর, প্লিজ ট্রাই... ট্রাই।"

ওর সঙ্গে বাকি তিনজনও দৌড়ে নামছে। ঝোরার জল উপচে পড়ছে, পাড় ভাসিয়ে দিচ্ছে এখন। আরিয়ান ক্ষীণভাবে একবার দড়িটা লুফে ধরতে চেষ্টা করল, পারল না। ধাক্কা খেতে খেতে অদৃশ্য হয়ে গেল। নামতে নামতে অবশেষে ওরা স্থির হয়ে দাঁড়াল। ফ্যাঁসফেঁসে গলায় রূপরাজ বলল, "তোরা সরে দাঁড়া, এ জলে ভীষণ স্রোত।"

একটা বাঁক ঘুরে ঝোরাটা ওদের চোখের বাইরে চলে গিয়েছে। উজ্জ্বল শুকনো উদ্‌বিগ্ন মুখে বলল, "সর্বনাশ!"

রূপ বলল, "যে করে হোক, ওকে উদ্ধার করতেই হবে," তার গলা এখনও ফ্যাঁসফেঁসে।

"এ টেকনিক্যাল লোকের কাজ, রূপ। আমরা এ জলে পা ঠেকালে পর্যন্ত ভেসে যেতে পারি। লেটস হোপ, অল ইজ় নট লস্ট। আরিয়ান ইজ় আ রিসোর্সফুল গাই। সাঁতার জানে, জানে অনেক ট্রিকস। হয়তো...হয়তো..."

"হুইস্কিটা যদি না খেত! পুরো বোতল শেষ করেছে বোধহয় বসে বসে," দিয়া বলল।

কাকভেজা ভিজে ওরা আদিবাসী বসতিটার দিকে চলল।

এক-এক করে লোক জমতে লাগল। বিবরণ শুনে ওরা মাথা নাড়তে লাগল। ওদের মতে, কোনও আশাই নেই। এবং বডি উদ্ধার করবার জন্যে এখন কিছুই করা যাবে না। তবু উজ্জ্বল আর রূপকে নাছোড়বান্দা দেখে, তিন-চারজন লোক কয়েকটা মস্ত লম্বা বাঁশের লাঠি নিয়ে ওদের সঙ্গে চলল। উজ্জ্বল মেয়েদের বলল, "তোরা ফিরে যা টেন্টে। গোছগাছ করে নে।"

জামাকাপড় বদলে এখন ওরা চুপচাপ তাঁবুর ভেতরে বসে। জেদ করে হয়তো উজ্জ্বলদের সঙ্গে যেতে পারত। আরও আরও নীচে, জীবিত বা মৃত আরিয়ানের সন্ধানে। কিন্তু কোথাও তো একটা সীমা টানতেই হয়। দিয়া অতক্ষণ ভিজে ঠকঠক করে কাঁপছিল। তার এখন জ্বর এসে গিয়েছে। বাবাইয়ের সহ্যশক্তি আর একটু বেশি, কিন্তু সেও কাবু। দু'জনেই গরম চায়ে ব্র্যান্ডি দিয়ে খেয়ে নিল, সঙ্গে প্যারাসিটামল।

প্রকৃতিই কি শেষে শোধ নিল? প্রকৃতি অন্ধ নিয়মে চলে। প্রকৃতির তো কোনও বিবেক নেই! আমরা নিজেদের ইচ্ছেমতো তার উপরে অনেক গুণ বা দোষ আরোপ করি। আচ্ছা, আরিয়ান তো ওদের কাছে ক্ষমা চাইতে পারত! যেমনটা ওরা আশা করেছিল! তার বদলে ও হুইস্কির বোতল নিয়ে ঝোরার ধারে চলে গেল। কেন? ইগো? হার মানবে না? ক্ষমাপ্রার্থনাটা কাপুরুষের কাজ! ওর কি ধারণা ক্রাশ ক্লাবের কীর্তিটা বীরপুরুষের? এবং বীরপুরুষেরা ভাঙে, তবু মচকায় না? ওর না মচকানোর চিহ্ন হল তা হলে ওই বোতলটা। কিন্তু ঝোরার ধারে গেল কেন? ওখানেই জ্যোৎস্নালোকে ওদের শেষ বনভোজন। ওখানেই চারজনের এত দিনের পরিকল্পনার নাটকীয় ক্লাইম্যাক্স। এগুলোই কি মিলিতভাবে ওকে ঝোরাটার ধারে টানছিল? আচ্ছা, রেপের মামলার আসামি হওয়ার চেয়ে কি ও আত্মহত্যাটা ভাল মনে করেছিল? সুরার সাহায্যে মনে সাহস আনা। ওইরকম মাতাল অবস্থায় ও কেন ঝোরার পাথরে বসতে গেল? তা যদি বলো, মাতালের কি কোনও কাণ্ডজ্ঞান থাকে?

এখন, ওর স্বীকারোক্তি আর সাক্ষ্য সংবলিত ওই ক্যাসেটটা বিপজ্জনক হয়ে গেল। পুলিশ বলবে, ওরা প্ল্যান করে মার্ডার করেছে। ঠান্ডা মাথায়। নষ্ট করে ফেলো ক্যাসেটটা। রণবীরের উপর আর প্রতিহিংসা নেওয়াও হচ্ছে না। কিল খেয়ে কিল হজম করা ছাড়া উপায় নেই। কিন্তু ক্যাসেট বাদেও কি ওরা সন্দেহের উর্ধ্বে? ঠিক আছে। অ্যাডভেঞ্চার করতে গিয়েছ, দুর্ঘটনা ঘটছে, কিন্তু কেন তোমরা বাড়িতে ঘুণাক্ষরেও জানালে না? একটা এক্সকার্শনে যাচ্ছ বন্ধুরা মিলে, এর মধ্যে এত লুকোছাপার কী দরকার? গোপন কোনও উদ্দেশ্য তোমাদের অবশ্যই ছিল। সিক্রেট অ্যাজেন্ডা। দুটি মেয়ে সঙ্গে। তৃতীয় মেয়েটি মাঝপথে চলে এসেছে। অর্থাৎ গিয়েছিল, তিন ছেমরি, তিন ছ্যামরা, পার্ফেক্ট সিক্সসাম। সেক্স অ্যাঙ্গল তো দেওয়াই যায়। সেক্স ফলোড বাই মার্ডার। খুবই চলতি ফর্মুলা।

|| ২৪ ||

দিয়ার প্রবল শীত করতে থাকে। বাবাইয়ের শীত করতে থাকে। রেপ ভিকটিম থেকে খুনের আসামি! শাস্তি দেওয়া মানে কী? খুন করতে চাওয়াই তো একরকম! সেই ভিতরের প্রতিহিংসাটাকে আর একটু সামাজিক রূপ দেওয়া, এই তো? খুব জটিল প্রশ্ন। কিন্তু এ-ও তো অদ্ভুত! যে ছেলে তাকে ভ্যালেনটাইন পাঠায়, সে কী করে তাকে ড্রাগ খাইয়ে ধর্ষণ করে? এ তো বিকার, অতি ভয়ংকর। ও যদি তার প্রেমে পড়ত, তা হলে সামনে আসত, বন্ধুত্ব করবার চেষ্টা করত। এটাই তো স্বাভাবিক! প্রত্যাখ্যাত হলে অন্য কথা। কিন্তু ও তো সে পথেই যায়নি! এমন বাঁকা পথ ধরল, যা কোনও স্বাভাবিক মানুষের মাথায় আসবার কথাই নয়। ওই দেবার্ক বা রণদেবের কেস আলাদা। ওরা শুধুই জব্দ করতে চেয়েছিল দিয়ার অহংকারকে, অপমান করতে চেয়েছিল। কিন্তু আরিয়ান? কী মনোবৃত্তি থেকে ও কাজটা করল? বাবাইয়ের টানেই যে ও এই অ্যাডভেঞ্চারে যোগ দিয়েছিল, এ বিষয়েও সন্দেহ নেই। এই চারটে দিন একসঙ্গে ঘুরেছে, কাটিয়েছে, অনেক সুযোগ দিয়েছে বন্ধুরা ওকে, বাবাইয়ের কাছাকাছি হওয়ার, কথা বলবার। কই? অথচ ঝগড়ার সময়ে স্পষ্ট বলে উঠল, "শি ইজ মাইন!" কী মানে এই কথার? এইসব ঘটনার? এইসব ব্যবহারের? কী মানে এইসব ছেলের?

জ্বরের ঘোরে, প্রবল ক্লান্তির অতলান্ত ঘুমে দু'জনেই স্বপ্ন দেখে। টেনে নিয়ে যাচ্ছে পুলিশ। চারজনের হাতেই হাতকড়া। উজ্জ্বলের ঘাড়ে ওরা চাপিয়ে দিয়েছে একটা ক্রস। অবিকল যিশুর ভঙ্গিতে, বিরাট ক্রুস কাঁধে, সামনে ঝুঁকে পড়ে, সে চলেছে। ভিয়া ডলোরোসা, যন্ত্রণার সেই ঐতিহাসিক পথ ধরে। সবাই হাততালি দিচ্ছে। কেন? উজ্জ্বল শহিদ হচ্ছে বলে? দিয়ার ভিতর থেকে প্রবল কান্নার ঢেউ উঠছে। সে ঘুমের ঘোরেই হাউহাউ করে কেঁদে উঠল। বাবাই তার ঘোর লাগা লাল-লাল চোখ দিয়ে দিয়াকে দেখছে। কাঁদছিস কেন? আরিয়ানের জন্য? হি ইজ নো মোর! এ ক'দিনে একটা মায়া জন্মে গিয়েছিল, না?

দিয়া বলল, "স্বপ্ন দেখলাম, উজ্জ্বলকে ক্রুসিফিক্স কাঁধে নিয়ে যাচ্ছে। তাই..."

"তুই ওকে ভালবাসিস, না রে?"

“প্লিজ বাবাই, বলিস না। শুধু ভালবাসলেই হয় না, মিউচুয়্যাল হওয়া চাই। ও তোকেই...”

“দিয়া, তোকে অনেকবার বলেছি...”

“চুপ কর, ভাইবোনের মতো, ভাইবোন তো নয়। দেখলি না, তোর জন্যে কেমন জান লড়িয়ে দিল। এখন শহিদ হতে চলেছে।”

“কী উলটোপালটা বকছিস! স্বপ্নের সঙ্গে রিয়্যালিটি গুলিয়ে ফেলছিস?” বলেই বাবাই স্বপ্নের মধ্যেই বুঝতে পারে, ওটাও তার স্বপ্ন ছিল। দিয়া ঘুমিয়ে যাচ্ছে, ন্যাকড়ার পুতুলের মতো। শুকতারার সার্ভিস, ডাবল ফল্ট করল, তার পয়েন্ট। অ্যাডভান্টেজ শুকতারা। কে হাঁকছে? অ্যাডভান্টেজ বাবাই কেউ বলছে না। পুলিশের গাড়িতেও দিয়া ঘুমিয়ে যাচ্ছে। একজন পুলিশ বলল, “ও তো মরে গিয়েছে। দুটো ডেডবডি একসঙ্গে স্বর্গে যাচ্ছে।”

দিয়া ঝুঁকে পড়ল বাবাইয়ের উপর। “কী বিজবিজ করছিস? কারা স্বর্গে যাবে? কে যাবে, কে যাবে না, আমি দিয়া ঘোষাল ঠিক করে দেব। প্ল্যানটা কার? উজ্জ্বলের না রূপের? রূপরাজ?”

“হলেই বা, আমরা সবাই ডিসকাস করেছি। একা ওর দায় নাকি?”

“তুই কেন রূপের সাফাই গাইছিস? রূপই তো আমাদের এমন বিপদে ফেলল, সক্কলে একসঙ্গে পুলিশবাড়ি যাব। আদমসুমারি হবে, ছাড়া পাব কি না... জানিস তো শুকতারা রাজসাক্ষী হয়েছে?”

“ধ্যাৎ, শুকতারা তো জজ। ও কি আর আমাদের ডেথ সেন্টেন্স দেবে? আফটার অল বন্ধু তো।”

দিয়া ভ্যাংচাল, “আফটার অল বন্ধু তো! আরিয়ানকে কেন মারলি? আফটার অল বন্ধু তো!”

সমস্ত স্বপ্নটাই বাবাই দেখছিল নাকি দিয়াই? দু'জনের স্বপ্ন কি মিশে গেল?

বেলা তিনটের সময়ে কাকতাড়ুয়ার চেহারায় ফিরে এসে উজ্জ্বল আর রূপ ওদের এই অবস্থায় দেখল। বিশাল জ্বর। ভুল বকছে। দুটো মেয়েই।

“হোপলেস,” ওরা মাথার চুল ছিঁড়তে থাকে।

“এই দিয়া, এই বাবাই,” দু'জনে প্রাণপণে ডাকে। মাথা ধুইয়ে দেয়। বাবাইয়ের খাতা দিয়ে জোরে জোরে পাখা করে। “শিগগির উঠে বোস। ওষুধ গিলতে হবে।”

উজ্জ্বল কাঠ-কুটো জ্বালিয়ে চা করে। বিশেষ কিছু নেই, মুড়মুড় করে বিস্কুট খায় দু'জনে। তারপর মুণ্ডা বসতির দিকে চলে যায়। ওদের সাহায্যে পাহাড় থেকে নামতে রাত হয়ে যায়। ওরা ওদের খাটুলিতে করে দুটি অসুস্থ মেয়েকে নিয়ে মাঠাবুরুর বনবাংলোয় পৌঁছায়, শেষ রাতে। প্রাণ বেরিয়ে গিয়েছে। এখান থেকে যোগাযোগগুলো করা যায়, ট্রেকার্স অ্যাসোসিয়েশন, থানা, হাসপাতাল। দুর্ঘটনার খবর জানিয়ে উদ্ধারের আর্তি পৌঁছে যায় সদর থানায়। 'রূপসী বাংলা' ধরে কলকাতায় ফেরা। নার্সিংহোম, আবারও সেই ডক্টর সেন।

দুর্ঘটনার খবর পুলিশকে জানানো হয়েছে, যত শিগগির সম্ভব। 'পুরুলিয়া ট্রেকার্স অ্যাসোসিয়েশন'ও ওদের গতিবিধি সম্পর্কে যথেষ্ট জানে। তবু পুলিশের সওয়াল থেকে রক্ষা পাওয়া যায় না। পুলিশ মুণ্ডাবসতিতে গিয়ে ওদের সম্পর্কে প্রশ্ন করছে। তার চেয়েও কঠিন বাড়িতে জবাবদিহি, পরিচিতজনের কৌতূহলী মুখ। মিডিয়ার কল্যাণে তাদের মুখগুলো এখন সবার চেনা। যে-যার মতো নিজের মতো ব্যক্তিগত ব্যাখ্যা দিচ্ছে, তাইতে বিশ্বাস করছে। ত্রিকোণ প্রেম, দুটো, হতেই হবে। এর বাইরে জনগণের কল্পনা কাজ করে না। আরিয়ানকে যারা চিনত, তারা ছবিটা মিলিয়ে নিতে পারছে। মরিয়া ধরনের, চালবাজ, স্পয়েল্ট বরাবর। কিন্তু বাবাইকে, দিয়াকে যারা চিনত, তারা ঠিক বিশ্বাস করতে পারছে না। ছবি এক্ষেত্রে মিলছে না। রূপের বাড়িতে কোণঠাসা অবস্থা। উজ্জ্বল ফিরে গিয়েছে সোজা তার হস্টেলে। কিন্তু তার বাবা-মা তাকে তাড়া করেছেন সেখানে। উজ্জ্বল শেষ পর্যন্ত বলতে বাধ্য হয়েছে, এরকম জিনিস আর হবে না। যেখানে যাবে, বলে যাবে, কোথায়, কতদিন, কাদের সঙ্গে। সবাইকারই ধারণা, ছেলেমেয়েরা পরস্পরের সান্নিধ্য পাওয়ার জন্যেই না বলে পালিয়েছিল। পরিষ্কার সেক্স অ্যাঙ্গল আছে, ওদের গল্পটাতে। অত দূরে, বন্য জায়গায়, শুধু সেক্সটুকুর জন্যে কেন যেতে হবে? এটা কেউ ভাবছে না। এই জনগণ জানে না, 'ক্রাশ'-এর মতো ক্লাবে, নানান রিসর্টে, এমনকী, এইসব ছেলেমেয়েদের শূন্য বাড়িতেও, যৌন মজা উপভোগ করার যাবতীয় সুযোগ-সুবিধে বর্তমান।

আরিয়ানের দেহাবশেষের শেষকৃত্য হয়ে গেছে। শ্মশান থেকে ফিরে সকলেই যে-যার বাড়িতে গিয়ে চুপচাপ হয়ে গিয়েছে। কথা বলার ইচ্ছে নেই। দু'দিন পরে শুকতারার বাড়িতে জমায়েত। এখন পাঁচজন।

লনে চেয়ার। শুকতারা বলল, "চা না কফি?"

বিকেল বেশ ঘন হয়ে উঠেছে। ছাঁটা ঘাসের উপর জলের ফোঁটা চিকচিক করছে। ঘাসের গন্ধ বেরোচ্ছে। সেই সঙ্গে বিকেলের গন্ধ। বিকেলের একটা সোঁদা-সোঁদা গন্ধও আছে। এই কলকাতা, এইসব পথঘাট, এই ছাঁটা ঘাসের লন, বিকেলের ডিজেল-মেশা সোঁদা গন্ধ, গাড়ি-গাড়ি-গাড়ি, সবই যেন বহুদূরের। কেমন অবাস্তব! দশদিনের, ট্রেন যাত্রা ধরলে, বারোদিনের অভিজ্ঞতাটা যদি বাস্তব হয়, তা হলে এই শহর, এর রুটিন কী করে বাস্তব হতে পারে? এই বিস্ময়, বিভ্রান্তি, চার জনের চোখেমুখে শিশিরের মতো লেগে আছে। দুটো অভিজ্ঞতার মাঝখানে যে দৌড়ঝাঁপ, ট্রেকিং অ্যাসোসিয়েশন, হাসপাতাল, থানা-পুলিশ, জবানবন্দি, কাগজে-কাগজে নিজেদের ছবি, খুন না আত্মহত্যা না দুর্ঘটনা: ব্রেকিং নিউজ টিভি-র চ্যানেলে-চ্যানেলে। সমস্ত চ্যানেল হুমড়ি খেয়ে পড়ছে চারজনের ওপর, যেন ঘেরাও করছে, পিষে ফেলছে, এটাই বা কী? রিয়্যাল?

"চা না কফি?"

"এনিথিং।"

"কাজু-কেক-পেস্ট্রি-স্যান্ডউইচ?"

কেউ কোনও কথা বলল না।

"তোরা অমন মুখ শুকিয়ে আছিস কেন?" শুকতারা বলল। "দেখ শ্রাদ্ধের পরে একটা নিয়মভঙ্গ বলে অনুষ্ঠান তো আছে। লেটস হ্যাভ সাম গুডিজ।"

সামনে দাঁড়ানো বেয়ারা জাতীয় লোকটিকে নির্দেশ দিল শুকতারা। কিছুক্ষণের মধ্যেই ভর্তি পট, কাপ, প্লেট, চামচ, বিস্কিট, কেক, স্যান্ডউইচ...

"সকলেই ব্ল্যাক তো? খালি দিয়ার একগঙ্গা দুধ চাই। না রে?" শুক কি একটু হাসবার চেষ্টা করছে।

দিয়া বলল, "তোকে বলতে হবে, কেন দুম করে ফিরে এলি?" সে অত সহজে ভুলছে না।

"সত্যি বলছি, আমি প্রচণ্ড কুঁড়ে। একদম কামচোর। ক্রিচার কমফর্টস ভীষণ জরুরি আমার কাছে।"

"তা হলে গেলি কেন? গোড়া থেকেই তো না করতে পারতিস?"

"রিয়্যালাইজ করিনি। ঝোপেঝাড়ে কম্মো করতে গিয়েই বুঝলাম। একটা পোকা অস্থানে-কুস্থানে এইসা কামড়ে দিল।" হেসে উঠল শুকতারা অল্প

১৫৫

একটু, থামল কিছুক্ষণ। তারপর নিজের রাঙানো নখগুলো দেখতে দেখতে আস্তে বলল, "আমি না গেলে আরিয়ান যেত না। আমি চাইছিলাম, ও যাক, শাস্তি পাক। কিন্তু ওর শাস্তির সময়ে আমি কী করে উপস্থিত থাকব? ভেরি অকওয়ার্ড। ও যে আমাকে ভীষণ বিশ্বাস করত।" হঠাৎ সে বড় বড় চোখে একটু তেরছা করে উজ্জ্বলের দিকে তাকাল, "সত্যি করে বল তো, ওকে মেরেছিস? হ্যাভ ইউ পিপল রিয়্যালি কিলড হিম? মেরে থাকলে আমার কিছু বলার নেই। পুলিশকে বলে দেওয়ার মতো নীচও আমি নই। বাট আই ওয়ান্ট টু নো দা ট্রুথ।"

রূপ খুব আহত চোখে তার দিকে চেয়ে রইল, "আমাদের খুনি বলে মনে হয় তোর? ছোট থেকে না হলেও কিছুটা তো চিনেছিস। এইটুকু বিশ্বাসও কি আশা করতে পারি না আমরা তোর কাছে?"

বাকি তিনজন কোনও কথাই বলল না। ব্ল্যাক কফিতে চুমুক দিয়ে কেউ কেউ নামিয়ে রাখছে কাপটা।

উজ্জ্বল হঠাৎ তার শার্টের পকেট থেকে একটা ছোট্ট ক্যাসেট বের করল, "দিয়া, ডিক্টাফোনটা এনেছিস?"

পুঁচকে জিনিসটা টেবিলের উপর রাখল দিয়া। ক্যাসেট ভরল, চালিয়ে দিল। সমবেত কণ্ঠে বেজে উঠল, আহা! আহা! কী রেঁধেছিস রে!

তোর এ গুণ আছে জানতুম না তো! ...দূর, আমি রান্নার কী জানি!

সেই বিগিনার্স লাক বলে একটা কথা আছে না...

আমিও পারি, আমায়ও একটা চান্স দে।

হিংসে হচ্ছে নাকি? স্পষ্ট আরিয়ানের গলা।

ক্যাসেট চলছেই চলছেই। প্রত্যেকের গলা স্পষ্ট। পশ্চাৎপটে ঝিঁঝির আবহ সঙ্গীত পর্যন্ত কান পাতলে শোনা যায়। পাতার সরসর। কী একটা পাখি ডেকে গেল।

শি ইজ় মাইন, আরিয়ানের গলা।

তাই কি ওকে ড্রাগ খাইয়ে রেপ করেছিলি? রূপরাজ।

কোন সোয়াইন বলেছে? কে? রণবীর? দেব?

সমস্ত বলে দিয়েছে। তুই ভাবছিস তোর 'ক্রাশ' ক্লাবের ওই লম্পটগুলো তোকে প্রোটেকশন দেবে? ইউ আর স্যাডলি মিসটেকেন...

অবশেষে উজ্জ্বলের গলা, ব্যস আমাদের কাজ কমপ্লিট।

আমরা তোকে মিছিমিছি মারধর করতে চাই না। জাস্ট আইনের হাতে তুলে দেব।

মন দিয়ে শুনছিল শুকতারা, বলল, "তারপর?"

রূপ বলল, "আমাদের ওর কনফেশন আর রণবীরদের বিরুদ্ধে সাক্ষ্যটা দরকার ছিল। আর রেকর্ড করিনি। ওই মদের বোতলটাই ওর সর্বনাশ করল। ওটা না থাকলে ওর বোল্ডারে বসার সাধ হত না।

উজ্জ্বল বলল, "সেটা বলা যায় না। হি ওয়াজ ফিলিং এক্সপোজড, আইসোলেটেড। ছিপছিপে জলের মধ্যে একটা বড় সাইজের বাদামি-কালো বোল্ডার। ইচ্ছে হতেই পারে। আসলে ওই আনএক্সপেক্টেড জলের তোড়টা। উপর দিকে হেভি বৃষ্টি হয়েছিল। আমরা নীচে অতটা টের পাইনি। চোখের সামনে দেখলুম, ঝোরার জল বেড়ে গেল। হঠাৎ ঝাঁপিয়ে এল জল, খ্যাপা বানের মতো। ড্রাঙ্ক, অর নট ড্রাঙ্ক, ওই কিলার ঝোরার হাত থেকে রক্ষা পাওয়া তখন অসম্ভব। কী ধার! কী তোড়! বাপ রে! এক যদি আমাদের দড়িটা ও ধরতে পারত।"

"দড়ি? দড়ি নিয়ে গিয়েছিলি কেন?" শুকতারা কেমন খাপছাড়া ভাবে প্রশ্ন করল। "আগে থেকেই জানতিস বুঝি, আরিয়ান ঝোরায় ভেসে যাবে, দড়ি ছুড়তে হবে।"

"কী আশ্চর্য!" হতাশ মুখ করে উজ্জ্বল বলল। "ট্রেকিং-এ যাচ্ছি। পুরো সেট আর অ্যাডভাইস নিচ্ছি পুরুলিয়ার অ্যাসোসিয়েশন থেকে, দড়ি, দড়ির মই, হাতুড়ি, হুক, সব থাকবে। থাকবে না? তুইও তো ছিলি সঙ্গে। এখনও কি আমাদের সন্দেহ করেই যাচ্ছিস? ভেরি ভেরি আনফর্চুনেট!"

"তা ঠিক নয়," শুকতারা শূন্যের দিকে চেয়ে বলল। "পুলিশ তো তোদের প্রশ্নগুলো করতে পারে।"

রূপ উজ্জ্বলকে থামিয়ে দিয়ে বলল, "ট্রেকিং-এর সরঞ্জাম নিয়ে পুলিশের মনে কোনও সংশয় নেই শুকস। ওদের খটকাটা অন্য জায়গায়। প্রথম, তুমি কেন মাঝপথে চলে এলে? আর দ্বিতীয়, আমরা কেউ বাড়িতে ডিটেল কিছু বলিনি কেন? দেখো দ্বিতীয় প্রশ্নের উত্তর এভাবে দেওয়া যায়, আমরা এই জেনারেশন তো অলরেডি নোটোরিয়াস ফর আওয়ার রেকলেসনেস। আর নট উই? কে অত বলা-কওয়ার ধার ধারে। অবাধ্য এই একটা, প্লাস সঙ্গে মেয়েরা থাকছে। মেয়েদের সঙ্গে ছেলেরা, বাড়িতে মধ্যযুগীয় আপত্তি হতে

পারে। সহজ জিনিসকে ঘোরালো করে দেখতে তো গার্জেনদের জুড়ি নেই! কিন্তু শুক, তোমার মাঝপথে চলে আসাটা কেউ ভাল বুঝতে পারছে না। রোম্যান্টিক মান-অভিমানের একটা অ্যাঙ্গল দিচ্ছে।"

শুকতারা আধখানা চোখে চেয়ে বলল, "আমার কৈফিয়ত আমি আগেই দিয়ে দিয়েছি। নতুন কিছু বলবার নেই। বাই এভরিবডি।"

সে উঠে দাঁড়াল। অন্যরাও। পুরোটাই যেন হঠাৎ।

টেবিলের ওপর কেক-পেস্ট্রি-বিস্কিট-স্যান্ডউইচের দল অসহায়, অব্যবহৃত পড়ে রয়েছে। আধ-খাওয়া, সিকি-খাওয়া, একেবারে না ছোঁয়া কফির কাপ।

শুকতারা পিছন ফিরে চলে যাচ্ছে। ওর সাদা টপটা, নীল রঙের ট্র্যাকস-এর ওপর কেমন ঝুলছে। দিয়া হঠাৎ কাছে গিয়ে ওর কাঁধে হাত রাখল। বলল, "শুকস, কাঁদছিস কেন? তোকে কি এ দুর্বলতা মানায়? বিশ্বাস কর, আমাদের সবার মন খারাপ, ভীষণ।"

একটু থমকে দাঁড়াল শুকতারা। তারপর চলে গেল, খুব তাড়াতাড়ি। নিঃশব্দে সবাই বেরিয়ে এল।

প্রায় জনহীন বালিগঞ্জ সার্কুলার রোড। এখান থেকে দিয়ার বাড়ি হাঁটা পথ। ভরা গ্রীষ্ম এখন। বসন্ত এখানে পথ ভুলে আসে। ক'টা দিন পলাশ-কুসুম ফুটিয়ে চলে যায়। তারপর এ-বঙ্গ গ্রীষ্মের কবলে। সে চৈত্রই হোক, আর ফাল্গুনই হোক, ক্যালেন্ডারে। খুব সুন্দর হাওয়া দিচ্ছে এবার। গাছগুলো দুলছে, দেবদারু, গুলঞ্চ, দোলনচাঁপা, কৃষ্ণচূড়ার পাতা কেমন যেন রোমাঞ্চিত, থিরথির করে কাঁপছে।

বাবাই বলল, "দিয়া, তুই ঠিক দেখেছিস? শুকতারা কাঁদছিল? আমি ভাবতে পারছি না, শুককে কাঁদতে দেখব। অত শক্ত মেয়ে!"

দিয়া বলল, "তোরা তো কিছুই বুঝিস না। শি ওয়াজ ইন লভ উইথ আরিয়ান। তোর ওপর আক্রমণটাই বা ও কেমন করে মানবে? ওর মৃত্যুটাই বা কেমন করে সইবে? ওর দোটানাটা আজ দেখেও বুঝলি না?"

সকলেই পথের উপর থেমে গেল, যেন বজ্রপাত হয়েছে।

"যদি জানতিস, আগে বলিসনি কেন?" উজ্জ্বল আর রূপ একসঙ্গে বলে উঠল।

"জানতাম না তো! আজই চোখের সামনে দেখে জানলাম। দু'জনে একসঙ্গে পড়ে, একসঙ্গে অনেক জায়গায় যায়। তো কী? এ রকম ওয়র্কিং

রিলেশনশিপ হাজারটা আছে। আরিয়ানও এভাবেই নিয়েছিল। ইনসিনসিয়ার ফুল একটা! শুকস ওয়জ ডিফরেন্ট। তা ছাড়া জানলেই বা কী করতিস? শাস্তিটা দিতিস না? মাফ করে দিতিস? তাতেও সবচেয়ে আপত্তি হত শুকেরই। এসব অপরাধের ক্ষমা নেই। ক্ষমা হয় না। আমরা আর কী শাস্তি দিয়েছি? একটা কনফেশন আদায় করেছি বই তো নয়। আসল শাস্তি যে দেওয়ার, সে-ই দিয়েছে।"

"আমরা কেউ কিছু বুঝলুম না, তুই বুঝলি?" ক্ষীণ গলায় রূপ বলল।

"তোরা ছেলেরা কিছু মনে করিসনি, জন্মবোকা। তোরা কিছুই কোনওদিন বুঝিসনি, বুঝবি না। কারণ, বেসিক্যালি বুঝতে চাস না।"

দিয়া ওদের ছেড়ে বাড়ির দিকে চলে গেল জোর কদমে। তার এই চলে যাওয়াটা দেখাল একেবারে শুকতারার মতো। একলা, মাথা উঁচু, কিছু গোপন করছে। এই গোপন করার মধ্যেই যেন তার জীবনের সবচেয়ে বড় চ্যালেঞ্জ।

বাবাই উজ্জ্বলের দিকে তাকায়, উজ্জ্বল বাবাইয়ের দিকে। রূপরাজ ঈষৎ বিভ্রান্ত, ওদের দু'জনের দিকে। তারপর ওদের ভেদ করে শুকতারার দিকে, আরিয়ানের দিকে। তিনজন, পাঁচজন, না ছ'জনকে ঘিরেই পাক খায় পাহাড়ি নির্জনতা, ধামসা-মাদলের ধ্বনি, প্রতিধ্বনি, মহুয়ার গন্ধ। আধুনিক শহরের ভুলভুলাইয়ায় যা বোঝা যায় না সেইসব শব্দ, সেইসব বোধ এক গভীর পাহাড়ের ভুরুর দিক থেকে এক দণ্ড চেয়ে থাকে তাদের দিকে। তারপর পাগলা ঝোরার মতো ঝাঁপিয়ে আসে, ভাসিয়ে দেয়, বোল্ডারে-বোল্ডারে ধাক্কা খেতে খেতে ভেসে যায় সব। ঠেকতেই হবে নিরাপদ ডাঙায়। সেভ আওয়ার সোলস, সেভ আওয়ার সোলস, এসওএস ছড়িয়ে পড়ে সর্বত্র, রেডিয়ো ওয়েভে।

॥ ২৫ ॥

এইভাবে পাণ্ডুলিপিটা শেষ করে, ধ্রুবজ্যেতি যে-দিন প্রকাশের জন্যে জমা দিলেন, তার দিন দুই পর এক চাঞ্চল্যকর সংবাদ বেরোল। আরিয়ানের বলে যে লাশটিকে শনাক্ত করা হয়েছিল, করেছিলেন আরিয়ানের নিজের বাবা-মা, সেটা নাকি আদৌ আরিয়ানের নয়! যেটাকে ড্র্যাগন ট্যাটু বলে মনে হয়েছিল,

সেটা আসলে বিছে। এ ধরনের উল্কি আদিবাসীরা ব্যবহার করেই থাকে। কিন্তু আরিয়ানের বাবা তার দেহ চিনতে পারলেন না! দায়িত্বশীল ডাক্তার একজন! ছেলেটির অন্য আত্মীয় বন্ধুরা তাঁদের সংশয় পুলিশকে জানান। ডেডবডির রং কালো। আরিয়ান ছিল টকটকে ফরসা। যতই পচ ধরা দেহ হোক, এতটা তফাত হবে? দেহের গঠনে অবশ্য খুব মিল। আরিয়ানের বাবা-মা চুপ। বেশি চাপাচাপি করলে বলছেন, "তা হলে তাকে ফিরিয়ে আনুন। নইলে আর আমাদের বিরক্ত করবেন না।"

ধ্রুবজ্যোতি কাগজে বেরোনো নামগুলো ব্যবহার করেই উপন্যাসটি লিখেছিলেন। না হলে মেজাজ আসছিল না। পরে প্রত্যেকের নাম বদলে দেন। তাঁর খুশিই হওয়ার কথা। কেননা পুরো উপন্যাসটাকে খবরের কাগজজাত বলে চিনতে পারলে পাঠকের একধরনের কৌতূহলপাঠ পাওয়া যায় ঠিকই, কিন্তু তাতে তো লেখকের মান থাকে না। উপরন্তু লেখকের সৃষ্টিক্ষমতার ঘাটতি পড়েছে, এমন মন্তব্যও আসতে থাকে। লেখকের এগুলোতে কান দেওয়ার কথা নয়। কিন্তু তিনি নিজেকে একজন সন্ধিৎসু সমাজতাত্ত্বিক হিসেবেও দেখতে পছন্দ করেন। তাঁর উপন্যাস আর বাস্তব খবরের শেষ, একরকমের হল না বলে তো তাঁর স্বস্তি পাওয়ারই কথা। কিন্তু তিনি সেটা পুরোপুরি পেলেন না। ছেলে-মেয়েগুলো কোথায় গেল? তিনি যে এদের সৃষ্টি করেছেন! যেমন করেছেন, মিলুকে। তিনি পিতা, তিনি তো ঈশ্বরই। তাঁর ভাবনা হতে লাগল। কী হল? হারানো প্রাপ্তি নিরুদ্দেশের পাতায় চোখ রাখলে ভয় হয়। এত মানুষ নিরুদ্দেশ? ক'দিন আগে একটা পরিসংখ্যান দিয়েছিল, বছর ভর কতজন নিরুদ্দেশ হন। আর কতজন ফিরে আসেন। ভয়াবহ! কিন্তু এরকম একসঙ্গে নিরুদ্দেশ হওয়ার কেসও তো যখন-তখন হয় না।

খেতে-শুতে অন্যমনস্ক থাকেন তিনি। সংযুক্তা লক্ষ করেছেন, "কী নিয়ে এত ভাবছ? উপন্যাস শেষ হয়ে গিয়েছে?"

তিনি যদি বলেন উপন্যাসের কথা ভাবছেন না। উপন্যাসের বাস্তব মডেলদের জন্য ভাবছেন, সংযুক্তা নিশ্চয়ই বকাবকি করবেন। আমাদের কি এমনিতেই যথেষ্ট ভাবনা নেই যে, উড়ো ভাবনা ডেকে আনছ? তাঁদের দু'জনের মধ্যে সংযুক্তাই প্র্যাক্টিক্যাল মানুষ। তিনি তাই কিছু বলেন না। খালি গোরু খোঁজা করে খবরের কাগজে ওদের খোঁজেন, চোখ পেতে রাখেন টিভি নিউজে।

ইউনিভার্সিটি-ক্যান্টিনে মিলি সাধারণত যায় না। সে দিন দলে পড়ে গিয়েছিল। একটি যুবক যেচে এসে আলাপ করল।

“আমি রঞ্জন, আপনি মিলি, না?”

“হ্যাঁ,” বলে মিলি পাশ কাটিয়ে বেরোতে যাবে, যুবকটি বলল, “আসুন না, কোথাও একটু বসি। এখানে বড্ড ভিড়।”

মিলি অবাক হয়ে চাইল, “আমি ক্লাসে যাব না? আশ্চর্য তো আপনি?”

“খুব জরুরি কথা ছিল।”

মিলি কোনও কথা না বলে ক্লাসে চলে গেল। কিন্তু তার মনে খটকা লেগে রইল।

বিকেলে বেরিয়ে দেখে, বাসস্টপে সেই চরিত্র দাঁড়িয়ে। উলটোদিকে ধ্রুবজ্যোতিও এসে গেছেন। সে দৃঢ় পায়ে রাস্তা ক্রস করে ওপারে গেল। চরিত্রটিও ক্রস করল।

“মেসোমশাই, মিলির সঙ্গে আমার একটু জরুরি আলাপ ছিল।”

“কে আপনি?”

যুবকটি পকেট থেকে তার আই-ডি কার্ড বের করে। সিআইডি। এবার ইয়াং ম্যান পাঠিয়েছে।

“কী চান?”

“মিলির সঙ্গে জাস্ট একটু আলাপ-আলোচনা, আলাদা।”

“অনেক তো হল। খুনে, জোচ্চোর, টেররিস্ট ধরতে পারেন না। সেই যে পাঁচটি ছেলে-মেয়ে উধাও হয়ে গেল গত বছর, তাদের পাত্তা করতে পারেননি এখনও। নিরীহ ভদ্রলোক, ছেলেমানুষ মেয়ে এদের হয়রান করছেন? ছিঃ ছিঃ।”

ছেলেটি বলল, “আমিও তাই বলি, বুঝলেন মেসোমশাই। কী করব, চাকরি তো! তবে আমার উদ্দেশ্য আপনাদের হয়রান করা নয়, হেল্‌প করা। শুনলেই বুঝবেন। কাছাকাছি একটা কফি হাউজ আছে। কিছু যদি মনে না করেন, ওপরওয়ালার নির্দেশ, আমার কি আর ইচ্ছে করে?”

মিলি বলল, “চলো বাবা। উনি কী বলছেন, শুনেই যাই।”

এখনও কফি হাউজে তেমন ভিড় হয়নি। মিলি আর যুবকটি যেখানে বসল, ধ্রুবজ্যোতিকে বসতে হল তার থেকে কিছু দূরের টেবিলে। একটা কফি নিয়ে বসে নজর রাখছিলেন মিলির ওপর। মুখ দুশ্চিন্তায় কালচে। এমন

সময়ে পাশের টেবিলে দুটি ছেলেমেয়ের কথায় তিনি কান খাড়া করলেন।

"দীক্ষিত সারও তো সেই থেকে মিসিং। পাঁচ-ছ'মাস হয়ে গেল। এখন কোথা থেকে অত ভাল সার পাই বল তো?" মেয়েটি বলল।

ছেলেটি জবাব দিল, "এরকম টিচার আর দেখবি না। সায়েন্স, হিউম্যানিটিজ-এ ফান্ডা এক। কমার্সের অ্যাকাউন্টেন্সি এমন বুঝিয়ে দেবে জলের মতো।"

"দিয়া, রূপ, ওই মিসিং ছেলেমেয়েগুলো রে। সব ওঁর কোচিং-এ পড়ত।"

"সত্যি? তুই ওদের মিট করছিস?"

"দিয়া আর রূপকে বেশ কয়েকবার, উজ্জ্বলকে একবার, লিডার লাইক, জানিস? ওরা অন্য গ্রুপে ছিল।"

"কী হল বল তো ওই গ্রুপটার?"

"ইলোপ-ফিলোপ করেছে হয় তো।"

"যা খুশি করুক, সারটাকে যে কে কোথায় নিয়ে গেল?"

ছেলেটি হেসে বলল, "অতবড় সারকে আবার কে কোথায় নিয়ে যাবে! যেখানে গিয়েছেন, উনি স্বেচ্ছায় গিয়েছেন। ফ্যামিলি বলে তো কিছু নেই শুনেছি। তা ছাড়া ওঁকে তো মিসিং বলে কেউ খোঁজাখুঁজি করছে না! প্রচুর টাকা করেছেন, এখন কোথাও গিয়ে আরাম করছেন, দেখ গে যা।"

ওদের কথাবার্তার বিষয় পালটে গেল। কিন্তু আসন্ন বিপদ সত্ত্বেও ধ্রুব রোমাঞ্চিত হয়ে বসে রইলেন। তা হলে তাঁর অনুমান ঠিক? এদের একজন প্রাইভেট কোচ ছিলেন, সেখানেই বিভিন্ন স্ট্রিমের ছেলেমেয়েগুলির আলাপ। খুব জনপ্রিয়, ব্রিলিয়ান্ট কোচ। বাঃ দেশাইয়ের জায়গায় দীক্ষিত। এবং তিনিও মিসিং! কেমন একটা আপ্লুত হয়ে বসে রইলেন তিনি, যতক্ষণ না মিলি এসে ডাকল, "বাবা চলো।"

"চল।"

যুবকটি তাঁদের সঙ্গেই বেরোল, "নমস্কার। সেল ফোন নাম্বার দিয়ে দিয়েছি মিলিকে, দরকার হলে একটা ফোন করে দেবেন।"

মোড় থেকে একটা ট্যাক্সি নিলেন তিনি। ট্যাক্সিতে কোনও কথা নয়। তাঁদের পুরো পরিবারে এই সাবধানতার অভ্যাস এসে গিয়েছে এখন।

"কী বলল মক্কেল? কে উনি উপকারী বন্ধু এলেন যে, ওঁকে একটা ফোন করে দিতে হবে?"

মিলি বলল, "ওপরে চলো।"

লোকটি মিলিকে বলেছে, পুলিশ নাকি একেবারে স্থির নিশ্চিত যে মিলিই লোকগুলিকে খুন করেছে। বাধ্য হয়ে। কিন্তু সিআইডি-র ওই রঞ্জন চায় না, মিলি পুলিশের হাত পড়ুক। মিলি যা করেছে, বেশ করেছে। আত্মরক্ষার জন্য মানুষ যা খুশি করতে পারে। সে মিলিকে রক্ষা করতে চায়। তাই তাকে সতর্ক করে দিতে এসেছে। তার যদি কিছু বলার থাকে, ওখানে ফেলে আসা কোনও জিনিসের কথা মনে পড়ে, মিলি যেন রঞ্জনকে বলে। ও ওর সাধ্যমতো সেসব সরিয়ে আনবে। যেমন, ক্লিপ, রাবার ব্যান্ড হয়তো খুব ছোট্ট জিনিস...

"ও তোকে কী ভেবেছে? হাঁদা গঙ্গারাম? তুই কী বললি?"

"আমি ধৈর্য ধরে ওর কথা শুনলাম। কেননা, যতবার অসহিষ্ণু হই, ও বলে, 'আমায় বলতে দিন, আমায় বলতে দিন।' ঠিক আছে, বলতে দিলাম। শেষকালে বললাম, শুধু শুধু আমার বয়সের একটি মেয়েকে বার বার খুনি বলা হচ্ছে, এটা কি হিউম্যান রাইটস কমিশনে যাওয়ার যথেষ্ট কারণ নয়? পুলিশ বলে কি পাবলিকের মাথা কিনে নিয়েছে?"

লোকটি নাকি ওকে ডেট করতে চায়। মিলিকে ওর ভীষণ ভাল লেগেছে। মিলি রাজি না হওয়ায় খুব হতাশ। "বাবা, ওরা এমন কিছু একটা পেয়েছে, যাতে করে আমার ওপর এত সন্দেহ! কী হতে পারে সেটা? হাত-পায়ের ছাপ পেলে তো হয়েই যেত। তা যখন নয়, কী হতে পারে?"

ধ্রুব ভাবিত হয়ে পড়লেন। মিলির অ্যাডিশন্যাল পরীক্ষা না দেওয়াটা, পটকার ওর স্কুলের কাছাকাছি বস্তিতে থাকাটা, শাড়ির পাড়, বায়ো পরীক্ষার পর তাঁদের মিলির বন্ধুর বাড়ি খোঁজখবর করাটা... এইগুলোই গেঁথে-গেঁথে গল্প তৈরি করেছে ওরা।

তিনি ভাবলেন, মিলিকে আর একবার সাবধান করে দেবেন। আশা দেবেন। কিন্তু দেখা গেল, মিলিই তাঁকে সাবধান করছে, আশা দিচ্ছে।

"বাবা, খুব সাবধান! লোকগুলো কী মারাত্মক চালাক বুঝেছ তো? কিন্তু আমরা কোনও অন্যায় করিনি, এইখানে আমাদের জোর। থানা-আদালত যদি সত্যিকার নিরপেক্ষ হত, ন্যায়বিচার করত... আমি এখুনি গিয়ে সারেন্ডার করে আসতাম। কিন্তু ওরা শয়তানের পক্ষে। দেখতে পাচ্ছে, দুটো গুন্ডা,

মাতাল। বুঝতে পারছে, এখানে কোনও মেয়ে ছিল, পালিয়ে গিয়েছে। খুব ভাল করে বুঝতে পারছে, তার উপর কী নৃশংস অত্যাচার চলেছে! আমি পুলিশ চিফ হলে বলতাম, বাবা, এ কেসে আর এগোতেই হবে না। শয়তান, ঠিক শাস্তি পেয়েছে। অনেক কষ্টে, অনেক মূল্য দিয়ে আমি তোমাদের পেয়েছি, একটা মানুষের মতো জীবন পেয়েছি, কোনও মতেই আমি হারব না। যদি আমাকে ধরে নিয়ে যায়, কনভিক্ট করে, আমি বলব, আপনাদের কাজ আমার দ্বারা হয়ে গিয়েছে বলে আমাকে আপনাদের মেডেল দেওয়া উচিত। আমি সমাজকে দুটো পিশাচের হাত থেকে বাঁচিয়েছি।"

এই মেয়ের ভিতর এত আগুন ছিল, ধ্রুব আগে বোঝেননি। এখন হঠাৎ ওঁর মনে হল, "খুব প্রতিকূল পরিস্থিতি থেকে বারবার বাধা পেয়ে যারা বড় হয়, যাদের জীবনী লেখা হয়, মিলি বোধহয় সেই জাতের। সত্যিই তো পাচার হওয়া মেয়ে, ব্রথেলে অত্যাচারীর চোখে আঙুল ঢুকিয়ে পালাল, ট্রাক ড্রাইভারকে নেশায় আচ্ছন্ন রেখে দ্বিতীয়বার পালাল, দারোগা বাড়ির নির্যাতন থেকে এনজিও অবধি পথ করে নিল, তারপর এমন একজনকে খুঁজে নিল, যে ওকে আশ্রয় ও ভালবাসা দেবে। এই পশ্চাৎপট মাথায় রেখে ও এতদূর এসেছে। কম্পিউটার তো করছেই, গানে প্রতিদিন উন্নতি করছে। এ তো যে-সে নয়, এ বিশেষ একজন। এ মেয়ের ভিতর এত গান ছিল, তা-ও তো তাঁরা আগে বোঝেননি! এত যখন ছিল, তখন আরও অনেক আছে। সবই একটু স্নেহের জলসিঞ্চনে, নিরাপত্তার শক্ত ভিতের উপর গড়ে উঠছে। কী, কী দিতে পেরেছেন তাঁরা, মিলিকে? সংগীত, বিদ্যার প্রতি আগ্রহ, সাহিত্য-পিপাসা, শেখবার উচ্চাকাঙ্ক্ষা, আত্মবিশ্বাস, মানুষের উপর বিশ্বাস ও অবিশ্বাসের মধ্যে ভারসাম্য, উপস্থিত বুদ্ধিটা ওর একেবারে নিজস্ব। খুব আনন্দের কথা, তাঁরা পেরেছেন। যথেষ্ট বিনয় সত্ত্বেও তিনি কিছুতেই অস্বীকার করতে পারেন না যে, মিলির 'মিলি' হয়ে ওঠায় তাঁর একটা বিশাল ভূমিকা ছিল। সংযুক্তার তো বটেই। কিন্তু তাঁরও। অথচ মিলি একেবারেই তাঁর অচেনা সমাজের মানুষ। মজার কথা, চারপাশে যে ছেলেমেয়েদের দেখেন, কিছুদিন আগেও পড়ানোর সূত্রে অনবরত যাদের ধ্যানধারণার কাছাকাছি আসতে হয়েছে, তাদের ঘিরে যে কাল্পনিক কাহিনি লিখলেন, তা সত্য হল না। তিনি তো ব্যাপারটাকে প্লট হিসেবে নেননি। একটা অন্বেষণ ছিল ওটা।

ছ'মাস কেটে গেলেও পাঁচটি ছেলেমেয়ের কোনও চিহ্ন পাওয়া গেল না।

পুলিশ শেষ পর্যন্ত থিয়োরি বার করল যে, তারা মাওবাদীদের পাল্লায় পড়েছে। যদি মাওবাদীরা ওদের মেরে ফেলে থাকে, তা হলে তাদের দেহাবশেষ কোথাও-না-কোথাও পাওয়া যেতে পারে। আর ওরা যদি মাওবাদীদের দলে যোগ দিয়ে থাকে, তা হলে তো হয়েই গেল। সে ক্ষেত্রে তাদের সন্ধানের জন্য যে অতন্দ্র দীর্ঘমেয়াদি নজরদারি দরকার, তার উপযুক্ত সময়, লোকবল কি পুলিশের আছে? অনবরত ঘটে যাচ্ছে, ব্যাঙ্ক লুট, গৃহস্থবাড়িতে ডাকাতি-খুন, জটিল সব হত্যার কেস, রাজনৈতিক আস্থিরতার দরুণ বীভৎস খুন জখম। কার অত সময় আছে? মন্ত্রী-সান্ত্রিদের কাছের লোক হলেও বা কথা ছিল। কিন্তু এদের বাবা-মা'রা বোধহয় ঠিক ওই সার্কলের লোক নয়। ডাক্তার, প্রাইভেট ফার্মে এগজিকিউটিভ, এইরকম। তাঁদের দিক থেকে কোনও প্রেশার নেই কেন, সেটাও একটা প্রশ্ন। পুলিশ মন্ত্রীর ডান হাত খুনে-গুন্ডার হত্যার সমাধান করতে একটি ছোট মেয়েকে, যাকে বলে হাউন্ড করে চলেছে, অথচ পাঁচ-পাঁচটি তাজা ছেলে-মেয়ে উবে গেল, তাদের আদৌ কোনও হেলদোল নেই।

এইভাবে দিন কেটে যায়। ধ্রুব মনে করেন, তাঁর মাথা থেকে ওরা বেরিয়ে গিয়েছে। কিন্তু যায়নি যে, সেটা ধরা পড়ে তাঁর এলোমেলো স্বপ্নে। আরিয়ান ছেলেটি মলিন মুখে বলছে, "আমাকে শেষ পর্যন্ত রেপিস্ট বানালেন! অন্য ছেলেমেয়েগুলি ছায়ার মতো ভিড় করে এল। আপনারা বড়রা, বুড়োরা, আমাদের মধ্যে ভাল কিছু দেখতে পান না, না?" তিনি কথার উত্তর দিতে চান। ওরা হাতের ভঙ্গিতে চুপ করিয়ে দেয়। অনেক চেনা, আধচেনা মুখ ভিড় করে আসে।

সেদিন যেটা দেখলেন, মাঝরাত থেকে শেষরাতের মতো কোনও সময়ে। দেখলেন, ছ'টি গ্রিক ধরনের চাদর পরা মূর্তি কুয়াশার মধ্য দিয়ে স্লো মোশানে লাফাচ্ছে। লাফিয়ে-লাফিয়ে পেরিয়ে যাচ্ছে গিরিশৃঙ্গ, সমুদ্র, নদ-নদী, মেঘ, আকাশ। কে, ওরা কে? তিনি জিজ্ঞেস করলেন। প্রতিধ্বনিময় জলদগম্ভীর গলায় কেউ বলল, "চিনতে পারলে না? ওরা তো দেশাই আর তার পঞ্চশিষ্য। ওরা খুঁজতে গিয়েছে।" কী? কী খুঁজছে? এর উত্তরে, একটা বিশাল রামধনু রঙের বুদবুদ উঠল। তারপর সেটা ফেটে গেল। ভিতরে ব্যাখ্যার অতীত কিছু রয়েছে। একটা গভীর উত্তেজনাময় আহ্লাদ তাঁর বোধে-বোধে ঢুকে যাচ্ছে।

অনেকক্ষণ ধরে তিনি রংহীন একটা মাঠের মধ্যে উত্তরের আশায় ঘুরে

বেড়ালেন। কী দেখলেন? কিছু দেখলেন কি, না শুধু অনুভব করলেন? বাকি সময়টুকু তিনি কেমন নেশাগ্রস্ত, ধ্যানগ্রস্ত হয়ে রইলেন। গভীর নিশ্বাস পড়তে লাগল। ঘুমিয়ে-ঘুমিয়ে তিনি কি প্রাণায়াম করছিলেন? স্বপ্নের বাইরে বেরোতে পারছিলেন না, চাইছিলেনও না। তিনি যদি ওদের সঙ্গে যোগ দেন, তা হলে কি পাবেন না? ওরা যেখানে যায়, তিনিও যাবেন, যত দুর্গমই হোক। এই জটিল সন্দেহ, জিঘাংসা, কুটিলতা, বিশ্বাসভ্রষ্টতার মধ্যে তিনি আর নিশ্বাস নিতে পারছেন না।

"দিয়া," তিনি ডাক দিয়ে উঠলেন। "আরিয়ান, উজ্জ্বল, আমি আসছি। এক মিনিট, মাই ডিয়ার বয়েজ অ্যান্ড গার্লস। বিভাবরী, রূপরাজ আমাকে ফেলে যেয়ো না। দেশাইকে বলো, আমি আসতে চাই, আমি আসছি।"

যত পরিষ্কারভাবে কথাগুলো স্বপ্নের মধ্যে বললেন, অত পরিষ্কারভাবে বাস্তবে শোনা গেল না। সংযুক্তা দেখলেন, একটা ছাই-ছাই রঙের শেষরাত অর্ধস্ফুট হচ্ছে চারধারে। পাখা ঘুরছে, জানলার পর্দা নড়ছে, অস্পষ্ট অবয়ব আলমারি, টেবিল, চেয়ার আর তাঁর পাশের মানুষটির। কী যেন বিড়বিড় করছেন। শরীরটা কাঁপছে, ঠোঁট নড়ছে। তিনি উঠে বসলেন। দীর্ঘদিন ধরে বড়ই টেনশনের মধ্যে দিয়ে যাচ্ছেন তাঁরা। সবরকম দুশ্চিন্তার কথা ধ্রুব তো তাঁকে বলেন না। অনেক চিন্তা তাঁর লেখালেখির জগতের সঙ্গেও জড়িত। সেগুলো ধ্রুবর কাছে ভীষণ জরুরি। কীসে কার কী প্রতিক্রিয়া হয়, কে জানে! তিনি ধ্রুবর গায়ের ঘাম মুছিয়ে দিতে গিয়ে দেখলেন, তাঁর সমস্ত শরীর কেমন রোমাঞ্চিত হয়ে রয়েছে। কী স্বপ্ন দেখছেন ধ্রুব? ভাল কিছু? স্বপ্ন দেখা ভাল। দেখুন। সুখস্বপ্ন যখন।

––––––

GR12/09